EX LIBRIS

Rudy

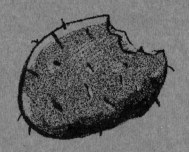

Nuevas crónicas de Tsúremberg

Papas y rabinos

Prólogo de Diana Wang

MAREA
EDITORIAL

MAREA
EDITORIAL

Rudy
Nuevas crónicas de Tsúremberg : papas y rabinos. - 1a ed.
Buenos Aires : Marea, 2005.
272 p. ; 21x13 cm. (Náufragos; 3)

ISBN 987-21109-9-9

1. Narrativa Argentina. I. Título
CDD A863

Cuidado de la edición: Constanza Brunet
Diseño de tapa, de la colección e ilustraciones: Pablo Temes
Asistencia de edición: Virginia Ruano

© 2005 Marcelo Daniel Rudaeff
rudy@tsuremberg.com.ar
www.tsuremberg.com.ar

© 2005 Editorial Marea S.R.L.
Amenábar 3624 – 10º A – Buenos Aires – Argentina
Tel.: 4703-0464
marea@editorialmarea.com.ar
www.editorialmarea.com.ar

ISBN 987-21109-9-9

Impreso en la Argentina
Depositado de acuerdo a la Ley 11.723

En el recuerdo de mis abuelos Dina y Simón Levkov y Ana e Israel Rudaeff; de mis tíos abuelos Moishe y Shloime Zelwianski; de mi papá, Isaac; de mi tíos Jaime Levkov y Nahum Rudaeff; y de mi suegra Lila Schallmann. Todos ellos, de una u otra manera, están en este libro.

Para mi hijo Nicolás; que con sus agudas preguntas me demuestra día a día que la tradición continúa.

Para todos los que venimos de los shtetls.

Prólogo

El universo tsurembergueano creado por Rudy

El *shtetl*.[1] Rudy nunca estuvo en un *shtetl*. Como casi ninguno de nosotros. Los *shtetlej* dejaron de existir poco después de la Primera Guerra Mundial cuando el imparable progreso llegó hasta los más pequeños villorrios alejados. El positivismo y la tecnología de la mano de la radio, el teléfono, los libros, el activismo político, el teatro, el cine, irrumpieron en los caseríos de la Europa oriental cambiando para siempre lo que ahora idílicamente se añora. Los emigrantes de entonces guardaron los *shtetlej* en sus memorias tal como los habían conocido y los mantuvieron vivos en sus relatos, intactos en la quieta eternidad acariciada por la nostalgia. Pero el artificio de mantener un hecho inmóvil solo sucede en la imaginación y abre un doble territorio de realidad. Por un lado, el lugar siguió viviendo, con la gente que permaneció allí, modificándose, lugar y gente. Por el otro, nació un lugar, narrado, recordado y revivido por siempre, guardado por los que se fueron, sin cambios, suspendido en la añoranza. Este retrato mítico y nostálgico fue el que transmitieron a su descendencia. Experiencia reiterada de la migración pues lo mismo ha sucedido con los otros pueblos inmigrantes venidos de la Europa de comienzos del siglo pasado. Cuentan, por ejemplo, los hijos y nietos de gallegos que vuelven hoy a las aldeas de sus mayores, el impacto que les produce el encuentro de la pujante Europa del siglo XXI, tan lejos de lo que fuera la añorada y pobre aldea, tan distante de los relatos escuchados.

---

1 Sthetl: Villorio, pequeña aldea.

En el caso de los *shtetlej* judíos, solo quedaron "vivos" los que se volvieron relatos. Los verdaderos, los que llegaron hasta el primer tercio del siglo XX, a poco de empezar a cambiar fueron destruidos, sus objetos, sus monumentos y testimonios, sus habitantes, sus testigos y relatores, convertidos en cenizas en la locura desatada en Europa contra los judíos durante la Segunda Guerra Mundial. Los *shtetlej* formaron parte de las cinco mil comunidades judías arrasadas por la Shoá. Los judíos que allí vivían fueron masacrados y el dar testimonio de su existencia se transformó en una misión para los que se habían ido. Los *shtetlej* siguen vivos merced a estos relatos que transmitieron a hijos y nietos, nacidos ya en otro mundo, con la nostalgia del terruño y la cultura perdidos. Esta nostalgia, esta persistencia, esta verdad, está retratada en el entrañable Tsúremberg,[2] cuyo segundo volumen de crónicas sigue a continuación.

Hermana menor de Kasrílevke, la aldea eternizada por Sholem Aleijem, habitada por gente pobre pero alegre,[3] encontramos en la Tsúremberg de Rudy unos personajes que se nos parecen mucho y que viven en aquel medio añorado, con nuestros mismos conflictos, sueños, pesares, amores y esperanzas. Allá, en aquel lugar que no hemos visto ni vivido, nos hablan en un idioma familiarmente evocador, el idioma del lugar de donde venimos. Sueña, teje, imagina, inventa, vuela y construye un Tsúremberg habitado por "tsúrelej"[4] vestidos

---

2 Tsúremberg: Nombre ficticio formado por "tsure", propiamente problemas, complicaciones y "berg", monte, o sea "monte de los problemas".

3 Tomado del prólogo de Eliahu Toker para el primer volumen *La circuncisión de Berta y otras crónicas de Tsúremberg*, Buenos Aires, Astralib, 2004.

4 Tsúrelej: Palabra ficticia para denominar a los habitantes de Tsúremberg. La terminación "j" es una de las formas del plural en idish (de ahí también el plural de shtetl es shtetlej).

de nuestras miserias y silencios, nuestras músicas y esperanzas. Tsúremberg está allá. Pero también está acá. No solo porque los problemas, las penas, los *tsures,* son el bien mejor distribuido del planeta. Nos invita a visitar un mundo que fue pero que ya no está. Y sin embargo —he aquí su encanto—, está, lo llevamos puesto. Ha conseguido, por arte de magia, tocar un rincón de identidad en el que nos vemos retratados.

Buenos Aires, siglo xxi. Los tsúrelej somos nosotros, aquí, en Buenos Aires, no solo los judíos, pero especialmente los judíos. Retóricos, verseros, argumentadores, laicos, seculares o irreverentes, buscadores de fe y de salvadores, convocadores de misterios, tan parecidos a estos antepasados míticos, tan talmúdicos, vulnerables y tiernos, tan crédulos en nuestra esperanza y descreídos en nuestras posibilidades, tan contradictoriamente iguales a través del tiempo. Como ellos, también vivimos preocupados por los *pogroms,* esa nube negra amenazadora que puede sobrevenir sorpresivamente disfrazada de dictaduras militares, AMIAs, corralitos o de mentiras y latrocinios multicolores varios, corporizados en los zares —metáfora de los poderosos/intocables/absolutos—, contra los que no hay forma de defenderse.

Las noticias se derraman a la ligerísima velocidad del rumor en Tsúremberg y generan innumerables discusiones y argumentaciones. En los viejos *shtetlej,* cada novedad era una potencial amenaza. Cualquier invento, decreto, rumor o cosa nueva era recibido con el consabido: "¿Eso es bueno para los judíos?". Sabían sobre su perpetua transitoriedad en carne propia, desgraciadamente no solo en sentido filosófico. Habían aprendido duramente que si los caprichosos poderes de turno les dirigían alguna atención no era para nada bueno. Ante cualquier novedad había que ponerse en guardia. El *pogrom* asume una presencia trágica, en el sentido de eterna y fatal, sin discusión, dada, con el peso del destino. Se resumen aquí todos los males posibles. En un mundo que aún desconocía lo que sobrevendría con la Shoá, era el *pogrom* el absoluto del Mal. Nuestros zares y *pogroms* tienen hoy otras caras, pero bien que comprendemos a los pobres e inocentes tsúrelej que, en manos de Rudy, más que violinistas en el tejado hacen malabares con papas parados en un pie sobre el borde de una cornisa.

Rudy reformula refranes y maldiciones y nos inventa un nuevo espejo. Como en los mapas de Guillermo Kuitka que siguen recorridos geográficos imposibles, mezclando localidades en colchones desgastados, estos universos recreados por Rudy se nos enredan en el alma, tan fácilmente reconocibles en sus amores y odios, envidias y sueños, ideologías y tradiciones, progreso y ciencia. Este Tsúremberg parece haber crecido con los pies firmemente apoyados en Buenos Aires. Nuestra particular cultura, preocupaciones y sabores se filtran y condimentan cada palabra. Imagino a Rudy en el bar Ramos, o La Paz, La Comedia, El Coto o El Florida, bares de mi adolescencia y juventud. Veo las mesas rodeadas de jóvenes barbudos fumando con fervor y chicas de pelo batido y ojos lánguidos, libros, apuntes, gestos enérgicos, discusiones, las palabras recién horneadas del último "maestro" de Francia, el más revolucionario, el más críptico, el más provocador, la intelectualidad narcisista y bohemia. Las crónicas de Tsúremberg traen de vuelta las discusiones de política, el psicoanálisis, las argumentaciones, la ingenua convicción y soñada ilusión de estar a la vera del gran cambio del mundo. Un mundo que, igual que Tsúremberg, quedó atrás, en el recuerdo y la nostalgia.

La pobreza judía. La pobreza es una de las grandes protagonistas de esta comedia humana, uno de sus ejes centrales. Ya había desbaratado uno de los ingredientes del prejuicio antijudío con el temido *pogrom* que contradice la acusación del judío "sinárquico organizador de complots mundiales". A ello se agrega otro ingrediente del estereotipo, la suposición de que los judíos, todos los judíos, son ricos (usureros, miserables, explotadores). Claro que hay judíos ricos, como hay italianos ricos, españoles, armenios, alemanes... pero también los hay pobres, y no son pocos. El tema de la pobreza judía fue sacado a luz hace no muchos años por el servicio social de AMIA para sorpresa incluso de no pocos judíos argentinos. Hacer a la pobreza judía protagonista y tejer con ello una trama colorida puede ser hasta una proposición política que nos cuenta otra historia sobre nosotros mismos. Encara con valentía y frescura la búsqueda de dinero, esa "valija llena de sueños", protagonista desde su ausencia. El dinero, medio móvil por excelencia, permitiría, además de vivir mejor –lo que para un típico tsúrele significa dedicarse sólo a estudiar la Torá–, escapar cuando fuera preciso. Y tarde o temprano lo será. La falta de dinero y la papa, la única posesión de Tsúremberg, nos hablan de la inventiva ante la adversidad. La papa, el producto americano que prosperó en Europa y constituyó la base de su alimentación popular, es al *shtetl* lo que "lo arreglamo con un poquito de alambre" es a nosotros, testigos y actores en esta comedia de eternas improvisaciones.

La conversación. Frente a la definición negativa de lo judío, es de resaltar lo positivo de lo judío que hay en estas crónicas. La inventiva para superar los desafíos, la creatividad para salir adelante a pesar de las carencias y dificultades, la alegría de vivir, los valores de la familia y la lealtad al grupo, la importancia del uso de la lógica, el razonamiento y la argumentación. Y el aventurado cronista lo hace como corresponde, con preguntas y réplicas, repreguntas y contrarréplicas, manteniendo vivo el arte de la conversación y la discusión, tan propio de lo judío, conversación de transcurso particular dado que no pretende llegar a conclusiones ni tener razón, tan solo la continuación del juego, que la conversación siga. Define en el delicioso capítulo "El cartel" a los judíos como "un pueblo que discute entre sí y se defiende de los demás".

Los nombres. A la desopilante lista de nombres del

11

primer tomo, Rudy agregó varios nuevos, cómicos, imaginativos y tiernos. A los ya conocidos como, por ejemplo, Shmulik Groistsures,[5] Motl Guéltindrerd[6] —el emprede(u)dor—, Pílquele, Kíjele, Beigale, Tzíbele, Kíguele[7] —los chicos de Tsúremberg—, suma ahora los nuevos personajes o *persotsures* como por ejemplo Hershl Cloranfenikolsky, Kolnidre Medarfloifn,[8] Reb Latque Gutekartofel.[9] A los *shtetlej* "antiguos" de Vuguéistemberg,[10] Lomirkvechn[11] y Gueshtorbeneshpilke[12] agrega Guerratevetkétzale,[13] Chuprinemaine.[14] Ya el *Tsúreldique Tzaitung* no está solo pues ha venido a acompañarlo el *Naie Linkeraje*[15] El glosario del final, es un capítulo en sí mismo, recopilación del ingenio desplegado en todas las páginas y aguda síntesis de las proposiciones humorísticas (es decir, cosas serias vestidas de saltimbanqui). Cuando llegue allí, tenga a mano alguna *bobe* o algún *zeide*[16] para que lo ayude a traducir y a disfrutar cada una de las invenciones. Si no lo tiene, llámeme que disfrutaré junto a usted de volver a reírme de nosotros mismos.

---

5 Shmulik Groistsures: Samuelito Grandesproblemas.

6 Motl Guéltindrerd: Marquitos Dineroperdido.

7 Pílquele, Kíjele, Beigale, Tzíbele, Kíguele: Pelotita, Galletita, Masita, Cebollita, Buñuelito.

8 Kolnidre Medarfloifn: Kolnidre (hebreo: todas las promesas), oración de Iom Kipur, Día del Perdón. Medarfloifn: Hayquehuir.

9 Latque Gutekartofel: Buñuelo Papabuena.

10 Vuguéistemberg: Vu: dónde, gueiste: vas, o sea, Monte de Adónde Vas.

11 Lomirkvechn: Apretémosnos.

12 Gueshtorbeneshpilke: Alfiler muerto.

13 Guerátevertkétzale: Gatito Salvado.

14 Chuprinemaine: Mi Chuprine.

15 *Tsúreldique Tzaitung*: El Diario de Tsúremberg. *Naie Linkeraje*: Nuevo Izquierdaje.

16 *Bobe*: Abuela. *Zeide*: Abuelo.

Relatos con historia. Como hizo Víctor Hugo en *Los miserables*, comienza varios de los capítulos con un relato que pone en contexto histórico el texto posterior, contándonos parte de la historia del pueblo judío, de un modo claro, sencillo, sintético y desenfadado. Por ejemplo en el capítulo en el que Reb Meir Tsuzamen se dirige al juez Honorable Kapoc Czwczczczecztskn (sí, impronunciable, como son impronunciables muchos apellidos eslavos y como es impronunciable el lugar del poder omnímodo y autosuficiente) con la argumentación con la que pretende liberar a su hijo preso por manifestar con una bandera roja, me evoca el viejo chiste judío de la mujer que le reclama a su vecina que la olla que le devolvió estaba rota, a lo que la primera argumenta: "Primero, la olla que me prestaste y te devolví estaba sana; segundo, la olla ya estaba rota cuando me la prestaste y tercero, nunca me prestaste una olla".

El lugar del inocente. Los tsúrelej hablan con la ingenuidad y falta de malicia del niño del cuento sobre los trajes nuevos del emperador, que ignora que debe hacer como que no ve lo que sus ojos le revelan y dice en voz alta "pero... el emperador está desnudo", desnudando la hipocresía disfrazada de sofisticación y *savoir faire*. En el desopilante diálogo sobre Moisés Rudy se las ingenia para que los niños pregunten sobre la lucha de clases, revelando consignas que todos hemos oído, frases hechas que se repiten sin comprender, ataca el tema de los dogmas, los estereotipos y cómo se estrellan contra la lógica de la sensatez y la cotidianeidad. Puede decir, gracias al artilugio de ponerlo en boca de niños y de niños tsurelianos, cosas que no suenan políticamente correctas y que exhiben crudamente lo manipulativo de las simplificaciones panfletarias vacías de contenidos.

—Moisés tenía conciencia.

—¿De que era un príncipe?

—No, de que era proletario.

—¡Pero si acabás de decir que vivía como un príncipe!

Cuando un proletario adquiere conciencia de clase se vuelve más proletario todavía, pero si un príncipe adquiere conciencia de clase, ¿no debería volverse más príncipe?

Y más. Reescribe parte de la historia judía, bromea no solo con el psicoanálisis sino también con figuras reconocidas de la Historia y la literatura universal —como el Edipo y la tragedia—, reflexiona sobre la guerra, sobre la injusticia, y hasta nos da recetas de cocina (todas con papas y cebollas, por supuesto). Resume la ética judía de manera simple y concluyente cuando dice por ejemplo que "cada tsúrele, cada lomirkvéchale,[17] cada judío de cada *shtetl* se sentía personalmente responsable del buen funcionamiento del Universo". En el más cabal sentido aristotélico, estas crónicas son una comedia, habitada por personas como nosotros, con quienes nos podemos identificar, cariñosamente, en nuestra más amable y vulnerable humanidad.

El idioma. Quien haya leído el primer volumen, *La circuncisión de Berta* (si no lo hizo, corra ya mismo a comprarlo), está familiarizado con lo que sucede en sus páginas con el idioma y que señalara Eliahu Toker en su prólogo. Está escrito en castellano pero se oye en idish. ¿Cómo se llamará este idioma? ¿"Castellidish"?, ¿"idishllano"?, ¿"idishino"?, ¿"argenidish"?, ¿"idioñol"?, ¿"españidish"? El texto está en castellano, con su ortografía y sintaxis mantenida y correcta, las palabras y las ideas son brotes del cemento de Buenos Aires, de una clase media deteriorada y empobrecida y su particular forma de vivir lo judío. Pero la melodía que se oye es el idish. Lo judío de la Europa oriental transplantado al sur de nuestra América del Sur, lo judío en clave de cultura, de cosmovisión, lo judío hecho literatura, teatro, chistes, formas de hablar, formas de sentir,

---

17 *Tsúrele, lomirkvéchale*: Habitantes de Tsúremberg y de Lomirkvechn.

formas de pensar. Esa modalidad argentina de vivir y ser judío que nos es tan particular y que difícilmente se encuentre en otras latitudes. Letra y música, música y letra.

El humor judeo-argentino.[18] Rudy ha abierto una nueva puerta al humor judeo-argentino. Y lo hace sin mencionar a la Argentina (salvo como destino de la emigración bajo el nombre de Gute Shtinken).[19]

El humor judeo-argentino tiene antecedentes de nota. Por mencionar unos pocos, Jorge Schussheim en algunas ingeniosas y tiernas evocaciones de lo judío de su infancia, Tato Bores, lo cierto es que no ha habido hasta ahora nada que se propusiera como EL humor judeo-argentino. Tal vez ello se deba —según mi particular visión— al cauteloso resguardo que manteníamos hasta hace pocos años. Hasta el nefasto atentado a nuestra mutual, la AMIA, manteníamos en general una reserva, una cierta opacidad a los ojos de la sociedad en general. Si ni siquiera nos llamábamos "judíos". La misma mutual se llamó "israelita" (Asociación Mutual Israelita Argentina) y recién después del atentado asumió la palabra "judía" en su logo. Como bien dijo el Dr. José Itzigshon, el atentado derribó también muros invisibles en la relación de los judíos con la comunidad en gene-

---

18 En realidad debería llamarlo judeo-porteño, o judeo-bonaerense dado que corresponde a la vida urbana judía desarrollada principalmente en Buenos Aires. Como en tantas otras cosas, se toma Buenos Aires como si fuera "lo" argentino. Tomo la denominación judeo-argentino siguiendo lo que se estila, por ejemplo con el humor judío proveniente de Estados Unidos que, aunque se origina en los judíos de Nueva York, se lo conoce como judeo-norteamericano.
Por otra parte, ¿a qué llamamos humor judío? ¿Al hecho *por* judíos? ¿*Sobre* judíos? ¿Con *temas* judíos? ¿En un *estilo* judío? Aquí uní todo en un manojo y llamé judío al humor hecho por humoristas judíos sobre temas judíos con protagonistas judíos en un estilo judío.
19 Gute Shtinken: Buenos Olores.

ral. En los Estados Unidos, por otra parte, Woody Allen y Billy Cristal, por citar a dos de los más conocidos, forman parte de un grupo de humoristas que han expresado y transmitido lo judío en la confluencia con lo norteamericano y han creado una manera particular de hacer humor que suele tomarse como típico del humor judío en general. Se trata sin embargo del sabor y el color de la idiosincrasia judía desarrollada en los Estados Unidos y que ha tenido una importante difusión en el cine, en libros, en la televisión (con, por ejemplo, el personaje de *The Nanny-La niñera*).

Rudy marca un hito con estas crónicas en la confluencia de lo judío con lo argentino, y nos habla de la agridulce y salpimentada identidad judeo-argentina en unos textos que tienen la virtud de hablarnos de nosotros, de las cosas que nos importan, en un idioma que entendemos, desde un lugar que nos es añoradamente familiar.

Ñatishe Jaknishtmerachaiñik[20]
(fuera de Tsúremberg: Diana Wang)

---

20 Ñatishe Jaknishtmerachaiñik: Ñatishe, de "ñata" que me evoca *nárishe*, tonta, *Jaknishtmer*, no golpees más, a *chaiñik*, la pava, o sea, Ñatonta Norrompasmás.

16

Palabras preliminares

En marzo de 2004, vio la luz *La circuncisión de Berta y otras crónicas de Tsúremberg*, luego de años de expectativas (unos siete de mi parte, más de un siglo de los tsúrelej). La aparición de un libro suele ser motivo de alegría para el autor, sus familiares y amigos, sus lectores. Tsúremberg fue, es, está siendo, mucho más que eso. Como si el *shtetl* hubiera estado replegado en sí mismo y de pronto se expandiese; como si hubiera sido un cubito de sopa de pollo de la *bobe* al que de pronto le agregan el agua necesaria para que alcance su sabor, como si un mágico despertador con aroma a papa y cebolla frita llamara a todos, ocurrió.

Ocurrió que, por iniciativa de mi querido amigo Marcelo Benveniste, Tsúremberg es, además, el primer "*shtetl* virtual", **www.tsuremberg.com.ar**, que no para de crecer, ya lo han visitado más de diez mil personas de más de cuarenta países, muchas de ellas dejando además su propio "ladrillo", su mensaje, su aporte.

Ocurrió que el 17 de marzo de 2004 se presentó, en un acto aparentemente austero, bien tsureliano, en el Teatro del Pueblo, acompañado por Eliahu Toker, Diana Wang y Florencia Verlatsky. Y de pronto, cada uno de sus textos fue una sorpresa, un nuevo disfrute, un redescubrir Tsúremberg. En cada uno de los discursos, el *shtetl* crecía.

Y fue también que empezaron a aparecer mamá, tía, prima, diciendo "yo llevo *kamisdbroit*, yo llevo unas masitas, yo llevo *leikaj*, yo llevo un vinito dulce para un *lejaim*". Y Matías y Sebastián: "Nosotros llevamos la música *klezmer*". Y ya fue una fiesta. Más de 200 personas riendo, escuchando, brindando.

Y ocurrió que Tsúremberg se volvió a presentar, en el ICUF, en la Bnei Brith, en la USAR (Rosario), en la librería Tierra de Lectores; y a los 200 de la primera fiesta, se les sumaron 300, 500 personas más.

Y que aparecían "tsúrelej" en Israel, en Estados Unidos, en Uruguay, en los Países Bajos, en Australia, España, Zambia; en fin, en los cinco continentes.

Que en la página *web* se sumó Jorh, con su exquisita mirada de humorista gráfico, y entonces nació la idea de "exhibir cuadros" sobre la historia judía, en el Tsúkerke Café.

Que se agotó la primera edición, y luego la segunda, y la tercera.

Que apareció gente de Volkovisk, el *shtetl* natal de mi *bobe* y mi *zeide*, y me acercó el tomo *Volkovisk Izkor* de M. Einhorn (en idish, con un resumen en inglés) y pude ver fotos, imágenes, testimonios que se suman a aquellos entrañables cuentos de mi *bobe*.

Que apareció gente de Basavilbaso, las tierras de mi mamá, con más anécdotas. Que apareció gente (Isaac, Gregorio) que me traía más nombres en idish, de posibles personajes. Que cada vez que encendía mi computadora se abría una ventanita que me avisaba que estaban listos los *cyberknishes*. Que apareció gente que leía y dramatizaba los cuentos.

Que aparecieron "tsuvenires": recetas, dibujos, canciones. Otros que contaban que les habían enviado el libro a sus familiares en Israel, o que se los leían a sus hijos, para recuperar el idish, o sus propias infancias. Que me contaban que les habían regalado el libro a personas que estaban recuperándose, o con serios problemas de salud, y que, riéndose con mis textos, "mejoraban", o transitaban mejor sus dificultades. Si Reb Jaim Abrúmelson Piterkíjel lo supiera, me diría: "Tus textos no son tuyos, son de Dios, pero si Dios los usó para ayudar a alguien, seguí escribiendo".

Que apareció música tsureliana. Sí, desde Tsúremberg. Desde un shtetl virtual, de pronto, se hace escuchar la *Kartofltantz* (la danza de las papas); *Reb Jaim y Reb Meir* (o los dos rabinos de Tsúremberg), *Tsúremberg...*

De pronto, esos mismos olores, sabores y climas que me hablan y me cuentan, inspiran a Pablo; y con su banda, de músicos nacidos individualmente en Buenos Aires, pero como banda, en Tsúremberg, descubre, (porque se trata de eso, de un descubrimiento), esa música que estaba allí esperándonos por más de un siglo.

Todo esto apareció "afuera" y se metió adentro. Era demasiado. Un sueño. Un deseo, como diría el *Dokter* Víntziquer Psíquembaum, el psicoanalista que apareció de pronto en Tsúremberg, y ahora es columnista de *Página/12*.

Y desde adentro, los personajes, mis queridos entrañables tsúrelej, los que ya conocía, y muchos otros, me avisaban que tenían más historias que recorrer, que contar, que compartir.

Y era escribir una historia tras otra. Y que los personajes me dijeran: vení, queremos que cuentes esto. Y era no poder dejar el teclado, y tener que explicarle a mi familia que "voy a cenar con ustedes ni bien los personajes me dejen soltar la compu".

Tsúremberg crece, y ahora, los personajes se me escapan, y van a su casa, lector, a pedirle una papa, y darle sabor a *knishe*, *varénique*, *latque*, antigua canción de cuna, baile, vino y/o sexo de papa.

Y para los que se acercan por primera vez, al comienzo del libro hay una guía turística que les explicará cómo perderse mejor en Tsúremberg. También al final del libro encontrarán un glosario de las palabras que aparecen en idish (en el libro destacadas en bastardilla), por supuesto, se trata del idish tal como se hablaba en Tsúremberg; y una guía de los personajes, lugares, instituciones de Tsúremberg, sus alrededores y su "por ahí".

Solo me queda alzar mi copa y decir ¡*lejaim*!, hermosa palabra hebrea que se usa en los brindis y significa, simplemente ¡por la vida!

Rudy
Buenos Aires-Tsúremberg, marzo de 2005

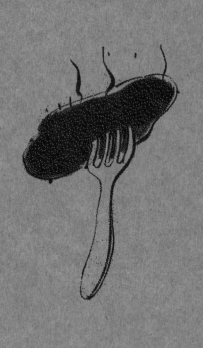

Guía turística de Tsúremberg

¿Por qué una guía turística de Tsúremberg?

Nos explica Reb Simjastoire Nusslgrois:

"¿Guía turística de Tsúremberg? ¿Para qué necesita Tsúremberg una guía turística? ¡Los tsúrelej saben perfectamente dónde queda cada cosa, qué hay (lamentablemente, casi nada) y qué no hay (lamentablemente casi todo); y a los que no son tsúrelej, ¿cómo explicarles que la manera de llegar es tratando de ir a otro sitio y perdiéndose en el camino? Además, los turistas que van a París, a Londres, a Roma, ¿para qué querrían una guía de Tsúremberg? ¡Y a Tsúremberg los turistas, no vienen, al menos, por propia voluntad! Y a los cosacos que vienen a hacer *pogroms*, ¿les vamos a dar una guía para que sepan dónde atacarnos y cómo saquearnos mejor? ¡No! Por eso, no hay guía. Pero, para los que quieran saber algo sobre nuestro *shtetl*, algunas cosas les vamos a contar...".

¿Cuándo se fundó Tsúremberg?

Nos informa Reb Reubén Tsurelsky:

"Dicen que fue más o menos hace mil años. Así lo decían a fines del siglo XVII, y lo siguen diciendo doscientos años después, con lo que la fecha exacta de la fundación desde hace mucho tiempo que es 'hace mil años', siglo más, siglo menos. Pero si quiere saber la fecha con más precisión, sólo Dios la sabe".

¿Quiénes fundaron Tsúremberg?

Reb Shloime Vantz nos dice:

"Un grupo de judíos que llegaron huyendo de los romanos (que los habían echado de la Tierra Prometida, en el año 70 d. C.). Aunque pasarse 800 ó 900 años huyendo era demasiado, aun para un pueblo nómade y errante. Seguramente buscaban otro lugar, pero no lo encontraron, y se quedaron acá. Reconozcamos que en los Diez Mandamientos no figuraba: 'Preguntarás la dirección cuando estés perdido'".

¿Dónde queda Tsúremberg?

Nos orienta Reb Purim Feler:

"Si ustedes le preguntaran a nuestro *rebe*, Jaim Piterkíjel, él les diría: 'Donde Dios la puso'. Y si le preguntaran a nuestro *rebe*, Meir Tsuzamen, él les diría: 'Donde el pueblo lo estableció, en Asamblea'. ¿Dónde queda en realidad? Unos sostienen que fue fundada a la vera del río Shmendrik, afluente ignoto del Vístula; otros tienen como referencia a París: 'Queda muy lejos de Tsúremberg'. Pero si realmente queremos ubicar a Tsúremberg, lo mejor será que tomemos un mapa de Europa, cubramos la zona centro oriental con la mano extendida, y digamos 'más o menos por acá debe estar'".

¿Geopolíticamente, a qué país pertenece Tsúremberg?

Nos dice Reb Shmulik Groistsures:

"La constante mutación política de la zona hacía que un pueblo perteneciera a Alemania, a Polonia, a Ucrania, a Rusia, e inclusive a Turquía, en un mismo día. Ya que los judíos establecidos en Tsúremberg decidimos no movernos más y quedarnos allí, las fronteras se mueven por nosotros: 'Cuando vienen los alemanes es Alemania, cuando vienen los rusos es Rusia, cuando vienen los polacos es Polonia, y cuando vienen los cosacos es un *pogrom*. ¡Huyamos!'".

¿Cómo es la estructura económica de Tsúremberg?

Nos explica Reb Shloime Vantz:

"Los tsúrelej producimos y consumimos diversos bienes, tales como galletas de papa, artesanías de papa (producto abundante en la zona y mucho más fácil de cazar que un oso) y hasta casas con techo de papa. Estos bienes los intercambiamos con otros pueblos, como los cosacos, y los kalmucos, tan pobres como nosotros, quienes a cambio nos ofrecen a los judíos algo vital para la supervivencia: no matarnos".

¿Cómo es la vida cotidiana?

Calman Farbrent nos cuenta:

"Los hombres se dedican al estudio de la Torá y el Talmud. A las mujeres les queda entonces muy poca cosa por hacer: trabajar la tierra, plantar y cosechar las papas, cocinar, hacer las artesanías para vender, mantener la casa, tener y criar los hijos, y apoyar al marido en sus meditaciones metafísicas. Los niños se dedican a aprender de sus padres y del rabino; y las niñas a reprocharles a sus madres por no haberlas hecho varoncitos, mientras las ayudan en todas las tareas".

¿Cuáles son los principales medios de comunicación?

Kolnidre Medarfloifn nos explica:

"El principal y más rápido medio de comunicación es el rumor. Pero para los que necesitan una versión escrita y documentada de la noticia, existe el *Tsúreldique Tzaitung*, el diario local".

¿Y la estructura social?

Nos cuenta doña Iajne Tsurelsky:

"Son todos pobres, menos mi marido, que una vez fue rico, elegido por voluntad popular y concurso como 'el rico del pueblo', pero como fue solamente voluntad, renunció a su cargo de 'rico' porque era 'el rico más pobre que hay'; y ahora somos todos pobres. Pero está bien ser pobres, siempre que haya un rico al que poder pedirle cosas".

¿Cómo anda el nivel científico?

Opina Reb Shmulik Groistsures:

"A mediados del siglo XIX, Tsúremberg todavía anda por el XV. Con muy buena voluntad, por el XVI. Pero el mundo está convulsionado. Son los tiempos de Darwin, Marx, de Freud, de Einstein. Tsúremberg también tiene, para no ser menos, sus propios científicos. Como el no muy célebre Abramitsik Úguerke, quien 'descubrió', entre otras cosas, la imprenta. No 'inventó', porque ya estaba inventada. Otro científico del pueblo, el profesor *Dokter* Efrom Píchifke, 'descubrió' el tren".

¿Qué se sabe de política?

Nos cuenta Moritz Shoin Nishtó:

"Sabemos que existe algo llamado 'democracia', que en algunos países los hombres eligen al gobierno, y las mujeres luchan por conseguir su voto. Pero la mayoría no lo entiende. Según nuestro rabino, Reb Jaim Abrúmelson Piterkíjel: '¡Eso es una barbaridad! ¡Elegir al gobierno es como elegir a Dios! ¿Cómo se van ustedes a quejar de un gobierno si ustedes mismos lo eligieron? ¿Cómo le van a pedir clemencia si ustedes mismos le pidieron que sea así?'".

¿Cuáles son los principales comercios?

Nos explica Motl Guéltindrerd, el emprende(u)dor:

"Tsúremberg no es un buen lugar para jóvenes *entrepreneurs*, ya que los inversionistas tienen una visión muy conservadora respecto del dinero: desean conservarlo. E incluso, aumentarlo. Pero existen negocios, como el Shmaterai de los Ganev, donde uno puede encontrar vestidos viejos al mismo precio que si fueran nuevos. También el hospitalario Tsúkerke Café, donde usted podrá degustar un exquisito té de papas, acompañado de una variadísima gama de discusiones.
También hay un *shadjn* (casamentero) que se

encarga de conseguirles buenos novios a las chicas y buenas dotes a los muchachos. El problema, al menos en mi caso, es que la dote venía con novia incluida".

¿Cómo es el sistema de salud?

Nos explica doña Merishke Vantz:

"Es muy simple: si la enfermedad es grave, o requiere un tratamiento urgente, uno reza, y Dios, si quiere, lo cura. Si la enfermedad es leve y el tratamiento puede esperar, uno va al médico, y él le dice qué se puede hacer mientras espera que Dios lo cure".

¿Qué se puede comer en Tsúremberg?

Nos cuenta doña Tzebrójene Mishpoje:

"Depende del día, se puede comer papa, o no. Yo suelo comer papa, acompañada... por mi familia. A veces en lugar de papa hay cebolla, pescado (papa pescada en el río), remolacha (papa

rosada) e incluso uno de mis hijos llegó a soñar que comía queso. Mi marido Meir dice que cuando venga la revolución vamos a comer de todo, y yo creo que vamos a comer de todo... de todo tipo de papas, le digo yo".

¿Cuáles son las autoridades religiosas?

Nos dice Reb Jaim Piterkíjel:

"La autoridad religiosa del *shtetl* es Dios ¿Quién va a ser si no?, ¿vos?, ¿yo? Yo soy el rabino que intento pedirle al pueblo que escuche a Dios, y después está Reb Meir Tsuzamen, el otro rabino, que quiere pedirle a Dios que escuche al pueblo. ¡Como si Dios necesitara sus consejos!".

Capítulo 1

En la pobreza y en la pobreza

Casarse nunca fue fácil en Tsúremberg. Pero siempre fue una costumbre y una tradición que se respetó. Desde que los Diez Mandamientos establecieron que "no codiciarás a la mujer del prójimo", los judíos supieron que era necesario que el prójimo tuviera una mujer para poder no codiciarla. Porque si no codiciaban a una mujer, pero esta no era de ningún prójimo, estaban faltando a la ley: la mujer tenía que ser del prójimo para poder no codiciarla.

Otros faltaban a la ley no codiciando a la propia mujer, a la que sí era obligatorio codiciar. Aunque la ley no lo decía, para cualquier judío acostumbrado a las persecuciones durante tantos siglos, todo lo que no estaba prohibido, era obligatorio.

Durante mucho tiempo, los casamientos se acordaban no con la mujer codiciada, sino con la dote codiciada. La dote era la cifra que el padre le ofrecía al futuro marido de su hija, para que dejase de ser futuro y siguiera siendo marido. Nada dicen las leyes respecto de codiciar o no la dote del prójimo, pero suponemos que no estaba muy bien, tampoco.

De todas maneras, cuando nos referimos a dote, no hay que pensar en esas cifras que los ricos judíos de Varsovia o Lodz podían manejar, miles de rublos. En Tsúremberg, ni miles, ni rublos; decenas, y papas, y eso con mucha suerte, o como diría Reb Jaim Abrúmelson Piterkíjel, con la voluntad de Dios. En realidad con la voluntad de Dios se contaba siempre, lo que pasa es que a veces la voluntad concedía algunas papas, y otras veces, no.

La madre de la novia preparaba a su hija instruyéndola en sus obligaciones y derechos:

• Una buena mujer judía debe satisfacer a su marido,

pero tiene el derecho de decidir cuándo él está satisfecho y cuándo no lo está.

• Una buena mujer judía no debe quejarse mientras trabaja; y tampoco debe trabajar, mientras se queja.

• Una buena mujer judía debe saber trasmitir las tradiciones milenarias, y debe saber que nada se mantiene exactamente igual durante un milenio, ni siquiera las tradiciones.

• Una buena mujer judía debe poder perdonar y olvidar, pero nunca debe olvidarse de qué fue lo que perdonó, y a quién.

• Una buena mujer judía debe poder mirar para otro lado cuando así las circunstancias lo requieran, pero tiene el derecho de que en ese "otro lado" haya algo digno de ser mirado.

Después de casarse, las mujeres se encargaban de las tareas hogareñas, que eran casi todas, y los hombres se encargaban de proveer a la familia mediante el sistema que durante muchos años había sido el único exitoso: rezarle a Dios para que nunca faltara nada. Incluso los judíos que se iban a las ciudades y desarrollaban oficios, al principio tenían grandes dificultades para entender que ser un buen sastre no era rezarle a Dios para que hiciera un buen traje, sino hacerlo con sus propias manos. Una vez que entendieron este cambio, el resto fue "pan comido" o, al decir de Tsúremberg, "papa comida", y los judíos llegaron a ser grandes sastres, y en algunos casos lograron conseguir con sus propias manos y su propio talento las fortunas que Dios no les había conseguido, aunque como diría Reb Jaim Piterkíjel: "¿Para qué necesita una fortuna quien tiene a Dios? ¡Sólo Dios lo sabe!".

Hombres y mujeres, sea para quitarle al prójimo una mujer codiciable, por la dote o por lo que fuera, se casaban, en Londres, en Roma, en Varsovia y en Tsúremberg. A veces un hombre se casaba en Londres con una mujer que estaba en Tsúremberg. Hubo un caso, el del joven Promischik Papírelej, que se casó en Varsovia, y luego se volvió a casar en Cracovia, sin separarse de la primera, a pesar de que estaba prohibido, y cuando lo descubrieron dijo que lo hizo, no por las mujeres ni por las dotes, sino de puro creyente, porque trataba de quitarle al prójimo todas las mujeres codiciables que pudiera. Él sería muy creyente, pero nadie le creyó.

Otros hombres, a diferencia de Promischik, trataban de no casarse con ninguna mujer, le dejaban todas al prójimo para que las desease a voluntad. Como Motl el emprende(u)dor. ¿Era menos creyente o menos ambicioso? De ninguna manera. Motl rechazaba los casamientos, pero no las dotes, y era tan creyente que creía que Dios lo ayudaría a huir en el momento preciso.

"No pregunten, no me cuenten"

> Los padres de
> Rojl Feler y Moritz Shoin Nishtó
> O, "ellos mismos"
>
> ### Invitan al casamiento
> ### de sus hijos
> ### O a su propio casamiento
>
> *R.S.V.P.*
> O simplemente venga

Kolnidre Medarfloifn no era precisamente un *shnorer*, ya que ser pedigüeño en Tsúremberg era una especie de contradicción, una utopía si se quiere; un imposible de esos que Dios, en su infinita sabiduría, ni siquiera intentaba resolver, ya que, justamente, una de las características de la sabiduría es poder reconocer, exactamente, los problemas que es mejor ignorar. Digamos, la sabiduría no puede ser infinita sin un poco de ignorancia.

Pero si nadie tenía nada, él tenía menos todavía. Porque ni siquiera tenía demasiado de qué quejarse.

Solía decir: "En Tsúremberg no nos falta nada. ¿Queremos comer? ¡Tenemos hambre! ¿Queremos beber? ¡Tenemos sed! ¿Queremos hacer algo que está prohibido? ¡Tenemos al *rebe* que nos dice por qué no debemos hacerlo! ¿Queremos tener una tierra para nosotros? ¡Tenemos sueños! ¡Y además, tenemos tanta pobreza, que si tuviéramos un poco más, no tendríamos dónde meterla! ¿De qué nos quejamos?".

Digamos que por más pobre que fuera, tener de qué quejarse tenía, en términos absolutos, ya que era un hombre sin fortuna ni fama, perseguido por los *pogroms*. Pero de eso se quejaban todos los tsúrelej, los lomirkvechélejs, los ienerveistsniks, los shlejteloksniks. Digamos que salvo los ricos y famosos, no había judío de Europa Oriental que no pudiera quejarse de lo mismo. Con lo cual, era tan obvio, que no existía como tema cotidiano.

Con el simple gesto de colocarse las manos sobre la cabeza y decir "¡*oy vey*!", o "*ve iz mir*", cualquier judío podía reconocer en cualquier otro a alguien tan pobre como él mismo. Algunos *shtetlej* inventaban gestos especiales para denotar queja: el dedo en el ombligo, la mano derecha en la oreja izquierda, el meñique en el ojo mientras se emitía un sonido que trataba de imitar el crujido de una cebolla, etcétera. Pero no funcionaron. Evidentemente, milenios de queja habían fructificado en claras y explícitas señas.

El tema es que Kolnidre no tenía "temas particulares, cotidianos" de que quejarse. No tenía suegra, no tenía vecinos, no se le conocían hijos ni patrón. Y eso hace de cualquier judío pobre, un pobre de verdad.

Él recorría la aldea de casa en casa, buscando, pidiendo temas, anécdotas, cosas que comentar para así integrarse a la sociedad. Y así fue como se enteró del proyecto de casamiento entre Moritz Shoin Nishtó y Rojl Feler. Y también, como lo difundió por toda Tsúremberg, como reguero de papa (no iba a ser de pólvora, tratándose de Tsúremberg).

No es que fuera tan extraño que hubiera un casamiento. De hecho, existía un mecanismo muy simple para casarse que cualquier judío podía cumplir sin mayores problemas. En general, antes de su nacimiento sus padres habían arreglado su casamiento con el hijo/a de algún vecino que también tuviera un hijo por nacer. Es una buena manera, ya que uno nace con el problema resuelto, no tiene que ir eligiendo pareja por ahí, ni correr el riesgo de que no le guste, o no le guste a su papá, mamá, rabino, etcétera.

Una vez que los chicos estaban en edad de casarse (trece años él, más o menos once años ella) un *shadjn*, o sea un casamentero, los presentaba oficialmente (aunque como vecinos se hubieran pasado la infancia jugando juntos), los padres daban el acuerdo, el padre de la novia ponía la dote, y ya estaba. Claro está que a veces ambos vecinos tenían varones, o mujeres, y entonces no podían casarlos entre sí, y debían casarlos con otros. Allí comenzaban los conflictos.

Pero esos conflictos, si uno vivía en Tsúremberg, nunca eran trágicos. Era mucho más difícil conseguir una buena comida que un buen marido para la hija. Es más, teniendo una buena comida era muy probable que se acercaran muchos candidatos a marido. Aunque si se acercaba por la comida, podría uno preguntarse si realmente sería un buen marido.

Allí era donde intervenía Reb Jolodetz Saltzn, el *shadjn*, quien se encargaba de investigar las virtudes del candidato, y en caso de que tuviera pocas, agrandarlas, exagerarlas, exaltarlas, transformarlas, crearlas, para que el muchacho quedara convertido en alguien potable, digno de casarse con la chica en cuestión sin que resultara una salida indigna para la familia ni para los ojos de la exigente sociedad, que a sabiendas de sus límites en cuanto a riquezas materiales o gastronómicas, no ahorraba críticas a la hora de comentar en público el perfil del candidato a novio de la hija de otro (así como no ahorraba elogios para el de la propia hija, en público, ni críticas en privado).

—¿Tu hija se va a casar con Farabúndele Óremfortz? ¡Pero si es un *shnorer*!

—No es un *shnorer*, brinda un servicio al pueblo, va casa por casa, y gratis se lleva las cosas que uno no necesita.

—Ah, un *shnorer*.

—¡Lo decís de pura envidia! ¡Tu hija se está por casar con Nishtmainzún Geblibn, ese ladrón!

—¡Ya quisieras para tu hija un hombre así! ¡No es un ladrón... él hace lo mismo que tu futuro yerno, pero sin molestar a los habitantes de las casas... simplemente les brinda el servicio de llevarse lo que ellos ya no necesitan cuando ellos no están! ¡Un hombre santo! En cambio tu otra hija está de novia con Abramele Kópel Penitentziarí.

—¿Y qué tiene de malo? ¡Un hombre con apellido, trabajo, dinero!

—Sí, y esposa... ¡Ya está casado con otra mujer!

—¿*Nu*? Es un santo, un *tzadik,* no contento con tener ya una esposa, ¡está dispuesto a soportar a dos! ¡Deberíamos hacerle un monumento!

Pero este era un casamiento muy especial. El punto es que, según el vecino Reb Mordejaim Roshtapuaj Shuartzefínguerlaj, Kolnidre Medarfloifn le había comentado que, rompiendo con todas las tradiciones milenarias del pueblo, Moritz Shoin Nishtó quería casarse con Rojl Feler. Mordejaim se lo comentó a otro vecino, From Lejer.

—¿Qué tiene de raro que un hombre se case? —preguntó From Lejer.

—Que se case no tiene nada de raro, se han casado mis bisabuelos, mis abuelos, mis padres, yo mismo y, ¡Dios así lo quiera y el *shadjn* nos lo negocie!, se van a casar mis hijas, mis nietos y así... Lo raro, lo nuevo, lo que rompe un milenio de vida judía, no es que se case, sino que se quiera casar.

—¿Pero vos qué estás diciendo? ¿Que ningún hombre quiere casarse nunca?

—No, ya sé que los hombres queremos casarnos, pero, ¡con una mujer!

—¿Y no sería más raro y antitradicional que quisiera casarse con otro hombre?

—No entendés, no me refería a "mujer" sino a "una".

—¿Qué, no puede un hombre ahora amar a una mujer?

—Por supuesto que puede, pero ¿casarse con la mujer que ama? ¿Dónde se ha visto eso?

—¿Acaso los hombres no aman a las mujeres con las que se casan?

—¡Sí, por supuesto! ¡Y ese es el tema!... ¡Según la tradición milenaria, un hombre primero se casa con una mujer, y luego, después, más tarde, la ama... En cambio Moritz, ya dice amar a Rojl y todavía no se ha casado con ella, ni sabemos si se va a casar o no, ¡eso es sacrilegio! Por generaciones y generaciones, los padres, o el *shadjn*, le decían a cada hombre con qué mujer se había de casar, sin que él la conociera, ¿entendés?

—Sí.

—Y parece que hay algo peor todavía.

—¿Qué puede ser peor?

—Parece que... ¡ella también lo ama a él!

—¿En serio?

—¡Sí, es un horror! ¿Cómo pueden hacerles algo así a sus padres? ¿Cómo pueden romper una tradición tan fácilmente? ¿Qué les pasa a los jóvenes de ahora, no tienen el menor respeto por sus mayores? Parece que Reb Najes Shoin Nishtó decidió que su hijo Moritz se casara con Rojl Feler. Habló con Reb Jolodetz Saltzn, el *shadjn*, para que vaya a ver a su vecino Reb Purim Feler, que vive en la puerta de al lado, y arregle la boda.

—Decime, si vive en la puerta de al lado, ¿no podía ir él, directamente?

—¿Qué sos vos, revolucionario? ¿Cómo iba a ir directamente a hablar con el padre de la novia, evitando al *shadjn*? ¿Para qué hay *shadjn*, qué sentido tiene el *shadjn* si uno va directamente?

—No, como vive al lado, seguramente más de una vez habrá ido directamente.

—¡Por supuesto! ¡Uno va a la casa de su vecino directamente, sin consultar al *shadjn*, para pedirle una papa prestada, o para pedirle que le devuelva la papa que le prestó el otro día, o para ir juntos al Templo a pedirle a Dios que les conceda más papas a ambos, o al Tsúkerke Café para tomarse juntos un té de papas! Por supuesto que para eso uno no va a llamar primero al *shadjn*, sería ridículo hacerlo. "Reb Jolodetz, ¿me acompaña por favor a lo de mi vecino a pedirle una papa?" "¿Por qué, tenés una papa en tu casa y querés que se case con la de tu vecino?", preguntaría él. Pero para casar un hijo con la hija del vecino, sí se necesita un *shadjn*, que ponga las normas, discuta el monto de la dote, le prometa al padre del novio que va a conseguir más dinero, y al de la novia que va a conseguir que sea por menos.

—¿Dinero? ¿En Tsúremberg?

—Por supuesto. Las dotes se fijan en dinero. Que después ese dinero no se pague realmente y quede en una promesa, no quiere decir que primero no haya que negociar la suma. ¿O acaso cuando le pedís plata prestada a alguien, no es importante saber cuánta plata no te va a prestar? ¡No es lo mismo que no te presten diez centavos, que que no te presten mil rublos! Podés decir, "tuvimos una charla de negocios con Rothschild, bueno, le pedí mil rublos..." y no hace falta que aclares que no te los dio, igualmente te da categoría y prestigio, con esa suma podés ir a ver a otro hombre de negocios, y con suerte conseguís que no te preste... ¡pero diez mil rublos! Y con ese rechazo, ¡ya no tenés límites!

—Diez mil rublos es mucha plata, aun si no la tenés.

—No seas tonto, a la hora de no conseguir dinero, no hay que tener límites... hasta un *shnorer* tiene derecho a soñar, y no andar por ahí pidiendo sueños ajenos. Pero volvamos al tema del *shadjn*, ¿cómo se te ocurre que no van a llamar al *shadjn*?

—Y... ya te lo dije, viven uno al lado del otro, son vecinos.

—¿Entonces porque son vecinos no hay que vestirse para ir a verlos, no hay que ponerse la *kipá*, no hay que mesarse las barbas hasta que queden prolijas?

—¿Qué tiene que ver?

—¡¡Las normas son las normas!! ¡Se usa *kipá* y se llama al *shadjn*! ¡Entonces el *shadjn* arregla la boda, los padres van cada uno a su casa, llaman a sus hijos y les comunican la buena nueva! ¡Y luego ellos desobedecen el mandato...! ¡¡Cómo puede Moritz decirle a su venerable padre: "No papá, no me voy a casar con Rojl porque vos me lo indiques, me voy a casar con ella, porque ¡la amo!"?! ¡¡Cómo podría Rojl destrozar el corazón fuerte como un roble, pero no por ello menos delicado, de Reb Purim, y decirle: "Lo siento, papá, pero yo amo a ese hombre y me voy a casar con él, a pesar de que vos hayas decidido que me case con él"?! Y entonces Reb Purim se sentiría el peor de los hombres, y llamaría a Reb Jolodetz Saltzn, el *shadjn*, y le diría que la reunión para que los novios se conozcan va a cancelarse, porque los novios ya se conocen, y así se rompe todo un rito...

—¿Pero acaso los novios no se conocían ya, si son vecinos de toda la vida?

—¡No! Rojl y Moritz sí se habían visto muchas veces pero no se conocían "como novios", ¿entendés?

—Entiendo, pero no entiendo.

—Es que ellos se conocían, pero no se "conocían", ¿entendés ahora?

—Igual que antes, no está claro, para mí si uno se conoce, se conoce, y si no, no.

—Decime, vos a tu suegra, doña Grobechainik, ¿la conocías de antes de casarte?

—Sí, por supuesto, siempre vivimos cerca.

—¿Y fue lo mismo conocerla como vecina que como suegra?

—Entiendo. No me expliques más. Pero, una pregunta: ¿a vos quién te dijo todo eso, Mordejaim?

—¿Y quién va a ser? ¡Kolnidre, el *shnorer*, que se lo escuchó decir a doña Iajne Obergute, que a su vez lo escuchó de doña Tzureiajne, a quien se lo dijo doña Beheime, que lo escuchó de doña Híntele, que al parecer lo dedujo de ciertos murmullos de Reb Simjastoire Nusslgrois, que lo escuchó del propio Kolnidre...!

Reb Jaim Piterkíjel también había oído algo, y entonces habló sobre el tema, pero, por supuesto, oblicuamente, ya que el rumor venía de un *shnorer*, y la palabra de un *shnorer* puede ser cualquier cosa, menos oficial, y entonces el *rebe* no puede hablar oficialmente por lo que, sin aludir a casos puntuales, vociferó en su sermón:

–¡Hoy en día los judíos quieren decidir dónde vivir, qué comer, con quién casarse! ¿Cómo va a decidir un judío dónde vivir? ¡Hace más de cuatro mil años, Abraham Abinu escuchó a Dios que le dijo: "¡*Lej, leja.,.* vete!" y le prometió una tierra de leche y miel para él y todos sus descendientes! ¡Hace más de tres mil años, los judíos eran esclavos en Egipto, pero Dios le dijo a Moisés: "¡Vete, y llévate a los tuyos a Canaán!"! ¿Vivimos los judíos en la Tierra que Dios nos prometió? ¿Es Tsúremberg una tierra de leche y miel? ¡Todos sabemos muy bien que no, que no lo es, que apenas es una tierra de papas y *pogroms* en la que sobrevivimos como podemos! Ahora bien, ¿por qué vivimos los judíos aquí? ¡¿Lo sé yo, lo sabe Reb Meir Tsuzamen, con sus ideas modernas y sus "criterios"?! ¡No, claro que no lo sabe! ¡El único que lo sabe es Dios, y Él, y sólo Él, nos dirá cuándo y adónde debemos irnos! ¿O acaso algún judío quiere irse antes y dejar a Dios aquí? ¡¿Y los que quieren cambiar nuestra dieta y comer de todo?! Pero ¿quién consigue esas cosas en Tsúremberg? ¡¿Cuántos falsos Mesías nos prometieron manjares, nos ensoñaron con faisanes y nos despertamos con las mismas papas de siempre y menos ilusiones?! ¿Y casarse? ¡Si Dios hubiera querido que nos casásemos con la mujer que quisiéramos, desde hace siglos que nos estaríamos casando con ellas, y no con *ellas*, con las que nos casamos de verdad! ¿Ustedes creen que yo me hubiera casado con mi Grepche si la hubiera conocido antes? ¡No, por supuesto que no! ¡Que Dios me dé tanta fuerza ahora como la que tuve que hacer en el momento de conocerla para aceptarla! Pero dije: "¿Quién soy yo para torcer Su Voluntad?". No, no dije eso, eso lo pensé, lo que dije fue: "¡Sí, acepto!", y miré a mi padre que me sonrió con una extraña satisfacción, quizás por ver su hijo felizmente casado bajo la Ley, o por sentir que finalmente había hecho con su hijo lo mismo que sus padres hicieron con él... cumpliendo así con la tradición.

Pero mientras Reb Piterkíjel lanzaba lo suyo en el templo, en casa de los Feler la vida se complicaba.

—¡Pero Rojl!, ¿qué tiene que ver que lo quieras o no? ¡Vos te vas a casar con el hombre que nosotros, tus padres, te designamos: Moritz Shoin Nishtó!

—¡Nunca, jamás... soy una mujer, no una niña, y tengo derecho a casarme con el hombre que yo ame, o sea, Moritz Shoin Nishtó!

—¡Pero, Rojl!, justamente, te vas a casar con el hombre que designamos para vos, porque sos una mujer, si fueras una niña no te casarías con nadie; sos una joven mujer, con toda una vida por delante, todavía tenés mucho que hacer, mucho que lavar, muchas papas que cocinar, muchos hijos que tener, muchos mandatos que obedecer... ¿Sabés cómo se las llama desde hace siglos a las mujeres que no se casan con los maridos que les designan sus padres?

—¿Cómo?

—¡Solteras! ¡Ninguna mujer se casa con un hombre habiéndolo amado antes! ¡Esa es la vida al revés, es como si primero uno tuviera nietos, después hijos y después se casara, y después fuera niño y al final naciera! ¡Dios no dispuso eso! Tus padres, los padres de Moritz, el *shadjn*, todos decidimos que tu marido será Moritz Shoin Nishtó, y lo será.

—¡Nunca, jamás! ¿Cómo que todos decidieron? ¿Qué quiere decir que todos decidieron? ¡¿Todos ustedes deciden con quién yo me voy a casar, con quién yo voy a tener hijos, con quién yo me voy a pelear, a quién yo le voy a tener que soportar las excusas por las pocas papas y nada de plata que habrá en casa?! ¡¿Acaso ustedes se van a casar con él?! ¿Acaso yo decidí con quiénes se van a casar ustedes, o el *shadjn*? ¡Yo me voy a casar con el hombre que amo, Moritz Shoin Nishtó!

–¡No, vos vas a amar al hombre con quien te cases, Moritz Shoin Nishtó!

–¡Nunca, jamás! ¡Yo amo a Moritz Shoin Nishtó!

–¡No importa, igual te vas a casar con Moritz Shoin Nishtó!

Después del vigésimo "¡nunca, jamás!", Rojl Feler se dio cuenta de que esa discusión no llevaba a ningún lado, y desobedeciendo a su padre, corrió llorando a su habitación, que en realidad era la misma en la que ya estaba, y que tampoco era del todo suya. Bueno, era suya, pero también de sus hermanas Rifke, Bojl, Kartofl y Tzebrojl. Se echó a llorar sobre su cama, luego de pedirles a sus hermanas que se corrieran un poco para darle más lugar y así poder lagrimear a gusto.

Reb Purim Feler también estaba atribulado. Él deseaba lo mejor para su hija, y lo mejor para su hija era el hombre que él le había elegido, Moritz Shoin Nishtó. No era que le cayera mal el hombre que Rojl amaba, Moritz Shoin Nishtó, lo que le resultaba intolerable era que desobedeciera la Ley, según la cual son los padres los que deciden, con la complicidad del *shadjn*.

En estas circunstancias él hubiera consultado a su rabino, Reb Jaim Abrúmelson Piterkíjel, tal como lo hubiera hecho su padre, su abuelo y su bisabuelo, buscando cierto alivio para su alma frente a una cuestión que él no podía resolver. Pero, Reb Purim sabía que, tal como su padre, su abuelo y su bisabuelo, hallaría un consuelo más universal que particular. Reb Jaim le diría:

–No se preocupe, deje todo en manos de Dios, si Dios quiere lo va a solucionar, y, si Dios no quiere, no tiene ningún sentido intentar resolver el problema ya que, ¿cómo podría un hombre resolver algo que Dios decidió dejar de lado? ¿Con qué derecho intentaría siquiera meterse con algo que Dios postergó?

–Pero *Rebe* –diría Reb Purim–, ¿cómo puedo saber yo si Dios quiere o no solucionar el casamiento de mi hija Rojl?

—Ese no es el problema... ese puede ser tu problema, pero no es el problema de Dios... ¿Te imaginás que Él se deba ocupar, no solo de resolver tu problema sino también de avisarte? ¡Él hace las cosas á Su manera, y con Sus tiempos!

Y Reb Purim Feler hubiera respetado los tiempos de Dios y se hubiera ido tan vacío como entró, por eso ni siquiera fue a consultarlo.

Pero el tema era realmente contradictorio. Él no quería de ninguna manera desafiar las leyes de Dios y la tradición, pero al mismo tiempo sentía que de alguna manera tenía que resolver el tema de la boda, porque, al no hacerlo, también estaba desafiando las leyes y las tradiciones, lo que lo ponía en la extraña y muy incómoda situación de sentir que, hiciera lo que hiciera, estaba rompiendo las reglas.

Decidió entonces consultar a Reb Meir Tsuzamen, considerando que, a pesar de ser comunista, era rabino, y finalmente, al no tratarse de un tema económico sino familiar, al no considerarse la renta de la tierra sino una boda, al no estar en juego el destino del proletariado en su conjunto sino el de una joven pareja y sus padres en particular, ¿qué mal podría hacer que el rabino fuese de izquierda?

Reb Meir lo recibió, lo escuchó en respetuoso silencio (a pesar de estar ya al tanto de la cuestión, porque por más de izquierda que pudiera ser el rabino, si se vivía en Tsúremberg, todos se enteraban de los comentarios de los *shnorer*s y las *iajnes*), y luego, con el problema planteado, habló:

—Lo que está ocurriendo no es sino parte del lógico devenir histórico (esto a Reb Purim lo asustó y a la vez lo llenó de orgullo, no se imaginaba parte del devenir histórico, él, un pobre *tsúrele*). Antes, digamos en los tiempos feudales, los hijos eran una especie de propiedad de los padres, les debían rendir cuentas, eran sus vasallos, por lo tanto, los padres eran quienes elegían con quiénes iban a reproducirse, en tanto medios de producción. Es-

tamos viviendo ahora una etapa de incipiente individua-
lismo capitalista burgués; de alguna manera cada hombre es dueño de sí mismo, e incluso cada mujer: esto les
permitiría elegir con cierta libertad, que algunos entienden como verdadera, pero no es sino libertad de
mercado, ya que solo eligen entre aquellas que estén en
la oferta, con quién han de casarse. Pero ¡el futuro! Y,
¡quiera Dios que sea pronto y lo podamos ver! ¡El futuro, Reb Purim, es el tiempo del pueblo, del proletariado, en el que los medios serán propiedad de todos!
¡Será una asamblea popular la que determinará qué de-
cisiones se toman!

Reb Purim Feler bajó la cabeza, apesadumbrado:

—¡Pero *Rebe*! ¡Se trata del casamiento de mi hija! ¡Y es
ahora, no en el futuro! ¿Cómo voy a dejar semejante decisión en manos del pueblo? ¿Y si se equivoca?

—¿Y quién es usted, pequeño tsúrele, para determinar
que todo el pueblo se ha equivocado? ¿Por qué se cree
usted más grande que el proletariado en su conjunto? ¡El
futuro, Reb Purim, el futuro me dará la razón!

—¡Uno me acusa de creerme Dios, el otro de creerme el
pueblo, y yo lo único que quiero es la felicidad de mi hija de acuerdo a la tradición judía!

—¡¿Y eso es lo único que usted quiere?! ¿No le parece
que son deseos muy pequeños, muy individualistas? ¡Ya
que desea, desee en grande, Reb Purim, desee la felicidad de todo el pueblo! Entiendo que alguien sea mezqui-
no a la hora de compartir riquezas concretas, porque la
pobreza de alguna manera no lo justifica pero lo provo-
ca, pero ¿a la hora de desear?

Reb Purim se fue, más atribulado aún, si fuera posible.
Se arrepintió de haber consultado a Reb Meir, pero ¿qué
podía hacer un pequeño tsúrele? ¡En el pueblo había solo dos rabinos! ¿Y qué puede hacer un judío piadoso
cuando su hija se quiere casar con el mismo hombre que
sus padres le designaron, pero "por su propia voluntad"?
¿Qué puede hacer?

Así como caminaba, con la cabeza gacha, se tropezó

con Kolnidre Medarfloifn, el *shnorer*, quien casi en un susurro, le dijo:

—Reb Purim, qué suerte que lo encuentro, tengo algo importante que comunicarle. Acabo de ver a su futuro *majténim*, Reb Najes Shoin Nishtó, caminando con la cabeza agachada en la otra cuadra.

—¿*Nu*? ¡¿Y eso qué importa?!

—¿Cómo qué importa? Si usted anda con la cabeza agachada, y él anda con la cabeza agachada, ¡corren el riesgo de chocarse por la calle!

—¿Y eso te parece importante? ¡¿Un simple choque de cabezas?! ¡Con lo preocupados que estamos por el casamiento de nuestros hijos!

—Mire, Reb Purim, no quiero meterme en su vida privada ni en la de Reb Najes, usted sabe que yo sólo soy un *shnorer* y ¡Dios me dé tantas papas como las que hasta ahora me ha negado!, pero hay algo que yo no entiendo, quizás porque sea un simple *shnorer*, insisto. Pero... si usted quiere que su hija Rojl se case con Moritz, su hija Rojl quiere casarse con Moritz, Moritz quiere casarse con su hija Rojl, y los padres de Moritz quieren que Moritz se case con su hija Rojl... ahí no hay ningún choque, ningún herido... en cambio, si usted y Reb Najes caminan con las cabezas agachadas y chocan, corren el riesgo de lastimarse... ¿No es eso más grave?

Reb Purim se sintió conmovido por las palabras de Kolnidre. ¿Podía ser que realmente fuera más grave? ¿Podía tener un simple *shnorer* más sabiduría que dos rabinos juntos? No, de ninguna manera, se diría Reb Purim, pero "quizás la boca del *shnorer* es la vía que elige Dios para darte la solución", imaginó que le diría Reb Jaim; "un *shnorer* es un hombre del Pueblo, y si bien por sí solo no representa a la mayoría, tiene el derecho de ser escuchado en la Asamblea", le podría haber dicho Reb Meir. A pesar de que no estaba en una asamblea, ni siquiera en un *minyan*, Reb Purim Feler decidió hacerle caso: levantó la cabeza y siguió caminando, erguido.

Así fue como se cruzó con Reb Najes Shoin Nishtó, el

padre de Moritz, que tal como le había anticipado Kolnidre, venía con la cabeza gacha, pero gracias al *shnorer*, no chocaron. Reb Purim se puso muy contento por no haber chocado su cabeza contra la de Reb Najes, y se lo comentó, y ambos decidieron agradecerle a Dios por lo "no ocurrido". Y festejarlo tomándose un té en el Tsúkerke Café. Tan contentos estaban que hasta se hubieran tomado un café de papa, si lo hubiese habido.

Vísele Tsúkerke, el dueño y mozo, les trajo el menú para que pudieran elegir a gusto qué era lo que hubieran deseado consumir, mientras les preparaba un reconfortante té de papas, bebida que monopolizaba no digamos que la demanda de los clientes, pero sí la oferta de la casa.

Alguna vez un parroquiano pudo sentirse extraño ante la inminencia de llegada del té, y preguntarle a Vísele: "¿Cómo sabía usted que yo iba a pedirle té?". A lo que Vísele seguramente contestó: "Yo no sabía lo que usted iba a querer, pero sí sé qué es lo único que yo le puedo traer".

Quizás a partir de este diálogo decidiera incluir la "carta", para que los clientes se diesen el lujo de elegir las mismas *delicatessen* que en cualquier lugar de Europa, y tomar té. Eso sí, elegir, no consumir.

Reb Purim Feler y Reb Najes Shoin Nishtó festejaban el no haberse chocado, y sufrían por, ¿por qué otra cosa podía ser?: ¡la negativa de sus hijos a casarse "por orden paterna"!

De pronto, vieron aparecer en el café a Reb Jolodetz Saltzn, el *shadjn*, quien pasaba mesa a mesa saludando a los parroquianos y ofreciendo candidatos, y se les iluminó el rostro:

—¡Vea qué muchacha, vea qué hermosura! Mire este retrato, aproveche la oportunidad que otros dejan pasar. ¡Hace 25 años que le pintaron este retrato, y sigue igual de hermoso! ¡No espere más, case a su hijo ahora que es un bebé y aún no puede hablar y negarse a seguir sus órdenes! ¿Su hija no tiene novio?, ¡le conseguimos uno! ¿Su hija ya tiene novio?, ¡le conseguimos uno mucho mejor!

Reb Najes y Reb Purim llamaron al *shadjn*:

—Venga Reb Jolodetz, tómese un té con nosotros.

Reb Jolodetz se sentó con ellos. Reb Purim Feler, habló:

—Usted sabe, Reb Jolodetz, porque usted mismo arregló la boda, que con Reb Najes estamos de acuerdo con que mi hija Rojl se case con Moritz, el hijo de él. Pero tenemos un grave problema: los novios no quieren casarse... mejor dicho, sí quieren casarse, y quieren casarse entre ellos, pero no por seguir nuestras órdenes, sino porque se aman... ¡Imagínese, Reb Jolodetz, qué vergüenza, todavía no se casaron y ya se aman!

El *shadjn* los miró, y con lo que algunos podrían interpretar como una sonrisa, y otros, una expresión de resignación, dijo:

—Son los tiempos que corren, los jóvenes de ahora quieren trabajar de lo que quieren, vivir adonde quieren, casarse con quien quieren, comer lo que quieren, vestirse como quieren... algunos tienen problemas de pareja, y en vez de venir a ver al *shadjn*, o al *rebe*, ¡hacen terapia, lo que sea que quiera decir esa palabra, y espero que no sea ningún insulto, y si lo fuera, que Dios me perdone por hablar así! Me dijeron que en Viena hay un *dokter* que hace acostar a sus pacientes, y en vez de revisarles los *kishkes*, ¡los hace hablar! ¡Como si los *kishkes* pudieran decirle a uno lo que le pasa! Pero no se preocupen, oh, mis amigos, que este *shadjn* será viejo, pero no por eso deja de enterarse de lo que pasa. ¡Dios no lo permita! Y los voy a ayudar con el viejísimo pero renovado método del "¡*Frégmirnisht-Zúgmirnisht*!", que usaban mi *bobe* y mi *zeide* cuando no querían enterarse de algo.

—¿Y cómo es?

—¡*Frégmirnisht*! (¡No pregunten!)

—Pero Reb Jolodetz, hace mucho que venimos sufriendo por ese tema, ¿no lo sabe usted? ¿Quiere que le contemos?

—¡*Zúgmirnisht*! (¡No me cuenten!)

—¿Y entonces?

43

–Muy simple, ustedes van a sus casas, y les dicen a sus hijos que pueden casarse con quien ellos quieran. Ellos van a estar tan contentos, que no les van a preguntar a ustedes si es una orden o un permiso, simplemente los van a abrazar y si les llegaran a preguntar algo, ustedes insisten con la frase "¡Pueden casarse!, ¿no me oyeron?". Que ellos crean que es por su propio amor, ustedes sabrán que están siguiendo con la tradición, pero no tienen por qué dar tantos detalles. Si Dios hubiera querido que todo el mundo conociera todos los detalles de todo, se los hubiera contado Él mismo a la Humanidad, y no hubiera inventado a las *iajnes*, que cuentan todos los detalles, pero así como el *rebe* nos cuenta que Él creó a las mujeres a Su Voluntad, las *iajnes* crean las noticias a su voluntad. De manera que conocemos distintas versiones de las mismas cosas.

Y así lo hicieron, y así se casaron. Y fueron felices, y comieron papas, y seguramente discutieron mucho. Y dicen que muchos años después, el viejísimo *"Frégmirnisht-Zúgmirnisht"* se tradujo al inglés como *"Don't ask, don't tell"* y fue usado como política de "tolerancia" con los que piensan o son distintos a la mayoría.

Motl, el emprende(u)dor y Floime, la abundante

Reb Fárfale Tzimes,
Su mujer, Frume Geháctene de Tzimes
Reb Abraham Reitefíselaj Guéltindrerd
Y sus acreedores (varias firmas)

Participan de la boda de
Floime Beheime Tzimes y
Motl Guéltindrerd (prófugo)

Ustedes se preguntarán, ¡oh, queridos correligionarios!, cómo es posible, cuál es el hecho desafortunado que les impide confiar sus hijas y las dotes correspondientes a un caballero tan fino, servicial, culto y visionario como un servidor, Motl Guéltindrerd, el hombre que percibió las múltiples posibilidades empresariales que se le abren a un joven cuando puede manejar con displicencia una suma de dinero por la que no tiene que dar cuenta luego.

Pues bien, queridos hermanos, lamento borraros la sonrisa esperanzada, pero, no digamos que mi corazón, pero sí mi posibilidad legal de entregárselo a una dama y recibir a cambio el suyo junto con un saco de dinero acorde, está bloqueada, ya que he sido unido en matrimonio a Floime Beheime Tzimes, la hija de Reb Fárfale, quien de esta manera, tan cruel y egoísta, privó al resto de los posibles suegros de Tsúremberg del privilegio de entrelazarse con un hombre de espíritu libre y bolsillo amplio como quien les habla, Motl, conocido como el emprendedor, y a quienes las malísimas lenguas optaron por agregar una "u", y ser llamado así, viperinamente, "emprende(u)dor".

Yo les aseguro que hice lo humanamente posible por reservaros ese lugar, por darle a alguno de ustedes, sino a todos, la posibilidad que don Tzimes y su hija Floime terminaron arrebatando, pero no fue posible.

Alguno recordará cómo logré reunir una interesante suma, y cómo mi padre, Abraham Reitefíselaj Guéltindrerd y mi ex futuro suegro la garantizaron a cambio de mi promesa matrimonial... ¡¡Cómo pueden proponerle semejante cosa a un hombre?! ¿Cómo podían otros, respetables vecinos de la aldea, considerar más digna de ser respetada mi promesa de casamiento y permanencia en estas limitadísimas calles, antes que mi trayectoria y mi conducta financiera que les aseguraba que yo haría todo lo posible por multiplicar sus inversiones en cuanto de mí dependiera?

Y todos saben que una manera rápida de multiplicar el

dinero es el juego, y yo lo multipliqué, por cero, ya que al poco tiempo no contaba con fortuna alguna para devolver, salvo unos pocos céntimos, que no tenía sentido entregar, ya que serían considerados una ofensa por ellos, y una pérdida de prestigio para mí.

Por eso, ustedes lo saben, decidí buscar otros caminos. Y sin que nadie me viera llegué a Lomirkvechn, donde una mujer intentó capturarme, pero me mantuve incólume para ustedes, mis queridos ex posibles suegros. Luego, estuve en Gueshtorbeneshpilke, donde el rico del pueblo me pretendía para su hija, y yo estaba dispuesto a desayunar, vestirme, afeitarme, comer y dormir a su cargo, le podía entregar mi apetito y mi sueño, pero jamás mi alma, por lo que me fui también de allí. Y cuando mis fuerzas me llevaban quién sabe por dónde, cuando me creía físicamente perdido para siempre, fui finalmente reconocido, con lo que realmente terminé perdido para siempre, ya que eran los hombres de mi propio pueblo, Tsúremberg, reclamándome por sus propios fracasos financieros. ¿Qué culpa tengo yo si ellos le prestaron dinero al hombre equivocado?

Y entonces, triste final para un hombre como yo, fui viendo caer una de las pocas posibilidades de crecimiento que tenemos los hombres jóvenes y emprendedores: la dote. Al casarme con Floime Beheime Tzimes, renunciaba, aunque no fuera explícita ni voluntariamente, al resto de las dotes del mundo que esperaban, casi diría ansiosas, a un hombre como yo.

Y no es que no me gustase Floime Beheime, tampoco es que me gustase, si hemos de decirlo. Es una mujer tan pero tan dulce, que ningún diabético podría acercársele jamás. Es tan pero tan cálida, que podría derretir un *iceberg* y causar una inundación con miles de víctimas. Es tan, pero tan profunda, que varios barcos podrían hundirse en ella y no ser rescatados nunca. En cuanto a su belleza, nadie encontraría las palabras adecuadas para describirla acertadamente, simplemente porque esas palabras no existen, no las hay.

Es una mujer tan... tannn que, si una palabra puede re-
sumirla, es "muuuuy". Eso es, es una mujer "muuuuy",
en todas las dimensiones de esta palabra, a lo largo, a lo
alto, a lo profundo, a lo grueso, a lo verborrágico. ¡Muchos hombres desearían casarse con ella, pero el problema es que yo no soy muchos hombres, soy uno solo!

Pero, hermanos, la realidad es que el problema no es
Floime Beheime, ojalá Dios le dé felicidad, y también a
mí, pero no juntos... el problema soy yo, Motl el emprendedor, Motl Guéltindrerd, el hijo de Abraham Reitefíselaj
Guéltindrerd, ¿cómo voy a atarme a una mujer, a semejante mujer? ¿Cómo podría yo, correr de pueblo en pueblo, tras mis sueños, con ella corriendo atrás,
encadenada a mí por el duro yugo matrimonial?

Sin embargo, ¡oh, correligionarios que todo lo comprenden, judíos que conocen la historia de milenios de
persecuciones, hombres capaces de aceptar la voluntad
de Dios cualquiera que
esta fuese, y por más que
contraríe sus más ínti-
mos deseos!, los tsúrelej
inesperadamente dieron
vuelta la espalda a nues-
tra tradición nómade, a
nuestra historia, a miles
de siglos de ingenua

> ¡¿Todavía no se casó?!
> ¿QUÉ ESTÁ ESPERANDO?
> ¿AL MESÍAS?
>
> *REB JOLODETZ SALTZN*
> *LE OFRECE LA MEJOR NOVIA DE*
> *TODO EL SHTETL, Y SI NO LE GUSTA ESA,*
> *UNA MEJOR, TODAVÍA*

aceptación de los hechos concretos, y me obligaron a casarme con Floime Beheime. Y yo, ¿qué iba a hacer yo?
Por más fea que fuese, peor era una celda en Kiev, Moscú o Minsk, que era el otro destino posible, por aquella
malhadada historia de los papeles que alguna vez tuve a
bien firmar comprometiéndome no ya en casamiento, sino a devolver ciertas sumas de dinero.

Sí, ya sé, hay hombres que eligen la cárcel, el destierro
o la muerte antes que renunciar a sus proyectos, pero yo
no, hermanos, yo no renuncié, solo los postergué. ¡No iba
a someter a mi padre, Abraham Reitefíselaj Guéltindrerd
al escarnio de ver a su hijo en un calabozo! ¡No, no he

llegado a este punto! Por eso fui humildemente a su casa y le dije: "Padre, o me da usted cierto dinero y me escapo, o me caso, ¡pero no iré a la cárcel, esté usted tranquilo!". Mi padre al parecer ya estaba tranquilo, seguramente sabía que yo cumpliría con él. Ni se movió. Pero cuando yo dije "escapo" hizo una mueca, me tomó de la mano emocionado, y no me la soltó hasta que vino mi futuro suegro a buscarme para la ceremonia.

El acto en sí fue simple: vinieron parientes e inversores de todos lados a desearnos prosperidad y reclamarme que les retribuyese parte de la suya, que al parecer les había quitado. Algunos conocidos de zonas más lejanas no pudieron venir, pero no por ello dejaron de enviar sus reclamos por correo.

Los niños correteaban por doquier, y preguntaban al *rebe*:

—*Rebe*, ¿no deben estar la novia y el novio igualmente contentos en el día de su casamiento?

—Pílquele, según nuestras tradiciones, el novio y la novia deben estar contentos, pero en ningún lado dice que "igualmente". ¿O acaso una novia alta debe necesariamente casarse con un hombre alto, una gorda con un gordo, o una rubia con un rubio?

—No, *Rebe*, pero sin embargo, siempre se han casado "una pobre con un pobre".

—Cúquele... cuando dos novios se casan, se están uniendo ante Dios. ¡Él sabe por qué se unen!

—Sí, *Rebe*, pero acá, la novia está quieta, alegre y gorda... y el novio es delgado, triste, y se mueve todo el tiempo.

—¿Como si bailara de alegría?

—¡Como si se quisiera escapar, *Rebe*!

La verdad, queridos hermanos, es que en más de un momento pensé que la cárcel no era para toda la vida, y que mi compañero de celda, por peor que fuere, iba a ser otra pobre víctima del sistema que no les da lugar a los pequeños empresarios como yo. Quizás él se dedicase a "obtención de recursos metálicos estatalmente acuña-

dos" o a "sustracción artificial de objetos extrañables".
Pero ¿podría mi padre sobrevivir a tanto sufrimiento?
¿Podría mi potencial ex suegro sobreponerse a ver al
hombre que eligió para hacer feliz a su hija y para ser feliz con su dinero, entre rejas, mientras su hija, su pobre,
inmensa y agridulce Floime Beheime, contaba los días
de soltería y se deshojaba a sí misma, a falta de margari-
tas que en Tsúremberg escasean?

No podía hacerles esto. No podía arruinarles la vida
yendo preso. Pensé en irme: pero eso ya lo había hecho,
y mi propio andar me condujo de vuelta a Tsúremberg,
como si mis pies, hermanos queridos, fueran el mismísimo enemigo de mi cabeza, para no hablar de otras partes
de mi cuerpo que veía perjudicadas por esta unión.

Pensé en volver a irme, escapar, no como la otra vez
que me fui para volver triunfante, sino como un condenado que simplemente huye para no arruinarles la vida
a los que quiere, y para no arruinarse la vida con lo que
no quiere. Pero ya estaba allí, bajo la *jipe.* No sé cómo llegué allí, deben haber sido mis pies otra vez, que me llevaron donde mi cabeza decididamente no quería ir, para
no hablar de las otras partes de mi cuerpo, calladas entonces, pero que ya sufrirían las consecuencias.

Floime Beheime estaba exultante, y desde cierto punto
de vista, no el mío, se podía decir que estaba muy bella,
sobre todo si quien lo dice no es quien estaba a punto de
casarse con ella, y las palabras, entonces, son simples
cumplidos, juguetes del viento.

El *rebe* empezó a hablar de las tradiciones y de Dios.
Hermanos míos, no me pregunten por qué, pero no era
así como me imaginaba yo una boda; lo que yo tenía ante mis alucinados ojos, era más bien un patíbulo. Era como si el *rebe* estuviera rezando por mí, cuando nos
auguraba a Floime Beheime y a esta pobre alma, quizás
descarriada, pero no mala, una larga vida en común y
abundante descendencia. ¡¿Abundante descendencia?!
¡Abundante cantidad de dinero, abundantes inversores,
abundantes papas, aunque más no pueda, podría haber-

nos augurado el *rebe*! ¡Un poco de consuelo me podría haber ofrecido! ¿No era esa su misión como hombre espiritual? ¡Pero no, si algo me faltaba, además de la inmensidad de Floime Beheime Tzimes, eran hijos, míos y de ella, ¡más bocas que alimentar con el dinero que no tenía, más bocas que reclamen papas, agua y cariño, a quien hizo del crecimiento empresarial, y no familiar, la meta, el leit motiv de su vida! ¿Cómo podría planear grandes negocios entre las lágrimas y los gritos de mis pequeños vástagos?

Me dan a probar un sorbo de dulce vino de papas para poder soportar mejor lo amargo de mi situación. Colocan un vaso vacío bajo mi pie, siniestra metáfora de mí mismo, un vaso vacío. Lo rompo con violencia, como mi propia vida se estuviera rompiendo. Y todos me besan, se besan, besan a Floime Beheime, bailan, cantan... y allí viene ella, su gran sombra se acerca a mí, y luego viene ella, su gran boca gesticulando una "m", sus inmensos labios proyectándose, gatillándose hacia mí. Ya estoy casado, con Floime Beheime, ya no habrá más dotes... al menos, hasta que se casen mis futuros hijos varones... ¿hay algún *shadjn*, por ahí?

Capítulo 2

¿Políţishes?

¿Quién tenía tiempo para la política en Tsúremberg, con todas las horas que había que dedicarle a discutir la Torá, a quejarse de lo mal que se vivía, a acatar la voluntad de Dios, a protestar contra el Zar a viva voz, y agradecer que él no escuche las protestas? ¿Cómo podía alguien ponerse a pensar en un futuro mejor, cuando había que dedicar cuerpo y alma a sobrevivir el presente, a protestar por lo mal que se vivía, y agradecerle a Dios porque las cosas no empeorasen? ¿Quién podía asegurar que "sin el Zar, las cosas estarían mejor", siendo que para los tsúrelej, la ausencia del yugo del Zar implicaba que la zona había sido conquistada por el Kaiser, o por el Sultán, o que los cosacos habían decidido tomar la zona bajo su "protección"?

Cada nuevo amo iniciaba su dominación prometiéndoles a los judíos derechos y libertades que finalmente jamás les otorgaban, pero los tsúrelej bien sabían, y si no lo sabían lo aprendieron pronto, que no es una característica de los conquistadores el "otorgar", sino, por el contrario, el "tomar, saquear, rapiñar". Todo conquistador que se preciase de tal también lo sabía, y ejercía sus derechos y tradiciones al pie de la letra, quizás pensando que si no lo hacía iba a quedar mal ante la Historia y el pueblo sojuzgado no iba a querer que lo conquistara nunca más, ya que un conquistador simpático no inspira resistencia en su contra, y una de las compensaciones de los conquistados, ya que son sometidos, es por lo menos poder odiar y resistirse a quienes los someten.

Algún judío, quizás un tsúrele, puede haber pensado en escribir un nuevo "Manual de Conquistadores" para que se volvieran más humanos, y le temieran menos al "qué dirán" de sus conquistados, y, peor aún, a la crítica de sus propios colegas y competidores conquistadores, que solían ser terribles a la hora de evaluar la actividad de sus colegas. Pero nadie lo podría haber tomado en serio. ¿Qué judío iba a tomarse el trabajo de escribir semejante texto, si desde hacía milenios que no tenían experiencia al respecto, salvo como víctimas: la última vez que los judíos conquistaron algo fue más o menos para el 1300 a. C., cuando llegaron a Canaán, tierra que encima les había sido prometida por Dios, y, se sabe, con Dios de nuestra parte es muy fácil conquistar. Estaba bien que los griegos, con tanta guerra, o los romanos, con tanto imperio, dieran clases de conquista, pero ¿los judíos?

Por otra parte, los rabinos tradicionalistas, y antes los profetas, veían cada conquista como "un designio de Dios, un castigo por nuestros propios pecados" entonces, ¿podía un judío explicarle a Dios cómo debía ser castigado? Obviamente no, de ninguna manera.

Hacía más o menos 1.800 años, desde el 70 d. C. que los judíos no tenían su propio país, y aun antes, cuando lo tenían, eran raros los tiempos en los que pudieron dictar sus propias leyes, ya que eran habitualmente conquistados por los imperios de turno: babilonios, persas, griegos, romanos se habían "hecho cargo" de Judea. La diferencia en que en los tiempos antiguos los judíos eran invadidos en su propio país, mientras que luego pasaron a ser invadidos en tierras extrañas.

Con toda esta complejidad, se entenderá por qué los judíos preferían leer la Torá a hacer política. Aunque en realidad no es que "prefirieran", sino que "las tradiciones indicaban" el estudio de la Torá, mientras que no había nada al respecto de la política, ningún mandamiento decía "discutirás seis días y descansarás el séptimo", pero además había que ver si los políticos de entonces no "descansaban seis días y discutían el séptimo" como tomaron fama sus descendientes de fines del siglo XX.

Si los hombres no elegían ni a su propia esposa, menos elegirían a quién los gobernase. Y este era otro de los tantos puntos de controversia entre los dos rabinos del pueblo, que como tantas otras veces, llegaban al mismo sitio por caminos absolutamente opuestos.

Reb Jaim Abrúmelson Piterkíjel decía que estaba muy bien no elegir a quien gobernase, porque eso era como elegir a Dios. ¿Quién es uno para elegir a su Señor? ¡Uno sólo debe creer en Él y dejar que haga Su Voluntad! Además, como no solo era un hombre profundamente religioso, sino que también debía conocer el alma judía, explicaba que si uno elige a un gobierno, luego no tiene autoridad moral para criticarlo, ya que ha sido uno mismo quien lo ha puesto en ese lugar. En ese sentido, Reb Jaim festejaba que uno tampoco eligiera a la mujer con la que se casaba, ya que esto entonces le permitía criticarla a discreción.

Reb Meir Tsuzamen veía al acto de elegir un gobierno como un resabio de la esclavitud, como si pudiera haber "amos buenos y amos malos", y uno, como gran progreso, obtuviera finalmente el derecho de elegir qué amo lo sojuzgará. A Reb Meir le parecía un derecho apropiado para vacas, o para papas, pero no para seres humanos, a quienes no debería gobernar nadie, o, en todo caso, todos deberían participar de la misma forma del gobierno.

O sea, que de la expresión "elegir al gobierno", Reb Jaim condenaba la palabra "elegir", y Reb Meir, la palabra "gobierno".

Pero más allá de la oposición no sintónica de ambos *rebes*, a fines del siglo XIX, la política golpeaba con fuerza las puertas de las casas de Tsúremberg, aun en aquellas que ni puerta tenían, solo unas papas para que el recién llegado tropezase con ellas, lanzase alguna maldición en idish, y con su voz alertase a los habitantes de una nueva presencia.

Los *pogroms*, que parecían ser un producto de la barbarie marginal, el alcohol y la intolerancia estallando de repente, se revelaron en cambio como el resultado de la barbarie ilustrada, de la ignorancia cultivada en cortes y universidades, de los prejuicios elevados al nivel de profesión. Cada vez quedaba más claro que los responsables, los que creaban los *pogroms,* eran los ministros, los gobernadores, el propio Zar, aquellos que debían proteger a los judíos de la barbarie, pero que no querían protegerlos de ellos mismos.

–¿Por qué? –se preguntaba Reb Reubén Tsurelsky–, si nosotros nunca les pedimos que nos gobiernen, si jamás los agobiamos con la carga de tener que decidir por nosotros absolutamente nada, si nos contentamos con que estén lejos y no vengan nunca, ni manden emisarios, ni soldados, ni recaudadores, ni cosacos (ya sabemos que cada una de estas misiones les resulta cara y queremos evitarles el gasto), ¿por qué, entonces, nos odian tanto y nos someten a tantas crueldades? ¿Qué pueden quitarnos, si no tenemos nada? ¿Qué pueden envidiarnos, si solo hay pobreza?

—¡Vos no te quejés! —le espetaba su mujer, Doña Iajne Tsurelsky, sumando una más a la ya abultada cosecha de desdichas de su marido—. ¡Vos no te quejés de la pobreza, porque podrías ser el rico del pueblo, pero renunciaste a tu fortuna!

—¡Pero Iajne! ¿*Vus* fortuna? ¿Cuándo tuve una fortuna yo, me querés decir?

—Cuando eras rico, Reubén, cuando gracias a mi papá, fuiste nombrado "Rico del pueblo", con todo el *koved,* los derechos y beneficios de tal cargo. ¿Dónde viste un rico sin fortuna, vos?

—¡¡Acá, en Tsúremberg, acá lo vi, yo mismo fui "el rico más pobre", Iajne!! —Y mirando a su mujer con ternura e ironía a la vez, Reb Reubén su puso a cantar:

¿Vos viste main kótinque azoi broigues
vos gueiste arosiguelozt dem noz?
Efsher bislte visn ver dain íjes iz
Un fun vanen gueiste aróis

Dain tate is a shmarebijer
Dain mame gambet fish in mark
Dain bruder iz a bastaienik
Un dain shvester is antlofn mit a kosak

Dain zeide is a shmarabodsnik
Dain bobe is a túquern in bod
Azoi as kótinque zai broigues nisht
Un gueit nisht aróisguelozt dem noz

(Es una vieja canción popular judía que en tono jocoso y con una alegre melodía dice algo así: ¿Por qué estás enojada, mi gatita? ¿Por qué levantás la nariz? Quizás quieras conocer cuál es tu alcurnia, saber de dónde venís. Tu padre es un ladronzuelo, tu madre roba pescado en la feria, tu hermano es un bastardo y tu hermana se escapó con un cosaco. Tu abuelo es un limpiacaños. Tu abuela limpia letrinas; así que no estés tan enojada, ni levantes la nariz, gatita mía.)

Doña Iajne aún estaba algo dolorida por haberse visto obligada a perder su rol de "mujer del rico del pueblo", y Reb Reubén se divertía a costa de ella, casi tanto como los tsúrelej se habían divertido con él cuando era "el rico más pobre".

Reb Reubén y doña Iajne no eran los únicos en discutir el tema. Shmulik Groistsures, en su diario *Tsúreldique Tzaitung*, intentaba reflejar lo que ocurría en la aldea, por lo tanto no podía dejar de incluir, incluso en la sección "Titulares", las constantes discusiones. Para los tsúrelej era mucho más importante una discusión entre los dos *rebes* acerca de si se podía o no comer carne de vaca que la situación económica general de Europa. Ellos sabían que ninguno de los dos temas iba a afectar su futuro, ya que tenían muy claro que los dos *rebes* iban a llegar a la misma conclusión por caminos opuestos, y por otro lado, tampoco desconocían el hecho de que Europa podía mejorar o empeorar su economía en términos generales, pero hasta que eso se reflejara en Tsúremberg podían pasar generaciones; Europa podía enriquecerse, que los tsúrelej seguirían pobres. Que los *rebes* llegaran a alguna conclusión que en los hechos concretos modificase sus vidas cotidianas, en el presente, y no en el futuro, o en el Cielo, era algo raro, pero existía una mínima posibilidad. Es que en Tsúremberg lo religioso era pensando y vivido como algo natural, la política, en cambio, era algo misterioso y sobrenatural, que, si bien no estaba fuera de la obra de Dios (porque de no ser así no existiría), sí estaba bastante lejos del divino interés. Es como si Dios les hubiera dado

55

la política para que tuvieran algo con lo que entretenerse en sus ratos libres. Pero los tsúrelej no tenían ratos libres. Por eso no hacían política, más allá de discutir con su mujer, hijos, vecinos, etcétera.

Si bien la ubicación de Tsúremberg era poco clara a nivel cartográfico, hasta el más pequeño de sus niños preguntones podía afirmar: "¿Que dónde queda Tsúremberg? Muy fácil: Tsúremberg queda exactamente en Tsúremberg... ¿Dónde iba a quedar? Si quedara en Vuguéistemberg, se llamaría Vuguéistemberg, pero como queda en Tsúremberg, se llama Tsúremberg". Este dato les resultaba muy útil a los tsúrelej si se llegaban a perder. Les bastaba con preguntarle a cualquiera en qué pueblo estaban, y si la respuesta no era "Tsúremberg" sabían que no estaban en su aldea, y que la manera de llegar era, o bien caminar en la dirección apropiada, o bien, en cualquier otra, y perderse. A los que no eran tsúrelej, el dato mucho no les servía, pero por otra parte, rara vez un extranjero quería llegar a Tsúremberg, así que, ¿para qué preocuparse?

Pero a nivel cartográfico el tema era mucho más complicado, ya que la cartografía suele servir para delimitar provincias y países, y eso sirve para discriminar soberanías, normas y derechos. No es lo mismo, por ejemplo, tener que pagarle impuestos al Kaiser de Alemania que al Zar de Rusia. No es lo mismo para el Zar, o para el Kaiser, ya que para los tsúrelej sí era exactamente igual. Y para el Zar o el Kaiser, también, ya que rara vez podían recibir de los tsúrelej algo más que unas papas, que si bien no son nada despreciables para un tsúrele o para un ciudadano común, para un Kaiser, o un Zar, se supone que no importan.

Toda la región, a fines del siglo XIX, estaba bajo la dominación del Zar de Todas las Rusias y Algunas No Rusias. Alejandro II había tratado de llevar la modernidad a Rusia, y como le había resultado difícil, intentó entonces llevar a Rusia hacia la modernidad, que según le habían dicho quedaba hacia el Oeste. Si Rusia con esto se volvió más moderna, no lo sabemos. Lo cierto es que al zar

Alejandro II lo mató en la década de 1880 un grupo de revolucionarios. Quizás estos revolucionarios tenían un extraño concepto del término "modernizar", y no les gustaba. O bien, creían que "modernizar" venía de "moda" que cambia a cada rato, y "zar".

Alejandro III, nuevo Zar, fue convencido por su ministro Ignatiev de perseguir y expulsar a los judíos. A decir verdad, para los judíos era muy difícil irse de Rusia, porque además nadie sabía adónde terminaba, Rusia crecía cada vez más, y por más que se fueran hacia el Oeste, Rusia los perseguía, iba tras ellos. No era, como decían las autoridades, que los judíos se obstinaban en permanecer en Rusia, era Rusia la que insistía en acompañarlos a sus nuevos destinos.

EL MEJOR CAFÉ DEL MUNDO,

EL TSÚKERKE CAFÉ

*LE OFRECE SU MÁS GENIAL
(Y ÚNICA) CREACIÓN:*

EL "TÉ DE PAPAS"

EN SUS TRES EXQUISITOS SABORES:
PAPA, PAPA, Y PAPA

Pero además, en medios antisemitas, que eran muchos, se mencionaba a los judíos como culpables. ¿Culpables de qué? ¡De nada y de todo! ¡De haber huido de Egipto habiendo dejado al pobre Faraón sin sus esclavos favoritos, de haber sobrevivido a tantas invasiones quitándoles a otros pueblos antiguos el placer de la conquista! ¡Hasta se los acusaba por el asesinato de otro judío, que no fue cometido por judíos sino por romanos! ¡Siempre había algo de qué acusarlos, y si no había nada, eso mismo podía ser un buen motivo!

Pero, realmente, ¿qué cosa podrían haber hecho todos los judíos en conjunto? Nadie lo sabía, pero todos lo discutían, incluso los judíos. Y obviamente, los tsúrelej.

Reb Shloime Vantz llegó a su casa luego de una ardua jornada:

–¡Méeerishke! ¿Qué hay de comer?

–¡*Blintzes*!

–¡¿*Blintzes* de queso?!

–¿Qué te pasa, Shloime, te volviste *tzedreit* de golpe? ¿Acaso pensás que llegó el Mesías y no nos llevó a la Tierra Prometida pero nos dejó un poco de queso para que disfrutemos mientras tanto? ¿Queso, dónde viste queso en Tsúremberg, fuera de la casa de los ricos?

–¡Si acá no hay ricos!

–¡Ni queso! ¡Lo único que hay es *blintzes*, pero de papa!

–¡Bueno, *zolzáin* de papa! ("que sea" de papa.)

El "*zolzáin* de papas", monumento a la resignación, era ya un plato típico de Tsúremberg, junto con el "*Nishtókainfleish*" el "*Gurnisht* de pescado". Casi nada en el plato, mucho en la cabeza. Toneladas de imaginación por cada kilo de harina, por cada gramo de carne, o de queso.

–¿Y a vos cómo te fue, Shloime?

–¿Y cómo querés que me vaya? ¿Cómo puede irle a un hombre que llega a su casa y debe comer "*zolzáin* de papas" como siempre luego de pasarse todo el día rezándole a Dios para que le conceda, también hoy, la posibilidad de comer, como siempre?

–¿*Nu*, de qué te quejás, entonces? ¡Le pedís a Dios que te dé comida, y tenés comida! ¡Yo soy la que tendría que quejarse, porque la que estuvo horas cocinando para que Dios quede bien con mi marido, fui yo!

–¿*Nu*, qué querés, que te rece a vos? ¿Sabés lo que me diría el *rebe*?

–¡No quiero ni imaginar a Reb Piterkíjel enfurecido porque una vez, un día, en lugar de rezarle a Dios le rezaste a tu mujer! Pero no es eso, Shlóimele, lo que yo quisiera, es que si vos le pedís a Dios comida, y Dios, o yo misma en su representación, te da comida, ¡no te quejes!

–Pero decime: Dios, ya que es Dios, ya que sabe todo y puede todo, ya que sabe que yo le pido "comer, como siempre" es porque quiero, comer como siempre, en tanto "comer", más que en lo de "como siempre". Quiero decir que, si Dios lo sabe todo, y Él lo sabe todo, entonces también sabe que con mucho gusto yo, aunque no sea "como siempre", hoy me comería unos riquísimos *blintzes* de queso. ¡Y no me digas que Dios no lo sabe!

—Shloime, vos ni siquiera sos el rico más pobre que hay, y sin embargo querés que Dios haga tu voluntad. Seguramente Dios sabe lo que vos querés, incluso debe saber lo que yo, pobre mujer, quiero, aunque nadie me lo pregunte nunca, ni siquiera Dios, pero quizás Dios no quiera que comamos *blintzes* de queso, sino *zolzáin* de papas. Y yo, como mujer, seguiré trasmitiendo nuestra tradición. ¿Me podés ahora decir cómo te fue?

—¿*Nu*? ¡¿Cómo me va a ir?! ¡Ojalá a mis enemigos les vaya mil veces peor! ¡Rezar para que el Zar no nos destruya! ¡Rezar para que los cosacos no nos destruyan! ¡Rezar para que los polacos no nos destruyan! Y además, como buenos judíos, para que todos ellos gocen de la fortuna como para que no quieran arrebatarnos lo poco que tenemos, ¡pero no tanta como para que les sobre el dinero y el tiempo y organicen expediciones contra nosotros, para distraerse! ¡¿Cómo puede un hombre pasarse el día rezando para no ser destruido, y luego al volver a su casa comer el mismo *zolzáin* de papas de siempre?!

—Eso quiere decir que no fuiste destruido, Shloime, que yo sepa, es muy difícil comer, incluso las papas, que son blanditas, cuando a uno lo han destruido. Además de no haber sido destruido, ¿hiciste algo más?

—Sí, un grupo de jóvenes me habló sobre lo bueno que sería vivir en Eretz Israel.

—¿Bueno?

—En Israel ni el Zar, ni los cosacos, ni los polacos tratarían de destruirnos.

—Claro que no, porque les quedaría muy lejos. ¡Si nuestros antepasados tardaron 900 años en llegar a Tsúremberg! ¡Pero seguro que los romanos, los asirios, los caldeos, los griegos, los persas, los filisteos!

—¡Pará, Mérishke, pará! ¡*Shtil*! ¡Un hombre no puede

volver a su casa luego de una ardua jornada de rezos para que su mujer lo amenace con los filisteos!

—Bueno, seguime contando, ¿así que esos muchachos querían ir a Israel?

—¿Ir? ¿Adónde? ¡Si Israel no existe!

—Ahora ya no te entiendo...

—Es porque no entendés de política, Mérishke. Los políticos sueñan... sueñan con un mundo mejor, sueñan con Israel, sueñan con que todos tengan...

—¿...queso?

—¿Qué pasa, Mérishke, te estás volviendo política? Traeme papas, ¿querés?

En el Tsúkerke Café, todo hervía, menos el té, que muy caliente no estaba.

—¿Y se puede saber por qué nos echan la culpa del asesinato del Zar? —preguntaba Calman Farbrent.

—¿*Nu*? ¡Yo me preguntaría por qué no nos echan la culpa, si pasa algo malo! —Este fue Reb Simjastoire Nusslgrois—. La policía del Zar tiene, desde hace años, un método deductivo infalible para encontrar al culpable de cualquier cosa que pase, dice: "¡Fueron los judíos!". ¡Y... ya está, caso resuelto!

—¿Resuelto? ¡Para ellos, resuelto! Para nosotros, recién ahí empieza el caso... nos persiguen, nos echan, nos meten presos, nos mandan *pogroms*... ¿Me quieren decir por qué estamos en un lugar como este?

—¿Acaso tenemos otro? —preguntó Reb Purim Feler—. ¿Acaso en algún lugar del mundo nos están esperando con *blintzes* de queso?

—Alguna vez tuvimos un lugar. —Este fue Calman Farbrent— en el que nadie nos esperaba con *blintzes*, pero era nuestro: Eretz Israel.

—Y como era nuestro, todos nos lo querían quitar, porque era una tierra de leche y miel.

—¡*Nu*! ¡Esta es una tierra de papas y frío y *pogroms*...! ¡Pero igual nos la quieren quitar! Siempre cuando la tierra es de otro, alguien la va a querer, porque eso es lo que la hace valiosa, que sea de otro.

–Una vez fue nuestra, Eretz Israel, allí... –insistió Calman Farbrent.

–¡Allí! –rugió Reb Simjastoire Nusslgrois–. ¡Allí, hace casi 1.900 años, los romanos mataron a un judío! Y desde aquel entonces, todavía nos están acusando a nosotros, por eso... ¡Igual que el Zar!

–¿Los romanos? ¿Todos los romanos? ¿Ustedes creen que todos los romanos eran asesinos?

–Bueno, es una forma de decir...

–¡Una forma de decir! ¿Ven?, después se quejan cuando nos acusan a "todos los judíos" de lo que hace "un judío". ¡Le echan la culpa al pueblo de lo que hace la clase dirigente! ¡No sean prejuiciosos!

–Primero, que "no fue" un judío, sino las autoridades de Roma, pero además… ¡Shloime Gueshijte Tsuzamen!, ¿qué hace un chico de tu edad en este café, discutiendo de política y tomando alcohol?

–¡La edad no tiene nada que ver...! Y además, ¿qué alcohol, si estoy tomando té, que es lo único que hay? ¡Esa es una típica maniobra de distracción del sistema! ¡Mi papá me lo explicó claramente al prepararme para mi *Bar Mitzvá*! ¡No sean prejuiciosos!

–Bueno, Shlóimele, dejemos al sistema un ratito –dijo Calman Farbrent–, y, ya que hablamos de prejuicios... entonces, ¿por qué nos acusan a nosotros, si la víctima era un judío? ¡Es la primera vez que veo que en un crimen, el acusado sea la víctima!

–No... Debe ser que los romanos inventaron el método ese, que después lo tomó la policía del Zar.

–¿Así que ni siquiera lo inventaron ellos? ¡Yo los hacía más inteligentes!

–¿*Nu*? Lo que nos vendría bien es que *nosotros* fuéramos más inteligentes, ¿no?

–¡¿Para qué?! ¡Para que haya más *pogroms* que mientras nos pegan, destrozan e incendian nos griten: "¡Tomen, por inteligentes!"? ¿¡Para eso?! ¡No, lo que necesitamos es ser más fuertes, y pegarles a ellos, sean inteligentes o no!

—Bueno, no discutamos entre nosotros que se enfría el té.

—¿Se enfría? ¡¡Acaso alguna vez estuvo caliente?!

Los tsúrelej eran unos apasionados polemistas a la hora de discutir de política, siempre y cuando no lo supieran, porque, ¿quién tenía tiempo para la política, con todos los problemas que había?

Capítulo 3

El cartel

A principios del siglo XX, vivir en Tsúremberg era una verdadera odisea. Pero a diferencia del relato de Homero, no se trataba de ir de un sitio a otro en la búsqueda de aventuras como Ulises, sino de quedarse en el mismo lugar, que las aventuras vinieran cuando nadie se las esperaba, y que muy lejos de conquistar pueblos con caballos de madera, seducir ninfas y derrotar a cíclopes para luego volver a casa donde lo espera la amante esposa hace veinte años, se trataba de resistir a las persecuciones, límites, discriminaciones, y *pogroms* a los que los judíos no terminaban de acostumbrarse, aunque llevaban siglos soportándolas.

La historia era antigua, aunque últimamente se había agudizado. Después de unos cuantos siglos de convivencia pacífica, en 1648, Bogdan Jmelnitsky, el líder de los cosacos, se levantó contra los judíos, a los que acusó de todos los males. Hubo saqueos, persecuciones y muchísimas víctimas. Esto era relativamente nuevo en Polonia, pero no en Europa. Los judíos habían sido acusados de la epidemia de peste negra que arrasó el continente en el siglo XIV, habían sido expulsados de España en 1492, eran perseguidos por la Inquisición, etcétera.

Así eran las cosas: si llovía era por culpa de los judíos, si no llovía, también; si les iba mal, eran unos quejosos, si les iba bien, unos aprovechadores. Les prohibían trabajar la tierra, criar animales, plantar, y luego los acusaban de que no trabajasen la tierra y se dedicaran a tareas intelectuales.

Al parecer algunos pueblos se hacían cargo de lo que los judíos mismos asumían: la condición de "pueblo elegido", y los elegían, para echarles la culpa de cualquier tragedia, epidemia, desastre que ocurriese.

A fines del siglo XIX, los judíos no se habían repuesto aún de lo de Jmelnitsky, a pesar de los dos siglos transcurridos. Muchos de los "*oyoyoy*" emitidos sin sentido aparente, estaban inconscientemente dirigidos a los resabios de ese desastre.

Pero sería una ingenuidad creer que ese era el único dolor, que después no había habido más problemas; que los cosacos, ucranianos y demás pueblos de la zona se horrorizaron por lo ocurrido con los judíos e intentaron consolarlos, compensarlos de alguna manera por tanta desgracia. Seguramente sí se horrorizaron, como cualquier ser humano, pero, justamente porque de humanos se trata, muchos optaron por la manera más simple de resolver las cosas: negándolas, o, ante la evidencia inexcusable, encontrándoles alguna explicación "razonable", o al menos conveniente.

El viejo y remanido recurso de culpabilizar a la víctima.

Y así fue como se repetían los *pogroms*. Los cosacos, los ucranianos, eran pobres, explotados, tenían un profundo malestar, y algún nombre le tenían que poner a su angustia. El problema es que cuando uno le pone un nombre falso a la angustia, esto sólo puede facilitar las cosas un momento, luego el dolor vuelve. Pero para un paupérrimo campesino de Europa oriental del siglo XVIII o XIX, un ratito, por pequeño que fuera, sin angustia, no era algo para despreciar. Entonces, llenarse de alcohol, tener a quien culpar por las miserias, salir a perseguir a los judíos, o llenarse de alcohol y salir a perseguir a los judíos pensando que ellos eran culpables de la miseria, podía ser un paliativo.

Los judíos también trataban de buscar alguna explicación, auque era muy difícil encontrarla. En la calle, lo único que encontraban era, si tenían buena suerte, papas, y si tenían mala suerte, cosacos enfurecidos. Entonces, la explicación solo podía estar adentro. Adentro de ellos mismos, podía ser, pero Freud aún no había nacido, y si hubiera nacido, habría sido uno más corriendo y tratando de salvarse de los *pogroms* mientras les explicaba a los demás que se trataba de una agresión inconsciente derivada de un trastorno de la sexualidad infantil. Entonces, ¿dónde refugiarse? ¡Adentro de los templos! Los rabinos podían tener la respuesta a tanto dolor, o, al menos, algún paliativo para tanta angustia.

Los judíos entraron en los templos, y la religión salió a la calle, con el jasidismo, que llevó lo religioso a lo cotidiano... Los judíos seguían fielmente a su *rebe*, al que consideraban sagrado. La sabiduría y la piedad viajaban de boca a oído, de pueblo a pueblo, y así venían seguidores de todas partes a escuchar, a aprender, a mirar en sagrado silencio, a consultar al *rebe*.

Tsúremberg nunca tuvo *rabís* tan famosos como para que vinieran de todos lados a aprender de ellos, y por otro lado, si alguien hubiera querido llegar, seguramente se hubiera perdido en el camino, y hubiera terminado escuchando al *rebe* de Lemberg, al de Cracovia, al de Odessa o al de Jerusalén: los caminos de Dios son infinitos, pero rara vez conducen a Tsúremberg. Los tsúrelej tampoco

viajaban muy lejos para aprender de algún *rebe* de otro
pueblo, quizás por el mismo motivo, para no perderse.

—¿Viajar kilómetros y kilómetros para escuchar a otro
rebe? —solían decir los tsúrelej—. ¿Para qué? Si ya tenemos suficientes mandamientos y obligaciones con nuestro *rebe*, ¿quién va a querer sumar más todavía? ¿No nos
cansamos lo suficiente con el nuestro?

Y Reb Shver Piterkíjel, antiguo *rebe*, antecesor de Jaim
Abrúmelson, solía pontificar:

—Si Dios hubiera querido que escuchasen al *rebe* de
Lomirkvechn, los hubiera hecho nacer allí. ¿Por qué
Dios va a decir una cosa en Tsúremberg y otra en
Blintzemberg, si Él es uno solo? ¿Qué sentido tiene ir ca-
minado hasta Vuguéistemberg, cruzar el río Szmendrik o
los montes Akshn, arriesgarse a encontrarse con los cosacos justo un día en el que ellos felizmente no vinieron a encontrarse con nosotros? ¡Si Dios hizo a los
tsúrelej y les dio un *rebe* e hizo a los lomirkvéchalaj y
les dio otro *rebe*, ¿por qué iban a querer ambos pueblos
aprender del mismo *rebe*? ¿No sería eso desobedecer la
Ley de Dios? ¿Y qué sentido tendría ir de un pueblo a
otro buscando las enseñanzas de Dios para luego deso-
bedecerlas? ¿Alguien sería tan loco? ¡No, acá tenemos
nuestro *rebe*, y lo desobedecemos solamente a él! Si algún otro *rebe* quiere ser escuchando por los tsúrelej,
pues que venga acá, y si es capaz de venir sin perderse, ¡va a demostrar que vale la pena escucharlo!

Shver Piterkíjel, el severo, fue sucedido por Fáncojot
Piterkíjel, el más severo, y este, por su hijo Teigartz
Piterkíjel, el extremadamente severo, a quien a su vez su-
cedió su hijo Jacob Abraham José Asher Moshé, a quien
llamaban "Jajam", por sus iniciales, y "el latquenasher"
por su afición a los buñuelos de papa. Luego vinieron
Cholent Piterkíjel, Jobamatune Piterkíjel, Iomkiper
Piterkíjel, Rojlbruder Piterkíjel, Shlofter Abraham y
Jaim Abrúmelson, sin que sus prédicas sean interrum-
pidas más que por los falsos Mesías y los *pogroms* que
nunca faltaban.

Esta profética aseveración fue verdad durante décadas, quizás siglos.

A fines del siglo XIX, la profecía de Shver pareció cumplirse: un rabino, Reb Meir Tsuzamen, apareció en Tsúremberg con su mujer, Tzebrójene Mishpoje, y su numerosa prole; seguramente quería ir a otro lado. Era un hombre de izquierda que enseguida estableció su propio *jeider*, en el que admitía también a nenas, y su templo donde además de leer la Torá (aunque se sospecha que a veces incluía algún capítulo de *El Capital*), arengaba a los feligreses.

—¡Nos acusan de esto, nos acusan de lo otro, nos acusan de lo que no hicimos, nos acusan de lo que sí hicimos pero no hay por qué acusarnos! Pero, me pregunto yo, ¿quiénes nos acusan? ¿Alguien sabe quiénes nos acusan? ¿Por qué nunca se sabe quién es el que nos acusa? —Reb Meir Tsuzamen rugía, más que hablaba, en su templo.

—Reb Meir, discúlpeme el atrevimiento —este fue Ponim Mitvoj—, pero el problema es que "nos" acusan, a nosotros, y después "nos" persiguen, "nos" hacen *pogroms*. ¿Quiénes nos acusan? La respuesta es simple: ¡ellos! Y es probable que ellos sean también engañados por "aquellos otros" o "los de más allá", pero ese es problema de "ellos", mientras que los *pogroms* son problemas "de nosotros". ¡Ya quisiera yo que sentirme un poco engañado por el Zar, y que el *pogrom* lo sufran los cosacos!

—¡¿Y por qué no mejor imaginarse un mundo sin *pogroms*?! —preguntó Reb Meir.

—Eso se lo puede imaginar usted, que es *rebe*, un rabino, un hombre que lee la Torá, como todos, pero además entiende lo que está escrito, como pocos. ¡Yo soy un hombre muy simple, *Rebe*, me bastaría con no tener que sufrir el *pogrom*, y después, si Dios quiere, que se lo mande a los cosacos, y si quiere no mandárselo a nadie, mejor todavía! Pero ¿quién soy yo para decirle a Dios lo que tiene que hacer con los *pogroms*?

—¡Un hombre, eso es lo que sos, Ponim, un hombre!

—Sí, eso es lo mismo que me dice mi Gribeñe, todos los días, cuando vuelvo a casa sin una moneda, pero ella no lo dice exclamando como usted, *Rebe*, lo dice entre signos de preguntas.

—Pero todos acá somos hombres, Ponim, y, ¿quién te dijo a vos que los *pogroms* son obra de Dios?

—¿Y de quién si no?

—De otros hombres, de hombres equivocados que confunden al enemigo.

—¿Confunden, Reb Meir?

—Sí.

—¿Usted dice que ellos simplemente se equivocan de enemigo?

—Sí.

—¡Entonces, Reb Meir, tenemos que avisarles! Averigüemos donde está su verdadero enemigo y avisémosles ya mismo.

—No es tan simple.

—Bueno, *Rebe*, pero yo quiero sabe una cosa, ¿por qué se confunden tanto? Porque, suponga que se confunden una vez y hacen un *pogrom* acá, por error, después, ¿por qué vuelven? ¿No se dieron cuenta ya de que acá no era?

—No es tan simple.

—*Rebe*, no me vuelva a decir que no es tan simple, porque eso ya me lo dijo, y yo no lo entendí. Si uno va a un lugar, y se da cuenta de que es el sitio equivocado, no vuelve allí por segunda vez. ¿Qué es lo que tiene de complicado? ¿Hay que explicárselo? Ya sé, hagamos entre todos un gran cartel que diga:

¡Y pongámoslo a la entrada del pueblo!

El tema "prendió" no tanto por el cartel en sí, sino porque se abría el camino para una nueva discusión.

—¡Vamos a tener varios problemas! —dijo Reb Emes Mequenbrejn—. Primero, que los cosacos no saben leer en idish. Segundo, ¿quién sabe dónde queda la entrada de Tsúremberg?

—¿Cómo que quién sabe dónde queda la entrada de Tsúremberg? ¡Todos sabemos perfectamente donde queda la entrada de Tsúremberg... la entrada de Tsúremberg queda, exactamente... en la entrada de Tsúremberg y en ningún otro lugar!

—Bueno, sí, nosotros sabemos perfectamente donde queda la entrada, porque vivimos acá, pero ellos, los cosacos, ¿lo sabrán? Porque cada vez que entran, ¡lo hacen por cualquier lado, rompiendo todo! ¡Mirá si en realidad entran así porque no saben dónde queda la entrada de Tsúremberg! —Este fue Reb Mordejaim Roshtapuaj Shuartzefínguerlaj.

—¡Ooooooooooooyoyoy! ¡Estamos en un problema! ¡Evidentemente no nos podemos comunicar con los cosacos, ellos no nos entienden, y nosotros no los entendemos! —dijo Reb Shloime Lejer.

—Claaaro, nosotros les tendríamos que preguntar qué les pasa, si les duele algo, si no los han comprendido en la infancia, como dice el *dokter* ese que les habla a los *kishkes*, mientras ellos nos incendian y nos roban, ¿no?

—¡No discutamos entre nosotros, que si no, ¿qué nos queda para los cosacos?

—¡Con los cosacos no discutimos, de los cosacos nos defendemos como podemos! ¿No estudiaste historia judía en el *jeider*, vos? "¡Los judíos discuten entre sí y se defienden de los demás!" Bueno, ¿hacemos o no hacemos ese cartel para que los cosacos no entren?

—Pero ¿y si no lo pueden leer?

—Tengo una idea, hagámoslo muy fuerte, muy alto y de material resistente, para que si los cosacos no lo pueden leer, tampoco lo puedan atravesar —dijo Reb Azoi Krantzinpupik.

—¡Pero en ese caso tampoco nosotros podríamos atravesarlo!

—¿*Nu*? ¿Para qué necesitás salir de Tsúremberg, para ir al *pogrom* de otro *shtetl*?

Reb Meir Tsuzamen no podía creer el camino que estaba tomando la discusión.

—¡Paren, paren, así no es, así no es! —gritó.

—*Rebe*, ¿por qué grita eso? ¿Está ensayando para decírselo a los cosacos?

—¡Ustedes no tienen idea de lo que están hablando! ¡A los cosacos no se los modifica con un cartel!

—Es lo que yo decía, *Rebe* —Reb Azoi Krantzinpupik—, hagamos una buena barra de hierro, y que no puedan pasar.

—¡No entienden, no entienden! ¡Los cosacos llevan siglos de engaño, no van a cambiar de idea en un día, por un cartel, o una barra!

—Pero *Rebe*, tampoco vamos a esperar varios siglos a que cambien de idea... ¡Dentro de varios siglos vamos a ser muy viejitos...!

—Pero no estoy hablando de anécdotas ni de tiempos personales, Ponim, estoy hablando de tiempos históricos, de dialéctica, del devenir.

—Y nosotros estamos hablando de *pogroms*, *Rebe*, y de venir, ¡mejor que no vengan!

La noticia corrió como reguero de *iajne* y de *shnorer* juntos, por las calles de Tsúremberg. Los tsúrelej, como siempre, hablaron a favor o en contra, o bien "un poco y un poco".

—Con este cartel vamos a avisarles a los cosacos que están equivocados —comentó Reb Ponim Funanasher.

—¿Y ellos nos van a creer? ¡¿Hace casi dos mil años que nos acusan de todo, y ahora nos van a creer?! ¡No!, encima nos van a acusar de mentirosos, van a decir que queremos confundirlos haciéndoles creer que no somos su enemigo, pero que sí lo somos —dijo Reb Simjastoire Nusslgrois.

—Además, si dice:

pero ese día vienen los kalmúcos, o los ucranianos, ¿qué pasa? ¿O hay que dejar un cartel para cada pueblo?

—¿Y acaso tendríamos que explicarles dónde sí deberían hacer *pogroms*, ya que "acá no es"?

—Vos no te preocupes, ellos se las van a arreglar muy bien para encontrar donde hacer *pogroms*, de hecho, se las han arreglado perfectamente durante más de dos siglos.

—Sí, pero era distinto, no había carteles...

La noticia corrió fuera de los límites de Tsúremberg, y llegó a Lomirkvechn. Moishe Treifer, el "falso rico del pueblo" estaba preocupado y se reunió con unos cuantos paisanos en la plaza, a la que llamaban Lomirkvechn Palace Hotel, porque no tenían hotel, y de todas maneras nadie venía nunca a pasar unos días allí, por lo cual la plaza funcionaba perfectamente como hotel vacío, y si alguien hubiera necesitado una cama de urgencia, estaba Sore Blintzes, dispuesta a ofrecer... media.

—¡Nunca me voy a olvidar de esa noche en la que un *pogrom* llegó a la esquina de mi casa! ¡La que pasamos!

—¿Les hicieron mucho daño?

—¿Daño? ¡Ojalá mis enemigos sufran mil veces lo que

sufrimos! ¡No pudimos dormir! ¡Llegaron hasta nuestra puerta, eran muchísimos, y después trataron de entrar, por suerte no se los permitimos, y entonces se fueron!

—¿Se fueron, los cosacos se fueron sin entrar por la fuerza?

—Bueno, quizás se dieron cuenta de que acá no era, o quizás no eran los cosacos. ¡Yo qué sé, era de noche, estaba todo oscuro! Bueno, pero ahora, ¿qué hacemos?

—¿Nosotros? ¡No hay que hacer nada! ¡Los cosacos se encargan de todo! ¡*Nu*, lo único que falta, que cuando vienen a hacer un *pogrom*, haya que ayudarlos! —Esa fue doña Shlejte.

—No, yo decía por lo de Tsúremberg, me enteré de que ellos quieren hacer un cartel para avisarles a los cosacos que "no es allá".

—¿Cómo que "no es allá"? ¿Qué quiere decir eso? ¿Les quieren decir a los cosacos que Tsúremberg no es allá? ¿Le quieren cambiar de nombre al *shtetl*? ¿Acaso creen que a los cosacos les va a importar mucho si el *pogrom* es en Tsúremberg, Tújesberg, Fortzemberg, Potzemberg o Mishiguemberg?

—¡*Nu*! ¡Pocos problemas tengo yo en mi propia cabeza como para ponerme a pensar sobre las conclusiones que puede llegar a sacar un cosaco! ¡A mí no me importa lo que piensen, lo que me preocupa es que si ven un cartel que diga que "no es allá", crean que "es acá" y se vengan para Lomirkvechn.

—Oooyoyoy, estamos en problemas. —Este fue Blitzpocht Cohen.

—Bueno, no tanto, ¿cuándo vieron ustedes que los cosacos, antes de hacer un *pogrom*, se detuvieran a leer un cartel? —preguntó Caquerúlque Ekmek.

—Entonces, no hay de qué preocuparse. —Se alivió el hermano de Blitzpocht, Shpeter Cohen.

—Los cosacos no leían los carteles, pero ¡simplemente porque antes no había carteles! —insistió Moishe Treifer.

—Oooyoyoy, estamos en problemas. —Este fue Blitzpocht Cohen.

—¿Y eso qué importa? ¿Acaso antes de un *pogrom* un cosaco le pregunta a otro: "¿Habrá algún cartel que nos indique dónde tenemos que hacer el *pogrom*? ¿Cuál es el pueblo elegido, esta vez?".

—Oooyoyoy, estamos en problemas. —Este fue Blitzpocht Cohen—. El pueblo elegido somos siempre los judíos, ¿acaso los cosacos no lo saben, necesitan realmente un cartel?

—¡¿Un cartel para decirles que nos tienen que atacar?! ¡Estás *mishíguene*, vos!

—O sea que no hay de qué preocuparse —insistió Shpeter—, con cartel o sin cartel, los cosacos igual siempre van a hacer *pogroms*, y nosotros, los judíos, vamos a ser su pueblo elegido.

—¿Y te parece que no estamos en problemas? —preguntó su hermano Blitzpocht—. ¡El problema no es el cartel, el problema es el *pogrom*! O acaso nos estaríamos preocupando si los cosacos estuvieran por hacer un cartel que dijera:

—Bueno, si se considera desde ese punto de vista...

—¿Y desde qué otro punto de vista podría considerarse?

—Bueno, ¡acordate de nuestros padres!, siempre cuando uno decía una cosa, el otro decía lo contrario. ¡Y los dos tenían razón!

—Oooyoyoy, estamos en problemas. —Este fue Blitzpocht Cohen.

—¿Y ahora por qué lo decís, Blitzpocht?

—¿Qué, no estamos en problemas?

Por muchos votos a favor, y unos cuantos en contra, la gente de Lomirkvechn decidió que sí estaban en problemas. Unos propusieron la emigración completa del pueblo a Tsúremberg, para así quedar todos protegidos por el cartel. Pero entonces, comentó Meir Culpovich, el problema no sería tanto el *pogrom*, sino cómo iban a vivir dos pueblos de las papas que no alcanzaban ni siquiera para uno.

—Bueno, podría ayudarnos el rico del pueblo —comentó Shpeter Cohen.

—¿El rico de Tsúremberg, o el de Lomirkvechn? —preguntó doña Shlejte.

—Es lo mismo, porque el rico de ellos es el más pobre que hay, y renunció, y el nuestro, ni siquiera existe.

—¿Y para qué nos vamos a mudar a un pueblo sin rico? —preguntó Reubén Soier.

—Muy simple. ¿Para qué nos vamos a mudar a un pueblo que ya tenga un rico? Es mucho mejor mudarse a un pueblo donde no hay rico, porque entonces cualquiera de nosotros tiene la esperanza de llegar a ser el rico de ese pueblo.

—¿Y por qué no ser el rico acá, en Lomirkvechn?

—¿Y de qué manera? Evidentemente acá nadie sabe cómo se hace para ser rico, porque sino alguien ya lo hubiera hecho, ¿no?

—¿Y si acá no sabemos cómo, por qué vamos a saber allá?

—No lo sé, pero por lo menos allá hay esperanzas...

—¿Se pueden saber para qué necesitan tanto ustedes un rico? —preguntó el *rebe* Latque Gutekartofel.

—Para pedirle cosas, cuando las necesitamos.

—Y digo yo, ¿alguna vez el rico les dio alguna cosa, cuando la necesitaban?

—No, porque no existía.

—¿Y algún rico, que sí existiera, les dio algo?

73

—No, *Rebe*, pero no nos quite la esperanza.

—¿Yo, quitarles la esperanza? ¡¡Pero, quiénes son ustedes, qué tipo de esperanza tienen, que en lugar de pedirle a Dios, de confiar en Él, le piden a un rico, o confían en un cartel?! ¿Acaso fue un cartel el que le dijo a Abraham: "*Lej, lejá*, vete con tu familia a una tierra de leche y miel"? ¿Acaso fue un rico quien nos legó los Diez Mandamientos? ¿Acaso en Jerusalén tuvimos un cartel que dijera:

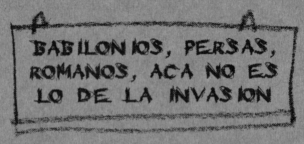

¿Acaso fue un rico el que hizo llover maná del cielo? ¿A quién le rezaban sus padres, sus abuelos, sus bisabuelos, a un rico, a un cartel? ¡Si el respetado rabino de Tsúremberg, Reb Jaim Abrúmelson Piterkíjel, permite semejantes herejías en su *shtetl*, yo no lo permito en el mío… ¡Así que si siguen con esos delirios de emigrar… yo me voy!

—¿Con nosotros?

—¿Adónde van a ir ustedes, lomirkvéchalaj? ¿Saben adónde van a ir? ¡Al templo!

—Bueno —dijo Blitzpocht Cohen—, pero y si mientras tanto hacemos un cartel que diga:

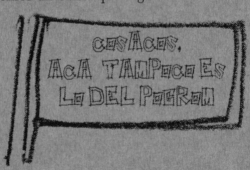

Reb Latque Gutekartofel lo fulminó con la mirada.

—Ooyoyoyoy, estoy en problemas...

Moishe Treifer y su mujer, que luego de haber sido tomados por los tsúrelej como "los falsos ricos de Lomirkvechn" fueron en cambio reconocidos por sus paisanos como "un poquito locos", no se quedaron tranquilos ni con las palabras de su propio *rebe*.

—¡Moishe, tenemos que hacer algo!

—¡¿Qué podemos hacer, Gehacte Chainik?!

—¡Algo!

—¿Y te parece que yo no hice nada ya? Mirá, en un solo día, tuve miedo, recé, me imaginé que nos atacaban los cosacos, me horroricé, y varias veces, pensando en las consecuencias de ese ataque, volví a rezar, se me ocurrió emigrar, después se me ocurrió que mejor no emigrar porque en el otro pueblo también podría haber *pogrom*, después se me ocurrió poner nuestras riquezas en algún lugar seguro, después me acordé de que no teníamos riquezas ni lugar seguro, entonces me despreocupé, porque pensé que los cosacos no iban a tener nada que sacarnos; entonces me dio más miedo todavía, porque me imaginé que los cosacos se iban a poner furiosos con nosotros, al no tener nada que sacarnos, después discutí, hablé, me callé, me opuse, escuché... ¡Y ella dice que no hice nada! ¡No recuerdo un día en toda mi vida que haya hecho tantas cosas!

—Moishe... yo decía "algo", pero "algo que sirva".

—¿Algo que sirva? ¡Hubieras empezado por ahí! ¿Y qué querías que hiciera, que sirva?

—Y... no sé....

—Ah, ella no sabe... el *rebe* dice que hay que rezar, la gente dice que hay que emigrar, otros dicen que hay que poner un cartel, y los cosacos, ¿qué dicen los cosacos? Porque si ellos son los que hacen el *pogrom*, seguramente nadie sabrá mejor que ellos qué se puede hacer para evitarlo, ¿no?

—Moishe, no seas loco, los cosacos nunca te van a decir cómo evitar un *pogrom*.

–Exactamente, Gehacte, exactamente... eso es lo que pasa... los únicos que de verdad saben cómo se hace algo, no te lo dicen; los que no saben cómo se hace, tienen mil recetas que te pueden dar, siempre van a tener un consejo inútil para facilitarte... ¡Pero vos querés que yo haga algo que sirva! ¡Entonces, yo voy a hacer algo que sirva!

–¿Qué vas a hacer?

–Nada, Gehacte, absolutamente nada. Y seguro que va a ser más útil que las soluciones que andan pensando por ahí.

Las noticias quemaban como *knishe* recién salido del horno. Iban de un *shtetl* a otro más rápido que la miseria, que el *shnorer*, que el delicioso aroma de la cebolla frita, para no mencionar a Superman, que jamás pasó por allí, o al tren, que por entonces iba bastante despacio.

También en Blintzemberg, en Vusbrejste, en Shmecovia, en Trénengut, en Einecurvealeingueblibn, no había aldea en donde no hubiera aparecido el rumor, en todas sus delirantes o reales versiones.

–¿Un cuartel? ¿Y para qué van a poner un cuartel en Tsúremberg? ¿Qué necesitan, soldados que se queden con todas las papas? ¿No tienen ya suficiente pobreza?

–Un car-tel... *zeide*, car-tel. No soldados, sino un aviso para que los cosacos no los ataquen.

–¿Y ellos creen que con un aviso van a asustar a los cosacos?

–¿Una papa gigante? ¿Van a crear un monstruo de papa para asustar a los cosacos? ¿Un Golem?

–¿Un gran caballo de madera con todos los tsúrelej adentro que ataque a los cosacos cuando lleguen? ¡Jamás escuché una tontería igual!

–¿Todos los tsúrelej se van a meter en un arca esperando que pase el *pogrom*? ¿Y qué van a hacer, navegar por el río Shmendrik, o escalar los Montes Akshn? ¡Jajajá!

—¿Los tsúrelej van a construir una estatua muy alta con forma de mujer con una antorcha encendida en una mano, con el brazo levantado, amenazando a los cosacos? ¿Pero de veras los tsúrelej creen que los cosacos no se van a dar cuenta de que se trata de una estatua?

En todos los pueblos el famoso "Cartel de Tsúremberg" era el tema obligado, o al menos una buena excusa para reemplazar a la pobreza endémica, o a las diversas polémicas religiosas que de tantas generaciones practicándolas, ya se empezaban a repetir, y además llegaban a un punto en el que ya se olvidaban de qué postura había tomado cada uno. Y en el propio Tsúremberg, más se hablaba todavía.

—Es una tontería poner un cartel, ¡la mayoría de los cosacos no sabe leer!

—No importa, con que uno solo sepa leer y les avise a los demás, ya está.

—¡Pero para eso no hace falta un cartel...! ¡Ponemos un aviso en el *Tsúreldique Tzaitung* y listo! —propuso Reb Shmulik Groistsures, su propietario.

—¡De esa forma solo se enterarán los judíos, los cosacos no leen nuestro periódico! —le dijo Reb Simjastoire Nusslgrois.

—Pero muchas veces en los *pogroms* se llevan toda la edición, alguno debe leerla —insistía Groistsures.

—¡Pero nosotros no queremos que los cosacos se enteren de que no somos sus enemigos después del *pogrom*! ¡Queremos que se enteren ANTES del *pogrom*!

—¡Eso se llama primicia! —dijo Groistsures—. Uno no puede estar en todas...

—¡No, eso se llama sobrevivir! ¡Y para eso, sí hay que estar en todas!

Reb Meir Tsuzamen insistía:

—¡Ustedes creen que con un cartel esto se arregla! ¡Desde hace siglos que los poderosos arrojan a unos pobres contra otros, a unos esclavos contra otros, a unos campesinos contra otros y ustedes creen que con un cartel o con un aviso se va a arreglar! ¡Esta es una tarea de muchos años, de estar con ellos, de verlos como a iguales, de demostrarles que no somos sus enemigos! ¡Ah, si yo pudiera hablarles!

—Si los cosacos tuvieran a Reb Meir Tsuzamen con ellos, seguro que no harían más *pogroms*... ¡estarían demasiado aturdidos, demasiado confusos como para hacerlos! —ironizó Reb Reubén Tsurelsky.

—Sí, además no se irían de sus propias aldeas, pues ya tendrían judíos a los que atacar allí mismo... —comentó Reb Shloime Vantz.

—¡Ustedes siempre buscan la solución fácil... lo que yo les propongo es lo...

—¡Lo imposible, lo imposible! —rugió Reb Jaim Piterkíjel—. Ellos quieren frenar a los cosacos con un cartel... usted, con siglos de "criterios educativos", pero a los cosacos, ¡sólo Dios puede frenarlos!

—Bueno... ¡Dios podría poner un cartel!

—Dios podría... ¿Dios podría, Dios "podría"? ¡Dios puede! ¡Y sólo Él sabe lo que puede! ¿Así que Reb Reubén Tsurelsky, a quien sus paisanos elevaron a la categoría de "rico del pueblo" aunque Dios lo hizo pobre y pobre sigue siendo, cree que "Dios podría" hacer un cartel, y si Dios no lo hace, los hombres lo harán "en Su nombre"...

—*Rebe*, nosotros lo único que queremos es que no haya más *pogroms*. Con cartel, o sin cartel.

—¿Y ustedes qué creen, que a mí no me duelen todos y cada uno de los *pogroms* que castigan a nuestro pueblo desde que Jmelnitsky *¡tfu, tfu, tfu!* nos echó la culpa a nosotros, a los nobles y a la Iglesia, pero sólo nos atacó a nosotros? Pero ¿qué puedo yo hacer?

—No sé... ¿un cartel?

—¡Y dale con el cartel! ¡No, lo que yo puedo hacer es rezar!

—Bueno *Rebe*, usted rece, y nosotros hacemos el cartel.

Los tsúrelej se reunieron en el Tsúkerke Café. Vísele Tsúkerke peló un montón de papas para hacer té (con la cáscara) para todos, y unos bocaditos de papa dulces con la pulpa. (En realidad no tenían azúcar, pero como todos le preguntaban si eran salados o dulces, y tampoco tenían sal, y eran para acompañar al té, él les decía que eran dulces y nadie lo contradecía.)

—Bueno, tenemos que hacer el cartel, aunque los *rebes* no estén de acuerdo.

—¡Pero si los *rebes* sí están de acuerdo!

—¡Están de acuerdo entre ellos, pero no están de acuerdo con el cartel!

—Pero a mí me dijo Reb Kolnidre Medarfloifn, el *shnorer*, que en Lomirkvechn, Blintzemberg, Vusbrejste, en Shmecovia, en Einecurvealeingueblibn, saben de nuestro cartel.

—¿Y cómo se enteraron?

—Porque él mismo se los dijo. Y ellos están pensando en hacer carteles, o en venir para acá, o en irse a otro país, o en no hacer nada, pero están moviéndose como locos con nuestro cartel... ¡No podemos decepcionarlos!

—¿Ellos se mueven? ¡Lo que necesitamos es que los cosacos no se muevan!

—¡¿Y ellos le van a hacer caso a un cartel?!

—Quizás ellos no le den importancia, pero si nosotros le vamos a dar importancia, si Lomirkvechn, Blintzemberg, Vusbrejste, Shmecovia, Einecurvealeingueblibn, le van a dar importancia —dijo el joven Shloime Gueshijte Tsuzamen—, entonces, el cartel va a detener a los cosacos.

—¡Eso es confiar demasiado en el poder de la voluntad! —dijo el *Dokter* Úguerke—. Me dijeron que hay un profesor en Viena que piensa algo parecido.

—¿Sigmund Freud? —preguntó el *Dokter* Píchifke con tono de "yo lo conozco".

—No, Theodor Herzl. Parece que él piensa algo así como que si los judíos quieren, van a poder irse todos a un mismo lugar, la Tierra Prometida.

—¡Pero en este caso no se trata de irnos nosotros, sino de que no vengan los cosacos! —dijo Reubén Tsurelsky—. Es lo mismo, pero al revés, ¿o podría ese sabio conseguir que todos los cosacos se vayan a un mismo lugar, pero que ese lugar no sea Tsúremberg?

—Quedate tranquilo, Tsúremberg no es la Tierra Prometida.

—Pero si los cosacos se fueran a la Tierra Prometida en nuestro lugar, cuando nosotros lleguemos, o sea cuando Dios finalmente quiera y nos conduzca allí, van a estar ellos esperándonos.

—Bueno, está bien, que se queden donde están.

—No sé si el doctor Herzl sabe cómo hacer que los cosacos se queden donde están.

Pocos días después, seguía la discusión. Llegó gente de los pueblos vecinos a participar, y por supuesto hicieron su aporte sumando muchos más temas a la polémica. A la semana hubo un *pogrom*, luego del cual algunos lamentaron que no estuviera ya el cartel pues hubieran calmado a los cosacos, y otros celebraron que el cartel no estuviera aún, pues los cosacos lo hubieran destruido o se lo hubieran llevado y ahora tendrían que hacer otro.

Sabemos que la discusión siguió sin que lograsen ponerse de acuerdo.

No hay historiador que haya registrado la existencia del cartel en Tsúremberg, ni en otro pueblo de la zona, por lo que podemos deducir que finalmente no lo hicieron, o se lo llevó el viento, o alguien lo tiene de recuerdo, o las discusiones siguieron, y siguieron, y en la Argentina, Estados Unidos, Israel, etcétera, los tsúrelej y sus descendientes siguen discutiendo sobre el cartel. Que muchos judíos pensaron, como Shloime Gueshijte Tsuzamen, que si ellos querían, podían. Que otros se preguntaron, si los cosacos no seguían las Tablas de la Ley, los Diez Mandamientos, por qué entonces iban a obedecer a un simple cartel sin Moishe Rabeinu que lo leyese. Otros proponían mandarles a los cosacos una especie de Moishe Rabeinu que los llevara cuarenta años por el desierto, a ver si así aprendían. Otros que sí, otros que no. Otros, que puede ser.

Capítulo 4

¡Niños pequeños, problemas pequeños!

Ser niño en Tsúremberg era más complicado aún que ser adulto, porque, se sabía, a todas las obligaciones a las que estaban sometidos como niños, deberían luego sumar las que se les irían acumulando con el paso de los años. Ni siquiera tendrían la compensación de poder elegir con quién casarse, ya que esto sería digitado por sus padres; ni dónde vivir, ya que esto estaba limitado por los sucesivos decretos expulsivos o retentivos de zares, káiseres y reyes diversos; ni mucho menos qué comer, ya que esto quedaba limitado a las papas, en caso de haberlas, y a la imaginación, en caso de no haberlas (papas, ya que imaginación siempre había).

Los niños debían además soportar a sus padres que les ordenaban qué hacer, y al *rebe* que les decía qué hacer, y, sobre todo, qué no hacer. Y por supuesto, por sobre todos ellos, a Dios, por cuya voluntad ocurría todo. Dios podía ordenarles algo por boca del *rebe*, y lo contrario por boca de sus padres, y ellos debían obedecer como pudieran esta contradicción. A veces encontraban una extraña explicación a estas contradicciones, pensando que ellos, los niños, también tenían caprichos, a veces querían una cosa y otras veces otra, y si Dios los había hecho a Su imagen y semejanza, entonces se explicaba que Él también tuviera sus berrinches. Pero otras veces pensaban en Dios como alguien que tenía de todo, y en ellos mismos como seres a los que les faltaba de todo, y entonces se preguntaban por qué sus padres estaban tan atentos en complacer a Dios, que ya tenía de todo, y no a ellos mismos, que tanto necesitaban.

Puede parecer extraño que un niño se pregunte semejantes cosas. Pero, estamos hablando de Tsúremberg: si en este pueblo el rico puede ser pobre, el rabino puede ser comunista y el chofer puede no saber manejar, ¿por qué no pueden los niños ser filósofos?

Los niños andaban siempre juntos, en grupo, preguntando aquí y allá. Mientras sus padres estudiaban la Torá, y sus madres trabajaban la tierra, cocinaban, limpiaban, cosían y se quejaban, los niños preguntaban. Digamos que en Tsúremberg no había muchos soldaditos ni pelotas de fútbol, ni fútbol, que las pocas papas se usaban para comer y no para jugar, pero... ¡palabras, sí que había, todas las que quisieran! Entonces los niños jugaban con las palabras, preguntar era su manera de jugar:

—*Rebe* Jaim, ¿dónde queda la Tierra Prometida?

—No te preocupes, Pílquele, cuando llegue el momento indicado, Eliahu Hanovi nos va a avisar, y Dios nos va a indicar dónde y cómo ir. No hace falta que vos sepas dónde queda, así que, ¿para qué querés saberlo?

—*Rebe* Meir, ¿dónde queda la Tierra Prometida?

—No te preocupes, Kíjele, cuando llegue el momento indicado, el pueblo tomará conciencia y se encargará de transformar la miseria en una vida llena de leche y miel. No se trata de que vos quieras ir, sino de que todos quieran.

82

–Reb Jolodetz Saltzn, ¿dónde queda la Tierra Prometida?

–¿*Nu*? ¿Para qué te preocupás vos, Beigale? Sos muy chico aún para hablar de prometidas, ni siquiera sos *Bar Mitzvá* todavía. Seguramente tus padres se encargarán de conseguirte una buena prometida, que ellos hablen conmigo y yo me ocupo, y, ¿tierra? ¡Tierra hay de sobra!

–Reb Reubén, ¿cómo son los ricos?

–¿Y a mí me lo preguntás, Tzíbele?

–Sí, porque me dijeron que una vez usted fue rico.

–Sí, bueno... Cuando yo era rico, todos creían que yo tenía mucha plata, y ahora que soy pobre, nadie cree que tenga plata. Pero yo tenía lo mismo. Así que la diferencia es lo que la gente cree que uno tiene, Tzíbele.

–Reb Kolnidre, ¿cómo son los ricos?

–Mirá, Cúquele... yo nunca fui rico, o sea que los ricos son muy diferentes a mí.

–Sí, bueno, pero ¿en qué se diferencian?

–Bueno, los ricos no piden plata en las casas de otros, la piden a los bancos; y los bancos siempre les dan, porque saben que, como son ricos, van a poder devolvérsela.

–¿Y cómo es un banco?

–¡Y yo qué sé! Los bancos no les dan plata a los pobres, así que, ¿para que iba a ir yo a un banco? Si necesito que no me presten plata, gracias a Dios tengo un montón de gente a quien pedirle.

–Mamá, ¿cómo nacen los chicos?

–¿Y cómo iban a nacer, Kíguele? ¡Naciendo! No van a nacer comiendo, o corriendo, o durmiendo, ¿no?

–No, claro pero yo preguntaba cómo se hace para que alguien nazca, ¿vos que hiciste para que yo naciera?

–¡Oyoyoy, no me hagas acordar!

–*Rebe* Jaim, ¿por qué hay *pogroms*?

–Eso sólo Dios lo sabe.

—Y si Dios sabe por qué hay *pogroms*, ¿por qué no los evita?

—Eso también sólo Dios lo sabe, Cúguele.

—*Rebe* Jaim, si Dios sabe por qué hay *pogroms* y no los evita, ¿nos odia a los judíos?

—¡Cúguele! ¿Por qué estás acá haciéndome una pregunta tras otra en lugar de estar en el *jeider* estudiando tus lecciones?

—¡Eso sólo Dios lo sabe, *Rebe* Jaim!

—*Rebe* Meir, ¿por qué somos diferentes los hombres y las mujeres?

—No, Pílquele, no somos diferentes, somos iguales.

—¡Cómo que somos iguales! ¡Mi mamá no tiene barba, no usa *peies*!

—Bueno, somos diferentes, pero somos iguales.

—*Rebe* Meir, mi papá me enseñó que "igual "es lo contrario de "diferente".

—Sí, Pílquele, tu papá tiene razón, pero lo que pasa es que existe una ciencia llamada dialéctica, por lo cual de una tesis, y lo contrario, o sea su antítesis, surge una síntesis...

—¡No entiendo, *Rebe*, ¿somos iguales porque somos diferentes, o somos diferentes porque somos iguales?

—¡Sólo Dios lo sabe!

Si a la hora de preguntar los chicos no dejaban en paz a los adultos, ni a las palabras, a la hora de comer su rapacidad era inagotable. Cierto es que la comida no abundaba, pero los chicos estaban entrenados para detectarla donde quiera que estuviese, y dar cuenta de ella. Es que necesitaban mucha energía para poder soportar el peso de cuatro mil años de persecuciones. Hay que estar preparado para escapar de Egipto, los babilonios, los griegos, los romanos, los inquisidores, los cosacos, el Zar, el Káiser, alguno que otro Papa... los pobres chicos de Tsúremberg sabían, pero no era un saber intelectual derivado de sus tantas preguntas, era un saber físico, un saber intestinal, de adentro, que era mejor comer hoy todo lo que hubiera hoy, que dejarlo para mañana, porque seguro que otro se adelanta y lo come antes.

Las madres judías sienten un especial orgullo de tener a sus hijos bien alimentados, y como las madres tsúrelej no podían alimentarlos con suficiente comida, más de una vez los alimentaban con reproches, alertas, advertencias, etcétera.

¡A comer!

Ensalada "quétenés"

(oremishmash)
Por Rajmone Gezunterheit

Este es un plato que suele ser muy sabroso, con el que sorprender a familiares y amigos es muuuy económico, y lo único que hay que tener son las ganas de prepararlo. De hecho, no hay que tener nada más, aunque es bueno contar con una fuente de tamaño lo más generoso posible.

Ante la inminencia de la cena y de la llegada del marido, hijos, hermanos, algún posible invitado o auto invitado, y la ausencia de elementos comestibles para la ocasión, la receta consiste en acercarse a la casa de la vecina más cercana, con la fuente más grande que se tenga, y preguntar: "¿Qué tenés para esta cena?". Diga lo que diga la vecina, pedirle "dame un poco" (Guivmir a vísele). Ella no se negará. Se coloca el "poco" en la fuente, y se pasa a la casa siguiente. Se repite el procedimiento hasta que la fuente esté llena de distintos víseles.

En ese momento se vuelve a la casa, se toma una gran cuchara y se mezclan todos los "pocos" hasta que quede un "todo", un "Mishmash" o "ensalada" cuyos ingredientes no sean distinguibles el uno del otro. Se marcha triunfalmente hacia la mesa con la fuente llena de comida, y se sirve una porción generosa a cada comensal. No es recomendable preparar este plato todos los días, los vecinos pueden hartarse.

La llamada a comer era sagrada, tanto, que en algunos hogares ni se la pronunciaba, como el mismísimo nombre de Dios. Pero cuando la madre convocaba a su familia a la mesa, acudían todos, en tropel, en bandada, como si fueran uno, y "la hora" de comer se transformaba en un minuto en el que los chicos daban cuenta de todo lo comestible que hubiera a su alcance, en forma eficiente, voraz, diríamos que insaciable. Por supuesto que el primero en ser servido era el padre, para él la mejor porción del *guefilte fish*, o del pollo, si lo hubiera. Y si no, las mejores papas, que eran iguales que las demás, pero en homenaje al padre, las que le eran servidas eran honradas con la denominación "mejores papas" (*bestecartofls*). Y los chicos competían por conseguir un trocito de "papa del papá", que tenía un sabor especial: en la boca tenía el mismo gusto que las otras, pero en el corazón... ¡ah!

Y la comida, o la ausencia de la misma, podía ser origen de tantas cosas... una vez los Mequenbrejn consiguieron en el Shmaterai de los Ganev un cajón con varias papas que estaban un poco fuera de temporada. Pero, hervidas, servirían para saciar la cena.

Cuando Jronchik, el más chico, llegó a la mesa, sus hermanos ya habían dado cuenta de todas, y el benjamín se tuvo que conformar con un trocito que le convidó su madre. ¿Conformarse? ¡El chico estaba furioso! Tomó el cajón de las papas y comenzó a golpearlo, porque sabía que golpear a sus hermanos estaba muy mal por motivos religiosos, tradicionales, afectivos, y porque siendo todos más grandes que él, probablemente llevaría la peor parte.

Al principio nadie le dio importancia, al fin y al cabo los demás, aunque habían comido, tampoco estaban taaan satisfechos, no eran tan distintos. Pero Jronchik seguía golpeando el cajón. Rato después, el padre, Reb Gueburstog, se enojó.

—Basta, Jronchik.

Y el chico:

—¡Pum pum, pum pum!

Y la madre:

—¡Ya estamos cansados, Jronchik!

Y el chico:

—¡Pum pumpum, pum pumpum, púmpum!

Y uno de los hermanos:

—¡Papá se va a enojar!

Y Jronchik:

—¡Pumpum, pumpum, pumpumpum!

¡Jronchik les copiaba el ritmo! Ellos le hablaban, y él, primero enojado, luego divertido, les contestaba.

Así pasaron horas. Un nuevo instrumento musical, el "cajóndepapas" o "cartoflkastl", había nacido, hijo, como tantos inventos, de la pobreza y la creatividad.

Y esa noche todos se fueron a dormir satisfechos.

¡A dormir!

Otro momento muy especial era la hora de dormir. Cada chico estaba en su casa, pero no estaba solo, porque compartía la habitación con sus hermanos; aunque a veces era con sus hermanos y hermanas, y otras con sus hermanos, hermanas y padres, y alguna vez también con sus abuelos, sus tíos, sus primos, sus papas, etcétera.

Las madres judías solían cantarles a sus niños para que se durmieran.

Había canciones tradicionales como *Róyinkes mit mandlen* (pasas y almendras) que recorrió todos los *shtetls*, hizo dormir a generaciones de futuros rabinos, sabios, doctores, *shnorer*s, lecheros, etcétera.

También *Oifn prípechok* (en la chimenea); una hermosa canción según la cual el *rebe* les enseña cariñosamente el alfabeto a los chicos bajo la chimenea del hogar, en la que todo es calentito y seguro, que los chicos de Tsúremberg solían cantar para aliviarse del frío, del hambre, y del mismo *rebe*, no siempre tan cariñoso, sobre todo a la hora de tomar exámenes, o de tener él mismo que responder a las incesantes preguntas de los chicos.

Pero después estaban las canciones propias de cada

pueblo, y las de cada casa. Reb Jaim Piterkíjel solía cantarles a sus chicos una canción de cuna que se trasmitía en la familia por generaciones:

Duerme mi rabinito, duérmete ya,
que si no duermes, Dios se enojará.

Su mujer, Grepche, lo miraba con amor y no sin cierta amargura, ya que ella amaba a su marido y le obedecía, como Dios lo mandaba, o como los *rebes* decían que Dios lo mandaba, pero ella sabía que era muy difícil que los chicos lograran dormirse con ese cántico. Incluso más de uno, que ya estaba dormido, abría sus ojos como platos al escuchar el "Dios se enojará" en el que el rabino hacía especial hincapié. Las hijas, en cambio, eran acunadas por su madre, que les entonaba:

Duérmete dulce,
de mi corazón
Y que en tus sueños,
seas un varón.

Reb Jaim no podía entender por qué los chicos no se dormían. Solía comentar:
—En el *jeider*, basta con que les lea un pequeño fragmento de la Torá que ya están todos durmiendo, y acá, que tienen que dormir, por más que les cante, no se duermen... ¡Sólo Dios los puede entender!

Reb Meir Tsuzamen tenía numerosa prole, con nombres bíblicos y políticos. Él no discriminaba entre varones y nenas, les cantaba a todos a la vez:

Duérmanse chicos
con esta canción
Sueñen que llega
la revolución
Duérmanse pronto,
duérmanse chicos
Sueñen que los pobres,
vencen a los ricos.

Tampoco sus hijos eran personas de dormirse fácilmente. Y el *rebe* tampoco lo podía entender:

—¡¿No se cansan después de estar todo el día pendientes de que llegue la revolución?! —les preguntaba él. Y Shloime Gueshijte, uno de los más chicos, siempre le respondía:

—Pero papá, ¿y quién nos puede asegurar que la revolución va a ser de día, y no de noche? ¿Y si nos dormimos y justo entonces llega la revolución?

El hijo mayor, Moishe Próletar, tenía una hermosa voz y solía cantar en el templo. Pero él prefería la liturgia tradicional, y no las canciones de protesta. Otro de sus hijos, Mordje Alebrider era un lector pertinaz, y su padre le había conseguido algunos textos de la ciudad, ya que, en los *shtetls*, el único texto accesible era la Torá. Sara Plusvalía admiraba mucho a su padre. Cuando era muy chiquita pensaba: "Cuando yo sea varón, voy a ser revolucionaria como mi papá". Luego se enteró con tristeza de que ella nunca sería varón, pero, hija de quien era, no se rindió por eso.

Una de sus amiguitas le decía:

—Bueno, si tantas ganas tenés, lo que podés hacer es casarte con un revolucionario y ser su *revolucionaretzn*.

Pero ella quería ser revolucionaria ella misma. Y gracias a su padre, aprendió a ser orgullosa de su propia condición femenina:

—¡Mi papá dice que somos todos iguales, así que yo, aunque sea mujer, igual voy a ser 'revolucionario' cuando sea grande!

Su hermana menor, Judith Nishtraije, la miraba asombrada. Ella se había identificado más con su madre, doña Tzebrójene Mishpoje, y aunque también amaba y respetaba a su padre, soñaba más con casarse con un *rebe* (como su padre) y ser *rébetzn*, que con un revolucionario (como su padre). A veces, doña Tzebrójene, que compartía las ideas de su marido con sus propias obligaciones de mujer y sostén de un hogar lleno de hijos y con un marido idealista, acunaba a su hijita y le cantaba, en un tono, mitad canción de cuna, mitad marcha:

A dormir, pequeña, a dormir
Que yo con mi trabajo he de seguir
Vas a ver, pequeña, has de crecer
Y tendrás, muchísimo que hacer
Tu papá, muy pronto ha de llegar,
A él también, tendré que alimentar
Mientras puedas, trata de descansar
Que de grande, vas a trabajar
Tener hijos, cocinar, lavar, barrer
Y todo lo que hace una mujer
A dormir, pequeña a dormir
Que ya vas a saber lo que es vivir.

Porque ella amaba a su marido y todo lo que él hacía, pero no amaba tanto todo lo que ella misma hacía, o mejor dicho, tenía que hacer.

El *shnorer* Kolnidre Medarfloifn no tenía chicos, ni familia que se le conociera. Iba de aquí para allí y de allí para aquí, pidiendo algo de dinero, algo de comida, y algún rumor para comentar, y conseguir, quizás, algo de dinero o de comida a cambio. Él solía andar por las calles de Tsúremberg, entonando una canción. Con la idea de que los padres lo contrataran para dormir a sus hijos, a cambio de alguna moneda, comida, o un rumor. Él cantaba:

> *¡Chicos a dormir,*
> *chicos a dormir*
> *Así los pogroms*
> *no van a venir*
> *No tengo ni un kopec,*
> *ni casa ni pan*
> *Así que si vienen,*
> *nada me sacarán*
> *El kaiser, las hordas,*
> *los cosacos, el Zar*
> *Olvídense de ellos:*
> *¡a descansar!*

Kolnidre no tenía mucha suerte, los padres no solían contratarlo; aunque alguna vez lo tentaron con un plato de comida a cambio de mantenerse lejos de una casa donde, justamente, querían que los chicos se durmieran tranquilos.

Doña Guefrújtene, la madre de las solteras Glomp, también tenía una dura tarea cuando sus cinco hijas eran pequeñas. Es cierto que bastaba que se durmiera una para que se durmieran todas, pero al mismo tiempo, cuando una se despertaba las otras cuatro también. Ella les cantaba:

Cinco hijitas tengo yo
Gantze, Shverele, Nárishe son
Shloime Meidale, y Donárshtike Glomp
Cinco hijitas, ¡qué bellas son!
Yo las miro, con emoción:
¡Cinco solteras y ningún varón!

Cada tsúrele, cada lomirkvéchale, cada judío de cada *shtetl* se sentía personalmente responsable del buen funcionamiento del Universo en general y en particular. Quizás era su manera de sentirse importantes, de darle a la vida un "más allá". Pero entonces, ¿cómo poder dormir, cómo poder dejar el mundo sin vigilancia por unas horas, si Dios nos ha encomendado que "le tengamos su mundo en buenas condiciones"? Reb Jaim Piterkíjel les diría a los judíos que podían dormir tranquilos, que Dios mismo se encargaba de cuidar Su Mundo. Reb Meir Tsuzamen les diría que se fueran a dormir tranquilos, que cada uno no era sino una parte de todos, y que siempre iba a haber algún judío despierto, o que justo se despertase para rezar, comer algo o ir al baño, y pudiera, durante ese rato, hacerse cargo de sostener al mundo.

Pero los judíos asumían el compromiso con total responsabilidad, y muchas veces la ansiedad no los dejaba dormir. Y si ellos se despertaban, querían proteger a sus hijos. Y cantarles canciones de cuna para que se durmieran, a pesar de que eran ellos, y no los chicos, los que estaban despiertos y ansiosos (de la misma manera como muchas madres, cuando ellas tienen frío, abrigan a sus hijos). Entonces los padres les trasmitían la ansiedad a los chicos, al tratar de dormirlos, entonándoles "arrullos" como este:

Duerme querido,
queridísimo hijo mío
Duerme tranquilo,
hijo querido
Duerme querido,
duérmete así
Que mañana el mundo
dependerá de ti.

Los chicos sobrevivían a la miseria, al frío, a sus obligaciones presentes y futuras, a saber desde niños con quién se iban a casar (y que no iban a poder elegir), a sus padres, maestros y rabinos. Sobrevivían a la circuncisión, o a la falta de ella si eran niñas. Porque detrás de cada papa rescatada, detrás de cada almohada compartida, detrás de cada orden que cien años después puede sonar muy absurda, había amor. Y si no lo había, ellos se las ingeniaban para recrearlo, como el fueguito en la chimenea.

Capítulo 5

Impuestos

Desde hacía muchos años, siglos, la vida de los tsúrelej estaba perfectamente organizada, regulada por las fiestas religiosas judías, los acontecimientos naturales, y los *pogroms*. El aparato del Estado no llegaba hasta el *shtetl*, quizás porque para poder llegar necesitaba ubicarlo en un mapa, o porque el Estado suele llegar por dos principales motivos: hacer obras y cobrar impuestos. Las obras se solían hacer en ciudades o en aldeas más importantes, o más visitadas, habitadas por "polaco–ruso–litu–alemanes" y no por simples tsúrelej. ¿Impuestos? Solamente se podrían recaudar rezos, lamentos, pedidos, y unas pocas papas. Además, ¿qué Estado sería el encargado de intervenir en un pueblo que, justamente, cambiaba de Estado todo el tiempo?

De todas maneras, de vez en cuando algún cobrador se acercaba, y se iba con las manos vacías (o a lo sumo, con una papa) y la cabeza llena de fragmentos de la Torá, consejos y recomendaciones varias, útiles para todo tipo de situaciones menos las cotidianas: un cobrador de impuestos rara vez debe enfrentarse a un *pogrom*, o a una circuncisión o a eludir a un cobrador de impuestos, o a la ira de dos rabinos contrapuestos que lo obligan a elegir entre la tradición y la revolución.

Pero la llegada de los cobradores sí revolucionaba de alguna manera la vida de Tsúremberg. Simplemente porque llegaba alguien nuevo. También si llegaba un político, un ladrón, o un hombre que reuniera todas esas funciones.

A fines del siglo XIX, Tsúremberg, a pesar de estar lejos del resto de mundo, se vio influida por los grandes cambios que aceleraban la Historia. Y si los judíos se las ingeniaron para discutir durante casi mil años de los mismos temas, imagínense ahora, con tantas novedades,

¡era todo un tesoro, a la hora de criticar!

Pero no todas las novedades eran buenas. El Zar, por ejemplo, decidido a "modernizar" Rusia y todos los territorios que de ella dependieran (lo que coyunturalmente podría incluir a Tsúremberg), decretaba, a tales efectos, la creación de nuevas cargas impositivas, aunque dudamos de que los impuestos fueran realmente "para modernizar", o simple y llanamente "la modernización". O sea, que todos pagasen más para así sentirse más modernos, y a la par de los países occidentales; total, nunca sabrían si los occidentales pagaban más impuestos o no, con hacer correr el rumor de que estaba de moda, iba a alcanzar para elevar la autoestima y empobrecer los bolsillos.

Bueno, quizás "iba a alcanzar" en las ciudades rusas, incluso en las polacas, pero, ¿en los *shtetls*? Los tsúrelej eran mayoritariamente tradicionalistas de por sí, pero si además la modernización implicaba pagar más impuestos, se volvían más "anticuados" todavía.

—¡Yo me pregunto cómo va a hacer el Zar para sacarnos el dinero que no tenemos! —se preguntó Reb Reubén Tsurelsky.

—¡De eso no te preocupes vos, de eso que se preocupe el Zar! —le contestó Reb Shloime Vantz—. ¿Acaso él se preocupa por cómo vas a hacer vos para comer mañana? ¿Acaso él, ante un *pogrom*, solloza y se pregunta: "¿Cómo hará Reb Shloime Vantz de Tsúremberg para sobrevivir y no perder sus pocas cosas?"? ¿Acaso le importamos?

—Está bien, no le importamos, lo que hagamos nosotros a él lo tiene sin cuidado, pero en cambio lo que haga él a nosotros sí que nos afecta. ¿O acaso tenemos derecho a decretar un "impuesto a la falta de papas" y que el Zar esté obligado a pagarnos para que a nadie le falte qué comer?

—¡Por supuesto que no! ¡El Zar no tiene por qué darnos de comer, pero simplemente porque el Zar no tiene por qué existir... es más, sin el Zar que nos cobre impuestos, nos diga dónde podemos vivir, de qué podemos trabajar y nos mande los *pogroms*, nos sería bastante más fácil encontrar qué comer y conservarlo! ¡Nosotros somos necesarios, el Zar no lo es!

—¡Ay, Shloime Gueshijte, apenas tenés trece años y ya parecés un tonto de veinte! ¿Para quiénes somos necesarios, nosotros?

Aquí intervino Reubén Tsurelsky:

—Pimero y principal, para nosotros mismos...; después, para nuestras mujeres, que si no fuera por nosotros no tendrían quién leyera la Torá mientras ellas cultivan, cocinan, limpian, crían y nos alimentan. Después para el *rebe*, que no tendría a quiénes reprocharles su poca fe, indicarles preceptos y quejarse de que no los cumplamos adecuadamente. Incluso para Dios somos necesarios, que si no se quedaría sin Pueblo Elegido, después de tantos años, y tendría que elegir a otro pueblo, encariñarse con ellos, acostumbrarse a ellos, y que ellos se acostumbrasen a Sus caprichos. ¡Habría que ver si otro pueblo le aguanta a Él todas las que le hemos aguantado nosotros... esclavos en Egipto, el desierto, los filisteos, los babilonios, los griegos, los romanos, los cosacos, la Inquisición, el Zar, nosotros mismos...! ¡Otro pueblo hubiera renunciado hace tres mil años, se los aseguro!

—Sí —siguió Shloime Vantz—, y también somos importantes para los cosacos, que si no tendrían que hacerse *pogroms* a ellos mismos; y para los nobles, y para el mismo Zar, que cuando no sabe qué hacer para tener tranquilos a sus pobres, nos echa la culpa de algo, ¡y ya está!

—Bueno, pero a mí me sigue preocupando el recaudador, que va a querer sacarnos nuestra plata que no tenemos.

—Pero si no tenemos plata, ¿cómo nos la va a sacar?

—Ellos saben cómo, te aseguro que ellos saben cómo. Son especialistas en esto. De hecho, es muy raro que les saquen plata a los que tienen mucha. Siempre se las ingenian para sacarle al que más pobre parece ser. ¡Menos plata tenés, más te sacan! ¡Yo no sé cómo hacen! ¡Ojalá tuviera yo toda la plata que ellos quieren sacarme!

—¿Para qué, para que te la saquen?

—No, te aseguro que si yo tuviera tanta plata, es porque justamente sabría cómo hacer para que no me la sacaran. ¡Pero como no tengo, no sé qué hacer!

—No te preocupes, te lo digo yo que alguna vez fui el rico y luego, de golpe, perdí todo el dinero que nunca tuve. Es lo mismo. Si no tenés ni un centavo, tu vida es la misma antes de que te saquen el dinero que después.

—Reubén, vos una vez ya fuiste rico, por eso podés hablar así. Yo nunca fui rico, entonces todavía conservo la esperanza.

—Escúchenme: hemos sobrevivido a varios zares, a los cosacos, a las imposiciones de los *rebes*, a un montón de falsos Mesías. ¿No vamos a sobrevivir a un recaudador de impuestos?

—Sí, es una especie de falso Mesías, nada más que en vez de querer llevarnos a nosotros a Canaán, quiere conducir a nuestro dinero a Moscú.

—¡Es lo opuesto de Moishe Rabeinu!

—O de Noé: supongan que mañana viene un hombre muy bien vestido, un emisario del mismísimo Zar, y nos dice: "Judíos, nos hemos enterado de que un gran diluvio destruirá todo el dinero. ¡Poned el vuestro a salvo en un arca que yo la llevaré a sitio seguro!".

—¡Un hombre que nos promete la salvación!

—¿Y qué nos va a prometer, más papas?

—Miren, yo me acuerdo de un falso Mesías, que prometió que iba a convertir al Papa al judaísmo, ¿y qué consiguió? ¡Que lo conviertan a él, en una papa! ¡Jajajajaja!

—¡Eso sí que estuvo bueno...! ¿Y se acuerdan de Shabetai Zeví? Hace más de doscientos años, más o menos para los tiempos de Jmelnitzky, ¡*tfú, tfú, tfú*! ¡Él dijo que iba a conseguir que el Sultán abdique en su favor, que pusiera la corona en su cabeza, y casi le ponen una espada en esa cabeza! ¡Jajajajá!

—¡Eran los "Motl el emprende(u)dor" de la Antigüedad!

—Sí, pero no pedían dinero, ¡solo la esperanza y la fe!

—¡No sé qué es peor!

—¡Peor son las tres cosas!

—Miren... mi *zeide* me contó que su *zeide* le contó que su *zeide* le contó que hubo un hombre que aseguró que para probar que era el Mesías caminaría sobre las aguas...

—¿Y?

—¡Y no tomó la precaución de mirar primero si había piedras abajo! ¡Se hundió en medio minuto!

—¡Jajajá!

—Y luego vino otro, que dijo que él, como Moisés, abriría las aguas del mar.

—¡Para ver si podía rescatar al anterior! ¡Jajajá!

—A lo largo de los años hubo unos cuantos que pudieron convencer a los judíos de que eran el Mesías, ¡pero ninguno que pudiera convencer al Emperador!

—Menos mal, porque si lo convencían, seguro que el Emperador lo hacía matar. ¡Los judíos creemos en el Mesías, porque lo necesitamos, porque nos hace falta pensar que alguien realmente nos llevará a la Tierra Prometida y podremos vivir como Dios nos aseguró hace más de tres mil años! Pero el Emperador, el Zar, el Kaiser, ya tienen muchas tierras, ¿para que quieren ellos un Mesías? ¡A ellos les viene mucho mejor un recaudador de impuestos!

—Pero ¿qué impuesto nos podría inventar?

—Y... por ejemplo que todo aquel que tiene dos papas, ¡le tenga que dar una!

—¿Y qué va a hacer el Zar? ¿*Latques*? ¡Los Zares no comen *latques*, ellos comen caviar, salmón, bacalao y otras cosas que los judíos ni siquiera creemos que existan!

—¿Y si creyéramos, las comeríamos?

—Quizás... para que pueda haber un milagro, primero hay que creer, ¿no?

—Bueno, nosotros creemos en los *latques*, y no están nada mal. Y si el Zar no cree en los *latques*, mejor para nosotros, porque si creyera, capaz que nuestros *latques* se irían con él.

—¡Estamos hablando de impuestos, no de *latques*!

—¡Pero los *latques* son más ricos! ¿Qué vas a comer esta noche, impuestos?

—Si viene el recaudador, ¡sólo Dios sabe qué voy a comer!

—¿Y si no viene?

—¡Sólo Dios sabe qué voy a comer!

—Escúchenme; si está muy claro que acá plata no tenemos, que no tiene nada que llevarse, que hasta los *pogroms* son una especie de práctica deportiva de los cosacos, porque ya saben que acá riqueza no hay, y para llevarse la pobreza ya bastante tienen con la de ellos mismos. ¿Por qué le tienen tanto miedo al recaudador? —Este fue Mordejaim Roshtapuaj Shuartzefínguerlaj.

—Bueno, porque de todas maneras irá de casa en casa buscando algo que llevarse.

—¿En serio creen eso? ¡¡Pero qué nos va a mandar el Zar, un recaudador, o un *shnorer*?! ¡Porque para *shnorer*, ya tenemos uno! Espero que el Zar entienda que, aunque seamos muy pobres, somos gente digna, que no nos puede mandar un *shnorer*, para mandarnos un *shnorer* mejor que no nos mande nada —Ese fue Reb Fárfale Tzimes.

—¡Eso, tiene razón, que no nos mande nada, que no nos mande nada! —gritaron varios, sin darle lugar a su explicación.

—Jah —dijo Reb Simjastoire Nusslgrois—, ¡miren a los tsúrelej! Van al templo a decirle a Dios lo que tiene que hacer, y ahora como están en el café, se dedican a decirle al Zar lo que tiene que hacer. ¿Ustedes de veras creen que nos va a hacer caso?

—No, pero ¿qué perdemos?

—Hablando de eso... si el Zar nos mandase un cobrador, ¿cómo haría para llegar a Tsúremberg sin perderse?

—Por eso no te preocupes, seguramente se va a perder, y así va a llegar a Tsúremberg... todos saben que es la mejor manera.

—Sí, pero ¿quién nos asegura que el cobrador que llegue acá sea realmente el que tiene que cobrarnos a nosotros, y no a Shmecovia, Shtéitelpotz o Lomirkvechn?

—¿Y eso qué importancia tiene? ¡Para él va a ser lo mismo llevarse nuestras papas, que las de ellos!

—Para él, sí, pero ¿para nosotros?

—Podemos poner un gran cartel en la entrada del pueblo que diga:

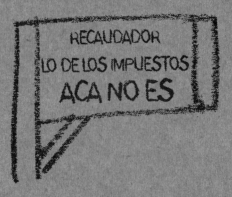

—Pero ¿y el otro cartel?, el de:

—Bueno, ¡lo ponemos al lado!

—Pero si el otro cartel todavía no lo pusimos. ¡Ni terminamos de discutir si lo poníamos o no!

—Bueno, cuando pongamos el otro, a este lo ponemos al lado. ¡Y si no lo ponemos, a este lo dejamos al lado de donde lo hubiéramos puesto!

Promischik Papírelej era un joven atractivo. Había recorrido Europa y seducido bellas jóvenes de las ciudades más importantes del continente. Con varias se había casado, y de ninguna se había separado. Al menos, que ellas lo supieran. De hecho, él solía irse de luna de miel con la dote de su mujer, y en ese sentido era fiel "hasta que no termino de gastar la dote de una, no busco a ninguna otra", solía decirse, pero se autoengañaba, porque parte de sus armas de seducción eran sus buenos trajes, pagados muchas veces a expensas de sus no divorciadas damas.

El problema es que su fama comenzó a crecer y difundirse, y no es el tipo de fama que es conveniente que crezca y se difunda. No es lo mismo ser cantante o filósofo, que gigoló. Tal vez sus hazañas cuasi rufianescas podían atraer a más de una jovencita, pero difícilmente sedujeran a ningún padre rico de tal jovencita, que solía ser quien aportaba la dote, atractivo fundamental de toda jovencita que aspirase a formar parte del despechado harén de Promischik.

Así que, una vez consumado un nuevo acto, esta vez en Varsovia, él volvió a escapar, y esta vez decidió refugiarse por un tiempo en algún pueblito. Tomó una ruta sin duda equivocada, se perdió, y llegó a... ¡Tsúremberg!

Tsúremberg se sorprendió de ver a un joven tan bien vestido. Por supuesto que enseguida corrieron rumores acerca de quién era el misterioso visitante.

—¿Será un hijo de Mister Jaim y Moishe Itke Freudenlerner? —preguntó uno apelando a la vieja leyenda del lugar.

—¿Será un verdadero rico del pueblo que viene a tomar posesión de su cargo?

—¿Un hombre que no usa levita? ¿Un hombre que no usa barba? ¿Un hombre con el pelo corto? ¿Cómo se llama a alguien así?

—¡Mujer!

Pero claramente no era una mujer. Era un hombre... diferente. Los que alguna vez habían estado en una ciudad habían visto hombres así. Uno los llamaría "mundanos", "modernos", "asimilados", "sacrílegos". Cada uno sabrá. Pero claramente era diferente.

—¿Será un *shnorer*?

—¿Un *shnorer* tan elegante? ¿Quién le daría algo a un *shnorer* tan elegante?

—Bueno, a nuestro Kolnidre Medarfloifn, que viste a nuestra usanza, tampoco le damos nada, si es por eso. Así que no pierde nada vistiéndose mejor.

—Un momentito —interrumpió Reb Reubén Tsurelsky—, ustedes dijeron que este hombre parece "un *shnorer* elegante"... ¿Se acuerdan que hace poco dijimos que el Zar nos iba a mandar una especie de *shnorer*, pero bien vestido, para que nos cobre impuestos...?

—¡¡¡ES ÉL!!! —murmuraron a coro.

El murmullo se transformó en rumor y recorrió con fluidez las poco caudalosas calles de Tsúremberg. Pero no todos aceptaban los hechos así nomás. El Dr. Abramitsik Úguerke les comentó a sus contertulios:

—Dejen actuar a la ciencia. Yo le voy a hacer una pregunta, y de acuerdo a su respuesta, sabré si este joven es el recaudador, o un impostor.

Nadie entendía por qué, en caso de no ser el recaudador, sería necesariamente un impostor. Pero tampoco se les ocurría otra opción. De modo que aceptaron la propuesta del "científico".

Al rato vieron pasar a Promischik. El dokter Úguerke se le acercó:

—Disculpe, joven... ¿Cómo es que vino usted a parar aquí?

—A decir verdad, no lo sé muy bien.... tomé el camino y... ¡me perdí!

Impresionado, Úguerke volvió con sus amigos:

—¡ES ÉL!

Científicamente comprobado, el rumor se transformó en noticia: el recaudador, el *shnorer* imperial, el falso

Mesías que se iría con todo el dinero que nadie tenía, había llegado.

Gran reunión en el Tsúkerke Café.

—¿Qué hacemos?

—Tenemos que lograr que se lleve lo menos posible.

—Si es por mí es muy fácil, no se va a poder llevar nada, si nada tengo.

—Eso ya lo sabemos, pero tenemos que lograr que nos crea. Hay que darle una imagen de pobreza extrema.

—Pues no creo que eso nos cueste mucho; con que Tsúremberg parezca un poquito menos pobre de lo que es, ya está.

—¿Y si nos pregunta por nuestros bienes?

—¿Cuál de los dos, las papas o los hijos?

—Bueno, de todas formas, si alguien tenía ganas de aparentar ser rico, por favor, que las disimule.

—De acuerdo, vamos a tratar de parecer casi tan pobres como lo que somos.

Promischik se preguntaba dónde podría instalarse. No había visto nada que pudiera parecerse a un hotel. No digamos de los lujosos que había en París, Viena o Varsovia. Tampoco encontró una casa con algún cartelito ofreciendo alguna habitación para alquilar. Decidió entonces que se instalaría en casa de su novia, pero para eso necesitaría una novia, y para eso tenía que saber quién era el rico del pueblo, y cómo se llamaba su dote, quiero decir, su hija. Se sentó a una mesa del Tsúkerke Café. No había nadie más. Los tsúrelej le temían al recaudador y se habían refugiado en sus casas, o en los templos. El único que andaba por ahí era Reb Jolodetz Saltzn. Lógico, estaba trabajando. Aunque, ¿cómo puede trabajar un casamentero sin posibles clientes a la vista?

Promischik lo llamó:

—Disculpe, soy nuevo aquí y no conozco a nadie, ¿me podría decir quién es usted?

—Si usted primero me dice quién es y por qué vino...

—Bueno, me llamo Promischik Papírelej, soy un hombre que viaja por todo el continente, y he venido aquí a buscar una novia.

"Sí, claro —pensó el *shadjn*—, este está tan enamorado del dinero, que hasta lo llama 'mi novia'". Y le dijo:

—Y dígame, ¿qué hace un joven como usted, que ha recorrido el continente, que viste trajes tan caros y tan poco judíos, que habla con acento distinguido y parece ser hombre de fortuna, buscando novia en este pueblo de gente devota, tradicionalista, y sobre todo, ¡tan pobre!?

—¡Tan pobre no ha de ser! —dijo Promischik—. De alguna manera se las han arreglado para vivir como judíos, alimentar a sus hijos y casar a sus hijas. Pero además, si le digo la verdad, el mundo del dinero grande y las fortunas que cambian de mano día a día se me ha revelado, en el fondo, como un gran vacío. Todo se desvanece tan rápido —dijo, y "sobre todo las dotes", pensó—, que he venido en búsqueda de algo más profundo. Y creo que aquí lo hallaré.

"¡Tenía razón Reb Shloime Vantz! —pensó el *shadjn*—, este hombre sí que busca sacar dinero de donde no lo hay!" Y dijo:

—Mire, Reb Promischik, la realidad es que aquí todos sobrevivimos, pero, ¡sólo Dios sabe cómo! ¡El único rico que alguna vez tuvimos, es tan pobre como cualquier otro tsúrele!

—Y dígame Reb… ¡no me dijo usted su nombre!

—Reb Jolodetz Vantz, *shadjn* oficial de Tsúremberg.

—Pero… usted mismo es el *shadjn*… Usted podría ayudarme a encontrar una candidata.

—Por unos buenos honorarios, por supuesto.

—No hay ningún problema. Fije usted la suma y mi futuro suegro se la pagará.

"¡Este hombre es increíble!, admiro su habilidad para tratar de obtener información, pero, ¡yo soy un profesional! Me pasé años embelleciendo novias, ¿no voy a poder empobrecer un pueblo?"

—Mire, Reb Promischik —dijo el *shadjn*—, si usted busca

hombres con dinero, mejor que lo haga en otro pueblo, o mejor, en las ciudades. ¡Acá, lo que se dice dinero, no hay!

—Bueno, no habrá hombres adinerados, pero seguramente algún empresario, alguien pujante, emprendedor...

—¿Motl? —dijo de improviso el *shadjn*.

—¿Quién?

—No, disculpe, no dije nada.

—Lo escuché, dijo usted Motl.

—Entonces es eso, dije Motl.

—¿Y quién es ese Motl?

—No querrá usted conocerlo, a ese no le sacará usted un centavo.

—Eso déjemelo a mí. ¿Tiene alguna hija?

—Bueno, sí....

El joven se fue. Reb Jolodetz se preguntó qué podría hacer Reb Promischik con Motl, y en qué le podría convenir su hijita Míljique, que era un bebé.

La charla entre Reb Jolodetz y Promischik pronto fue un caudaloso río bañando las calles de Tsúremberg. Menos en el *Tsúreldique Tzaitung*, que simplemente no la publicó porque todos sus posibles lectores ya conocían la noticia, estuvo en todos los medios de comunicación locales, o sea, las bocas y los oídos de los tsúrelej. La habilidad de Promischik para obtener datos se hizo leyenda. Los que tenían alguna moneda corrían a esconderla. Los que tenían alguna hija casadera, corrían a rezar. ¡¿Pero quién era este hombre capaz de casarse para juntar más dinero para el Zar?!

Durante dos días los tsúrelej estuvieron muy ocupados disimulando. Se preguntaban cómo se las arreglaría el pobre Motl con el recaudador. Quién podría con quién, en ese verdadero duelo de estafadores. Hasta que finalmente vieron a Promischik irse del pueblo, a escondidas, y suspiraron aliviados. Difícilmente un hombre que se va así quiera volver. Y si quisiera hacerlo, difícilmente se fuera a perder dos veces seguidas de la misma manera.

Poco después, un triunfante, casi ovacionado, Motl Guéltindrerd se acercó al Tsúkerke Café, y todos le preguntaron:

—¿Qué pasó, qué pasó?

Y él relató:

—Oh, hermanos, bien saben ustedes, porque ustedes son los artífices de mi destino, que este joven emprendedor con gran potencial e infinidad de proyectos que supe ser, se ha transformado por obra y desgracia de la fortuna, en un hombre de una sola empresa: su familia. Desde que me casé con la abundante Floime Beheime Tzimes, abundante en el sentido material concreto, mas no en el mercantilmente intercambiable que ustedes podrían denominar dinero, he sido yo un judío ejemplar, piadoso y temeroso de Dios, ya que si Él me ató a este destino, no sabré yo a cuántas desventuras más podrá someterme. Saben ustedes que Él me premió con un hijo, Azoi, que es muy joven aún, pero pronto será merecedor de ser visto como novio y tener así su propia dote que aportar a mi alicaído capital empresarial. También lo saben ustedes, que no conforme con uno, pensé en expandir mi empresa con varios hijos varones más. ¿Es que es un delito tratar de llegar a una vejez tranquila?

Pero Dios, que tanto ha presionado a su Pueblo Elegido, al parecer me ha hecho, y no quiero ser soberbio, un Elegido entre los Elegidos, ya que me ha agregado otra difícil prueba, a título personal; me ha enviado una niña, Míljique, por suerte aún un bebé, pero que alguna vez será víctima, o quizás victimaria, de algún joven pretendiente cazafortunas. En eso estaba, compartiendo mis avatares con mi familia, cuando de pronto se aproximó a mi casa el joven Promischik, cuya apostura hizo suspirar a las mujeres, y cuya impostura hizo suspirar a los hombres. El recaudador golpeó a mi puerta con su reclamo, y si bien no tenía para darle si no pesares, mi corazón de judío piadoso y los suspiros de mi Floime me llevaron a hospedarlo, ofrecerle comida, conversación y la compañía de mi familia. Promischik parecía sentirse a gusto, tanto que en algún momento se me cruzó por la cabeza si en su condición de agente recaudador del Zar no podría yo convencerlo de invertir parte de la Real fortuna en un proyecto majestuoso que ya planearía yo ni bien tuviera los primeros rublos. Le propuse algún tipo de lazo comercial, y él aceptó, pero me dijo que sólo hacía negocios con gente de su propia familia, y que con gusto entraría a mi empresa, pero para eso pensaba en casarse con mi hija. Saben ustedes hermanos que Míljique tiene apenas seis meses, por lo cual el casamiento inmediato era imposible: ningún *rebe* lo autorizaría. Tuve entonces una idea genial. Le dije que Floime Beheime era lo suficientemente voluminosa para los dos, y que si él invertía una suma importante, con gusto yo le daría una cuarta parte de esa misma suma en concepto de dote. Entonces fue que me dijo que iba a buscar el dinero, salió y no lo volví a ver.

Promischik Papírelej, el falso recaudador de impuestos que el Zar jamás envió, el seductor de muchachas feas pero ricas de las grandes ciudades, había probado el sabor de su propia medicina (porque no había otra medicina que ofrecerle). ¿Dónde? Por supuesto, en Tsúremberg.

Capítulo 6

Tsúremberg cumple mil años

No es fácil determinar cuándo fue fundada una ciudad antigua. Hay diferentes criterios al respecto. Algunas fueron primero
pequeños pueblos, y se consideraron ciudades una
vez que superaron los mil, los diez mil, los cien mil habitantes, de acuerdo a los tiempos. Otras, en sentido in-
verso, pasaron de ser ciudades a pequeños poblados.

Hay ciudades como Buenos Aires, que fue fundada dos
veces, y ciudades que nunca fueron fundadas como
Chuprinemaine. Ciudades fundadas por un mito, como
Roma y sus lobos, o Guerratevetkétzale, la antigua capital del reino que según se cuenta fue fundada por un grupo de chicos que huyeron de su pueblo para salvar a un
gatito que había sido condenado a muerte por comerse
todo el pescado destinado a la celebración de Pascua. O
Volkovisk, ciudad que hoy en día queda en Bielorrusia,
y entonces también (pero dependió políticamente de Polonia, Lituania, Rusia o Alemania, según el día), bautiza-
da con el nombre de dos terribles ladrones: Woleko y
Visek, que fueron atrapados allí hace más de un milenio.
Paradójicamente, el nombre de una ciudad conmemora
a los ladrones, pero no recuerda a quien los atrapó.

Si con las ciudades es complicado, con los *shtetls* como Tsúremberg lo es mucho más. No porque no haya
una fecha cierta de fundación, sino porque hay varias.
Cada familia tiene la suya. A cada uno le fue transmitida
la historia por sus abuelos, padres, tíos, que por supuesto la fueron aderezando a gusto, quitando o agregando
años y circunstancias según la hicieran más pintoresca o
conveniente. Y cada familia tenía su propia manera de
darse corte.

Los Tsurelsky podían decir que eran "familia fundadora", y, ¿quién se los podría discutir? ¡Si su apellido empieza con "Tsure", y jamás les han faltado problemas ni

tsures como para hacer una montaña con ellos! También los Groistsures, por otro lado fundadores del *Tsúreldique Tzaitung*, "primer medio de comunicación diferente del rumor", como gustaban alardear sus dueños y desmentir el resto de los habitantes, que veían en el diario simplemente una transcripción de los chismes por escrito.

Los Kratznpupik aducían que su apellido representaba a una de las clases sociales de la Judea antigua; la clase que, mientras los Sumos Sacerdotes y Levitas oficiaban en el templo, los miraban con desdén y se rascaba el ombligo; o sea, dicen, fueron los primeros críticos. Que Kratznpupik no signifique "rascarse el ombligo" en hebreo, sino en idish, no quiere decir nada, alguno lo debe haber traducido en algún momento histórico.

Los Vantz... sí, ellos también tenían "alcurnia". Según explicaban, su apellido originariamente era con "s" "Vants", que venía de "van-ts", o sea "van", en castellano tercera persona del plural de "ir y "ts", "Tsúremberg". O sea, alguien que iba a Tsúremberg se puso un apellido en honor a su propio destino. Les solían decir sus amigos que ni ellos ni nadie en Tsúremberg sabían hablar castellano, por lo que la idea era un fraude. Pero entonces los Vantz decían que era un antepasado judeo-español, Francisco Dorremifasol, quien obviamente sabía castellano, y se vino desde Al-andalus hasta el *shtetl* huyendo de trescientos mil peligros, armado solamente con su guitarra. La fama de exagerados de los andaluces podría reafirmar esta idea, pero nosotros no creemos en esos clichés.

Los tsúrelej en general sí creen en los clichés, por eso les decían a los Vantz que era imposible que alguien en España conociese Tsúremberg, y que más imposible todavía era que, aun conociendo su existencia, llegase al *shtetl* al que sólo se llega perdiendo el rumbo. Además, que era imposible que un judío llegara de España a Tsúremberg ya que los judíos se escapan de derecha a izquierda, tal como escriben.

Los Vantz replicaban entonces que nadie dice que

Francisco no se haya perdido y llegado de esa manera, ni tampoco que quizás no sabía que había que perderse para poder llegar y entonces llegó directamente. Y que además hubo un viajero judío llamado Colón que salió de España escapando de una gigantesca persecución en 1492, y llegó a cualquier lado menos al que esperaba, y que desde entonces es una tradición de los viajeros judíos que salen de España llegar a lugares inesperados y descubrirlos: y si bien uno encontró un continente y el otro un *shtetl*, ambos merecen total reconocimiento.

¿Y el *rebe* Piterkíjel?

Por supuesto, él sostenía que ningún *shtetl* es *shtetl* si no tiene *rebe*, así como no había judíos antes de que Abraham pactara con Dios. "¿Cómo se llaman los judíos de un *shtetl* sin *rebe*? ¡*Goim*!", decía, quedándose con una de las tantas interpretaciones del judaísmo que existen, quizás la única para él. Y, claro está, el primer *rebe* fue un Piterkíjel.

El *shnorer* Kolnidre Medarfloifn sostenía que su familia había sido pobre por generaciones y generaciones, y que él ha heredado su profesión de su padre, su abuelo, su tatarabuelo, etcétera. Lamentaba no tener hijos a quienes enseñarles todo lo que sabía y dejarles toda su pobreza.

Reb Jolodetz Saltzn solía señalar que el acto fundacional de un pueblo es cuando se casa la primera pareja, por lo cual un *shadjn* es figura esencial, porque si no, ¿cómo van a hacer para conocerse, qué otra manera hay?

Reb Efrom Píchifke y Reb Abramitsik Úguerke, los dos "único científico" que tenía Tsúremberg decidieron que ellos, siendo hombres de ciencia, estaban más allá de los mitos, y que iban a mostrar, de forma racional y certera quién fundó y cuándo fue fundada la aldea. Por supuesto que cada uno lo haría por su cuenta para no ser víctima de la ignorancia y el poco rigor de su competidor.

Reb Píchifke anunció con orgullo que podía aseverar con seguridad que Tsúremberg había sido fundada hacía mucho tiempo no se sabe por quién. Reb Úguerke, en lugar de felicitar a su competidor, lo denunció como ignorante, y dijo que él sí tenía datos ciertos y fidedignos: "Tsúremberg fue fundada hace mucho, pero no tanto como dice Píchifke; y además, si bien no se sabe exactamente quién la fundó, sí tengo pruebas de quiénes no la fundaron: ni Moishe Rabeinu, ni Nabucodonosor, ni Colón, ni Cleopatra, ni Alejandro Magno".

Píchifke sostuvo que Úguerke no podía asegurar esos datos, y Úguerke dijo que no solo podía asegurarlos, sino que además de hecho los aseguraba.

Pero en algo se pusieron de acuerdo: "Tsúremberg tenía ya mil años", no porque tuvieran datos exactos en este sentido, sino porque hacía como cien años que tooooodos lo decían.

Entonces estaban dadas las condiciones histórico-científicas para que se festejara el milenio del *shtetl*. Faltaban las meteorológicas, las étnico-persecutorias y las económicas. Pero las meteorológicas eran absolutamente imprevisibles, nunca se sabía cuándo iba a llover: las étnico-persecutorias eran apenas más previsibles: solo se sabía que no iba a haber *pogrom* si llovía mucho. Y las económicas eran absolutamente previsibles: nunca iban a estar en condiciones de pagar un festejo "como se debe". Pero sí se podía hacer un festejo "como se puede".

—Yo propongo —dijo Reb Reubén Tsurelsky— como miembro de una familia fundadora del *shtetl*, que tenemos que festejar el milenio antes de que sea demasiado tarde.

—Y yo —retrucó Simjastoire Nusslgrois—, sostengo que si desde hace cien años nuestros antepasados postergan el festejo, ¿quiénes somos nosotros para romper semejante tradición? ¡Posterguémoslo también, y que lo mismo hagan nuestros hijos y nietos, y los nietos de nuestros nietos!

111

Y dijo Reb Shloime Vantz:

—Hay tradiciones que valen la pena, y tradiciones que... no. Por ejemplo, que los judíos hagamos nuestra tarea, o sea leer la Torá todo el día y discutir, es una tradición que vale la pena, porque así hemos sobrevivido siglos; ¿qué sería de nosotros si no discutiéramos?, ¿qué hubiéramos hecho los judíos si todos pensáramos lo mismo? ¡Tendríamos una sola idea, todos los *rebes* nos responderían lo mismo ante cualquier pregunta, y además nadie les preguntaría nada porque no haría falta, ya que todos sabrían qué les van a responder! ¡Ahora también sabemos qué nos van a responder, pero igual les preguntamos, porque también sabemos que no vamos a estar de acuerdo, y que vamos a discutir, porque para eso se hicieron las preguntas, para discutir!

—No entiendo adónde conduce este monólogo largo y sin sentido, ¿qué tiene que ver con el festejo del milenio?

—¡Que no sé si vale la pena la tradición del festejo, o si es mejor la de postergarlo, pero estoy seguro de que vale la pena discutir ese asunto!

Una forma de resolver la cuestión era no hacer nada y esperar que Dios decidiera por ellos. Pero si Dios hizo a los tsúrelej a Su imagen y semejanza, tampoco Él haría nada jamás, lo que para algún ateo demostraría la inexistencia divina, pero ese riesgo no se corría en el *shtetl*. Porque como decía Reb Piterkíjel: "Si nosotros somos su Pueblo Elegido, ¿cómo no va a existir Dios? Si Él no exis-

112

tiera, ¿de quién seríamos el Pueblo Elegido? ¿Del Zar?".

Otra posibilidad era organizar un gran festejo, invirtiendo muchísimo dinero. Era una posibilidad deseable para los tsúrelej, y solo le veían una traba: ¿quién pondría ese dinero, si en Tsúremberg no había rico, y era muy difícil que el rico de otro pueblo pusiera su dinero para el festejo de Tsúremberg, pudiendo hacerlo en su propio pueblo? Está bien que no había otro *shtetl* que cumpliera un milenio, pero eso al rico no tenía por qué importarle: si tenía ganas de festejar y dinero con qué hacerlo, siempre se puede agregarle o quitarle unos años al *shtetl* (si lo hace mi mujer, ¿por qué no mi aldea?, se preguntaría alguien).

Si no querían esperar a Dios ni podían contar con un rico, solo quedaban ellos mismos. O un golpe de suerte...o ¡Motl el emprende(u)dor! En realidad, ellos no contaban con Motl, pero Motl contaba con ellos. Así es como, con su nueva imagen de padre respetable y reposado, en la que sólo él creía, se acercó al grupo, y monologó:

—Oh, hermanos queridos, permitíos escuchar las palabras de un hombre que tiene como meta obtener, no su fortuna personal, pues nunca la he tenido, sino la de los demás. No se trata aquí de discutir el milenio de Tsúremberg, pues Tsúremberg, lo queráis o no, ha cumplido un milenio, y es esa la condición, y no otra, para que esta efeméride pueda ser festejada, o no. Pero hermanos, como nuestros propios *rebes* podrían afirmarlo mucho mejor que yo, y no sé por qué no lo hacen, el festejo no es una discusión, ¡es una *mitzve*! ¡Es cumplir un Mandamiento! "¡Honrarás a tu padre y a tu madre!", ¿es que acaso debo recordarlo? Debemos festejar el milenio, y ya que ustedes son, queridos hermanos, reacios a poner sus inexistentes fortunas al servicio de tan magno esfuerzo, de una empresa tan halagüeña a los ojos de Dios, ¡pues lo haré yo mismo! ¡Yo, Motl el emprendedor, estoy dispuesto a ser el brazo ejecutor, si ustedes, hermanos, al menos me acompañan espiritualmente en tan digna causa, aportando los bienes materiales necesarios para encontrar el negocio que nos permita, oh hermanos, solventar los festejos!

–Hablando de Mandamientos, Motl el emprende(u)dor, ¿no te estás olvidando de "No robarás"?

–¿Acaso teméis que un hombre como yo, el hijo de Abraham Reitefíselaj Guéltindrerd, el marido de Floime Beheime Tzimes, Dios la conserve un poco más flaca, el padre de Azoi y Míljique Guéltindrerd, podría huir con el dinero y su familia, de este lugar que me ha visto nacer, crecer y tratar de progresar?

–No –replicó Tsurelsky–. No huirías con tu esposa, hijos y el dinero, no someterías a tu familia a tal afrenta, pero con el dinero solamente, quizás sí.

–Bueno, si eso creen de mí, ¡nada más tengo que decirles!, aunque con mi plan, jamás huiría de esta aldea, y, ¿saben por qué? ¡Porque el paraíso estaría aquí mismo! Pero bueno, está bien, me olvidaré del hotel...

–¡¿Hotel?! –exclamaron varios a coro.

–Olvídenlo, si total acá nunca viene nadie, así que los múltiples turistas que vengan por el festejo, seguramente tendrán dónde pasar las noches en Lomirkvechn, Blintzemberg....

–¡No! –Este fue Reb Simjastoire Nusslgrois–. ¡Los "múltiples turistas" que vengan por el festejo, van a pasar las noches, y también los días, en Varsovia, Lemberg o París, pero porque ninguno va a llegar a Tsúremberg, ¿o ustedes se olvidan de que la manera de llegar es tratando de ir a otro lado?

–Bueno, los cosacos siempre se las arreglan para llegar para los *pogroms*, ¿no?

–¿Y ustedes tienen ganas de que nuestro festejo se llene de cosacos haciendo *pogroms*? ¡¿Qué clase de festejo es ese?! ¿Y vos, Motl Guéltindrerd, harías un hotel para que los cosacos tengan donde descansar después del *pogrom* y así poder seguir con el *pogrom* a la mañana siguiente? ¡Ah, no, si los cosacos quieren un *pogrom*, que se tomen ellos el trabajo de ver dónde descansan, que ya bastante preocupación tenemos nosotros!

—¡Ustedes no miran al futuro!

—¡No!, ¿qué hay en el futuro, un *pogrom*?

—¡En el futuro hay progreso, empresas, hombres ricos!

—¿Hay ricos en el futuro? ¡Entonces vayamos allí, y pidámosles un poco de plata! ¿Cómo se va al futuro?

—¡Ustedes mismos son los hombres del futuro!

—¿Nosotros mismos? ¡Entonces... no hay ricos en el futuro, Motl!

El tema del hotel corrió por Tsúremberg a la velocidad del rumor. La posibilidad de que viniera un rico, y poder pedirle dinero prestado, estimuló a todos a "invertir". Al día siguiente Tsúremberg no tenía un hotel... tenía muchos. Los "Ciudadanos ilustres" habían arreglado sus propias casas para poder albergar allí a los turistas que viniesen ¿De qué manera habían adecuado sus albergues? ¿Habían llamado a un arquitecto, a un ingeniero, a un decorador? Quien esto piense, es que jamás estuvo en Tsúremberg.

Lo que hicieron fue, no hacer nada, pero cada uno puso en su casa un cartel "Hotel Tsurelsky, *najes* y linaje"; "Hotel Kratznpupik: hasta las chinches se van satisfechas", "Funanasher Hotel, única sucursal", "Hotel Vantz, si usted fuera el Zar, no lo atenderíamos mejor".

El sábado siguiente Reb Jaim Abrúmelson Piterkíjel exclamaba en su templo:

—¿Quién necesita un hotel? ¡¡Acaso Moishe Rabeinu reservó habitaciones para él y los judíos en algún hotel cercano al Monte Sinaí para recibir los Diez Mandamientos?! ¿Acaso Dios les dijo a los judíos que en lugar de un gran templo construyesen un gran hotel en Jerusalén, así venían más turistas? ¿Acaso Josué construyó un hotel en las afueras de Jericó y así derrotó a los que allí vivían, por competencia, en lugar de derribar sus murallas? ¿Acaso Dios le dijo a Abraham "te enviaré a una tierra de leche, miel y hoteles", o a Noé "construye un hotel y pon

115

una pareja de animales en cada habitación?". ¿Hizo algún hotel Dios en el paraíso? ¿Esperaba que Adán y Eva atrajeran turistas? ¿Dice algún Mandamiento "trabajarás seis días, y el séptimo descansarás en un hotel"?

El sermón tuvo sus efectos. Los judíos se reunieron atribulados. ¿Cómo tener hoteles si el *rebe* se opone? ¿Qué iban a decir los turistas, que vendrían a festejar un milenio de tradiciones judías si se encontraban con que el mismísimo *rebe* del *shtetl* no bendecía lo que se hacía para los festejos? Pero al mismo tiempo, el *rebe* había dado múltiples ejemplos de que los judíos se las habían arreglado muy bien sin hoteles durante más de tres mil años. Si en el desierto, con tanto calor, no habían necesitado hotel, ¿por qué en Tsúremberg? Y fueron y sacaron el cartel de "Hotel" de sus casas. Pero entonces, ¿qué hacer para los festejos?

"Los turistas pueden no necesitar un lugar donde dormir —pensó Reb Reubén Tsurelsky—, pero seguro van a tener que comer, y no hay ninguna Ley, ni Mandamiento, que diga 'No alimentarás a tu prójimo', así que yo voy a poner un restaurante. ¿Dónde? ¡En mi casa! Al fin y al cabo, ¿no fue mi mujer la que consiguió 'la papa más mediana de Tsúremberg', gracias a lo cual fui el rico del pueblo por un tiempo?"

En su casa, le dijo a su mujer:

—Iajne, ¿qué opinás de un restaurante?

—¡Reubén, sería maravilloso... ni siquiera cuando fuiste el rico del pueblo me hablaste de algo así! ¡Quiero ir ya mismo! ¡Me voy a cambiar!

—Pará... Iajne, tranquila...

—No, decime, ¿adónde me vas a llevar?, en Tsúremberg no hay ningún restaurante, que yo sepa.

—Justamente... no te voy a llevar, va a ser acá mismo.

—¿Un restaurante, acá? ¿Y quién va a cocinar?

—Vos.

—¡Reubén! ¡Venís y me ilusionás con ir a un restaurante, me pongo mis mejores galas... y después me decís que el

Iajnédique Leikaj

(Torta metereta)
Por doña Iajne Tsurelsky

Se toma un poco de harina, un poco de aceite y un poco de azúcar, y se los comienza a mezclar, como para hacer un leikaj. Entonces, viene doña Balebuste, la vecina, y pregunta qué clase de leikaj es ese, sin té para darle color. Se le pone entonces a la mezcla un poquito de té para darle color, y se espera un momento, hasta que venga doña Tsúrele, que preguntará qué clase de leikaj es ese, que no tiene ni una nuez, para darle gusto. Entonces se le pone una nuez para darle gusto, y se espera un momento con la mezcla, hasta que llega doña Béberque y pregunta qué clase de leikaj es ese que no tiene ni un huevo para darle consistencia. Se le agrega entonces un huevo, para darle consistencia, y se va mezclando un poco más, hasta que llega doña Gehacte, y dice qué clase de leikaj es ese que no tiene un poco de miel para darle dulzura. Se le agrega entonces un poco de miel y se vuelve a mezclar, hasta que viene doña Tsufrídene y pregunta qué clase de leikaj es ese que no tiene ciruelas secas, para hacerlo más húmedo. Se le agrega entonces unas ciruelas secas, para hacerlo más húmedo, y se sigue mezclando, hasta que llega Doña Cherepaje y pregunta qué clase de leikaj es ese que no tiene un poquito de clavo de olor para darle aroma. Se le pone clavo de olor para darle aroma y se sigue mezclando, hasta que viene doña Fréguele y pregunta qué clase de leikaj es ese que no tiene pasas de uva para darle "un toque". Se le agregan entonces las pasas de uva para darle "un toque" y se sigue mezclando, hasta que no venga ninguna vecina a agregar nada más. En ese momento se cocina a fuego mínimo mientras se conversa con todas las vecinas. Cuando se terminan los rumores, se saca del fuego.

Esta es la receta tradicional, pero las casas no siempre cuentan con todos los ingredientes, sobre todo si es de Tsúremberg. Puede ocurrir que no haya té, nuez, huevo, aceite, miel, ciruela, clavo de olor ni pasa de uva. Ni aceite, ni harina, ni huevos. Pero lo que jamás faltan son vecinas que lleguen a husmear y criticar. Entonces, la receta más económica, o realista, es: "Se toma un poco de lo que haya, y se hace un leikaj". Igualmente puede salir rico. Pero ni intente cocinarlo sin rumores, porque es seguro que le quedará crudo, o quemado.

restaurante es acá, y, ¡que tengo que cocinar yo! ¿También voy a tener que hacer de mozo, lavar los platos, poner las mesas? ¿Qué clase de ex rico del pueblo sos, que denigrás a tu mujer así? ¿Sabés lo que van a decir?: "¡Reb Reubén no solo era 'el rico más pobre que hay' sino también 'el ex rico menos rico que hay'!". ¿Qué, estamos en

Egipto, vos sos el Faraón y yo tu esclava judía? ¡Deja ir a mi pueblo, deja ir a mi pueblo!

—Pero Iajne, no seas *mishíguene*... en un restaurante uno trabaja como un esclavo, es cierto, pero *no es* un esclavo. Vienen los clientes, comen, ¡y pagan! ¡Uno gana plata!

—¿Vos decís de poner un restaurante acá en nuestra casa? ¡Me voy a volver loca de tanto trabajar!

—Pero no, Iajne, ¿quién va a venir a un restaurante acá, en Tsúremberg? ¡Solamente alguien que se pierda!

—Y si nadie viene, nadie come y nadie paga, ¿me querés decir cómo se gana plata?

—No sé, pero los restaurantes ganan plata, ¡de alguna manera debe ser! ¡Si no, nadie pondría restaurantes, hay muchos dueños de restaurantes que son muy ricos...! Y en Tsúremberg, que nadie puso restaurante, no hay ningún rico, ¿no te dice nada eso?

No se sabe si Doña Iajne se convenció o no, pero al día siguiente, ya habían sacado los carteles de "Hotel". Los Tsurelsky colocaron otro que decía "Tsurelsky's *delicatessen* de papas; coma con ganas y pague con dinero".

El resto de los tsúrelej no se quedó atrás: "Chez Kratznpupik, la mejor mesa del mundo y una de las mejores del *shtetl*", "Restaurvantz: acá nadie se queda con hambre... ni se va", y así.

Reubén Tsurelsky se agarraba la cabeza:

—Con tanta competencia no vamos a poder trabajar...

En la noche siguiente, los hombres de Tsúremberg se reunieron. Todos tenían muy mala cara.

—Hace una hora volví a mi casa, y mi Mérishke no puso nada en la mesa para cenar... ¡dice que estuvo todo el día ocupada con el restaurante y no tuvo tiempo para cocinar!

—¡Lo mismo me dijo mi Farfoiltene!

—¡Y mi Tsureiajne!

—¡Y mi Iajnetsure!

—Mi Cherepájele me dijo que se pasó todo el día imaginando el menú.

–Mi Gotzidanquen dijo que se pasó horas y horas esperando a un cliente, y que ella no puede hacer dos cosas al mismo tiempo.

–Nuestras mujeres no pueden cocinar ni para nosotros, ¡cómo van a cocinar para un restaurante!

–¡No es así, no pueden cocinar para nosotros *porque* están cocinando para el restaurante, esa es la cuestión!

–No, esa no es la cuestión, la cuestión es que yo tengo hambre... soy un hombre común; un hombre común, un *id*, un judío que viene a su casa después de rezar todo el día y, ¿qué espera encontrar?, ¡un rico plato de comida!, o varios, si es rico, o uno de comida no tan rica, si es pobre, o comida en la mesa, aunque no haya plato, si es demasiado pobre, pero ¿qué me encontré yo hoy sobre la mesa? ¡Nada! ¿Y en la puerta de mi casa?, el cartel de "restaurante" que, ¡me parece que se reía de mí! –se lamentó Shloime Vantz.

–Tiene razón... yo renuncio a mi restaurante –dijo Reb Purim Feler–, prefiero poder comer en mi casa y los clientes, ¡que pongan restaurantes en sus casas, si tienen ganas de comer en uno!

Lo mismo pensó el resto de los tsúrelej, salvo Reb Reubén Tsurelsky, quien estaba muy contento de ver caer a sus competidores. Aunque luego pensó:

–Si los clientes se enteran de que tantos restaurantes cierran en la zona, nadie va a querer venir por la mala imagen, y además, ¡mi Iajne tampoco me hizo comida hoy! Así que él también "cerró" el suyo.

Al día siguiente, los tsúrelej seguían sumamente preocupados: el *rebe* Piterkíjel les había cerrado los hoteles, y sus mujeres los obligaron a clausurar los restaurantes: ¡dos negocios perdidos en una sola semana!

–¡Hagamos algo seguro y efectivo! –propuso Alter Aftzelujes.

–¡Buena idea! –apoyó Prezunter Petzl.

–Estoy de acuerdo –terció Mordejaim Roshtapuaj Shuartzefínguerlaj.

Pero no podían pasar de eso. Otra vez se oyó la voz de Motl el emprende(u)dor:

—Oh, hermanos, por una vez deberían confiar en un hombre que es padre de dos adorables tsúrelej y vecino de este pueblo por generaciones.

—¿A quién te referís, Motl? —preguntó con aparente inocencia Reb Shloime Vantz.

—A un servidor, al hombre que les está hablando, a Motl Guéltindrerd, el joven *entrepreneur* aquí presente, al visionario que si no pudo ir de Tsúremberg a la Tierra Prometida por culpa de la Floime Beheime prometida, quiere entonces llevar la Tierra Prometida a Tsúremberg. ¡Si tan solo me dieran un crédito!

—¡Los que dan créditos son los bancos, no los tsúrelej, Motl, y eso deberías saberlo! —le espetó Reb Tsurelsky.

—¡Usted lo sabe porque es rico! —respondió Motl—, y yo, porque soy *entrepreneur*, pero ellos, ¿acaso ellos lo saben?

—¿Y qué importa si lo saben o no, Motl? ¡Ni ellos ni yo te daremos un centavo, ¿sabés por qué? ¡Porque no lo tenemos! Pero si tuviéramos dinero, tampoco te lo daríamos, Motl, ¿y sabés por qué? ¡Porque dejaríamos de tenerlo! ¡Lo que vos necesitás es un banco, no un tsúrele! Un banco te presta dinero, porque de esa forma gana dinero, pero un tsúrele no te lo da, porque lo pierde... ¿entendés? ¡Es economía básica!

—No, Reb Reubén, los bancos no ganan dinero prestando dinero, los bancos ganan dinero porque la gente pone allí su dinero.

—Pero, por favor, Motl, ¡la gente va a los bancos a pedir dinero prestado!, ¿qué sentido tiene poner el dinero en un banco?

—No lo tiene para usted, Reb Reubén, porque usted es un rico pobre, ni para mí, que soy un pobre emprendedor, pero le aseguro que hay mucha gente, ¡que les presta dinero a los bancos!

—¡Por favor, Motl!, ¿para qué va a querer un banco que alguien le preste dinero, con todo el dinero que ya tiene? ¿Qué es un banco, un *shnorer* que va a pedir plata porque no tiene para comer? ¿Quién le creería? ¿Quién le va a pedir un crédito a un banco *shnorer*?

Los argumentos de Tsurelsky eran irrebatibles: los que piden plata son los que no la tienen, pura lógica tsurelia-na. Sin embargo, Motl apeló al mismo argumento que Reb Reubén supo usar con su mujer:

—Mire, Reb Reubén, yo no sé cómo hacen los bancos pero, ¡le aseguro que ellos consiguen que la gente deje allí su plata! ¡Incluso los ricos!

Todos los que escucharon el diálogo, se fueron pensa-tivos a sus casas, a aprovechar que nuevamente había ce-na, tras la quiebra de los restaurantes.

—Si pongo un banco, la gente me va a traer su dinero —pensó Reb Tsurelsky— y encima mi Iajne va a poder co-cinar mientras cuento la plata. ¡Ya está! ¡Con esta voy a dejar de ser el ex rico más pobre que hay!

Pescado sorpresa

Por doña Mrishke Vantz

Se anuncia pescado para la cena. Se sirven unas papas en un plato cubierto por otro, de modo que no se vea el interior. Se destapa, y cuando alguien diga "¡esto no es pescado!", se responde: "¡Sorpresa!".

Al día siguiente puso un cartel: "Banco Tsurelsky, con-fiamos en que nos confíe su dinero".

Por supuesto que Reb Reubén no fue el único: "Banco Vantz, aceptamos todo tipo de dinero, mientras no sea falso"; "Banco Cohen y Cohen y Cohen y Cohen y Cohen y Cohen, por si con un solo Cohen no le alcanzara"; "Banco Tzimes: más de cien años esperando a nuestro primer cliente"; "Banco Aftzelujes: ¡déjenos su dinero, por favor!"; "Banco Kratznpupik, si usted nos deja su di-nero, algo le vamos a devolver".

De pronto Tsúremberg parecía una Wall Street de papa.

Los tsúrelej seguían leyendo la Torá, las mujeres haciendo lo mismo que antes, mientras todos esperaban que algún cliente se acercase a sus respectivos bancos a depositar dinero. Solían preguntarse:

—¿Cómo van las finanzas, Reb Shloime?

—No me puedo quejar, ¡ojalá mis enemigos tuvieran tantos clientes como yo! ¡Pero estamos dentro de los promedios de Tsúremberg!

—¿Y usted cómo sabe cuáles son los promedios de Tsúremberg?

—¿Qué? ¿Acaso usted vio entrar clientes a algún otro banco?

—No.

—Pues yo tampoco. Así que ya tenemos dos fuentes confiables.

Los bancos fueron decayendo, no porque sus clientes retirasen la plata que nunca habían depositado, sino porque los carteles se iban cayendo sin que nadie les diera importancia. En algún terreno poco cultivado terminaron por sumarse a los ya arrumbados "hoteles" y "restaurantes". Los tsúrelej decidieron luego dedicarse al negocio inmobiliario, a la venta de artesanías de papas, a ser guías turísticos, a interpretar sueños, a "calmar los nervios", a "probar comida" y tantos negocios de demostrada efectividad económica. Todo, en aras de encontrar por fin "el negocio que les permitirá solventar los festejos, como decía Motl el emprende(u)dor, para cuando llegase 'el segundo milenio'.

Capítulo 7

El cuento de Shloime Gueshijte

A Táibele y Jaimito

Señor Juez
Honorable Kapolic Czwczczczwcztskn:

No he venido aquí como abogado, ya que no lo soy, y si me hiciera pasar por tal usted podría hacerme detener por ejercicio ilegal del Derecho, con lo que no podría cumplir mi cometido y además requeriría los servicios de otro abogado que no podría pagar, como tampoco puedo pagar uno ahora, por eso estoy yo, aunque no soy abogado, ni hago de abogado.

Tampoco he venido en calidad de rabino, a pesar de serlo, porque no se trata de una misión religiosa sino legal; por lo tanto no tiene sentido presentarme como rabino, aunque lo sea, sino como abogado, pero no lo soy.

Tampoco voy a hablar ante usted como un militante de izquierda, ya que en caso de no serlo usted, y obviamente no lo es si ha llegado al cargo de juez del gobierno del Zar, esto podría influir negativamente en su apreciación sobre mi persona, y pasar de ser un desconocido molesto a ser un enemigo de clase, cosa que no es oportuna dado que estoy en su juzgado, y aquí usted es el juez, y yo no. Ni siquiera voy a decirle que soy militante de izquierda y también rabino, ya que cualquiera de los dos roles podría resultarle antipático, y los dos juntos no quiero ni pensarlo.

Y ahora señor Juez, voy a presentarme ante usted: soy Reb Meir Tsuzamen, y he venido hasta su tribunal, lejos del pueblo en el que vivo y ejerzo, a buscar a mi hijo, el joven Shloime Gueshijte Tsuzamen, para llevarlo a casa, y agradecerle a usted por el simpático aunque algo austero hospedaje que le ha otorgado en el hotel Politzitrotzka Penitentziarka.

No insista, señor Juez; le agradecemos su hospitalidad

123

y que haya dicho que Shloime Gueshijte puede quedarse allí por mucho tiempo, pero no le haría bien a su joven persona estar años en un mismo lugar mantenido
por el Estado rodeado de otros jóvenes que, si bien es
cierto podrían enseñarle sus oficios, quizás no corres-
pondan vocacionalmente con las aptitudes de mi hijo.

Quiero además explicarle que, justamente, el imitar a
otros ha sido lo que ha llevado a mi joven hijo al sitio en
el que hoy está, donde usted supo ubicarlo.

¿Usted quiere saber a quién imitó mi hijo? Con gusto se
lo diría, señor Juez, pero me temo que en ese caso, en lugar de volver con él a casa, propondría usted que yo mismo lo acompañe en el hospedaje que hoy disfruta, y
como usted podrá saber o no, tengo otro montón de hijos que alimentar y adiestrar.

Además, señor Juez, usted sabe que en cualquier momento puede haber una revolución, ¿se imagina mi de-
cepción si la gente de pronto corriese por las calles
agitando banderas rojas, y yo, Reb Meir Tsuzamen, tuviera que contentarme viéndolos desde una pequeña rendi-
ja, sin poder estar con ellos, justamente a causa de haber
hecho lo mismo que ellos estarían haciendo, pero un tiempo antes? ¿Condenaría usted a un hombre sólo por haber llegado demasiado temprano a una revolución? ¿Tengo la culpa si "mi reloj de la historia" adelanta?

Dice usted que mi hijo cometió un hecho grave. Quizá por eso quiere usted protegerlo. Es claro que en donde ahora está no podría volver a hacerlo, pero ¿es tan grave lo que hizo, señor Juez, honorable Kapolic Czwzczczwcztskn? ¿No se tra-ta quizás de un problema más cromático que político? Si

> A VECES, LA
> PRECISIÓN NO ES
> UN LUJO...
> ES UNA NECESIDAD
>
> Reb Refúsenik Cohen
> Mohel: Las mejores
> circuncisiones

124

mi hijo hubiera corrido por toda la ciudad agitando una bandera azul, o una verde, o una blanca, ¿sería usted igualmente tajante? Seguramente, no.

¿Va usted a retener a un joven por un problema de colores? ¿Acaso usted sabe si mi hijo no tomó ese paño porque era el único que había? ¿Y tenemos nosotros la culpa si no tenemos tanto dinero como para poder ofrecerle a mi hijo paños de todos colores, así él elige? Mi mujer, Tzebrójene Mishpoje trabaja día y noche, señor Juez, y le aseguro que a mis hijos nunca les ha faltado una papa para comer o un motivo para quejarse, pero ¡¿paños de colores?!

Evidentemente usted no conoce Tsúremberg, señor Juez, si se imagina que allí uno puede encontrar paños del color que quiera para ir a agitarlos por la calle. ¡Lo que hay, hay! ¡Entonces no veo por qué va a encarcelar usted a un chico, por haber agitado un paño rojo, y no uno verde!

Dice usted que mi hijo corría por toda la ciudad al grito de "¡Viva la revolución bolchevique!". Pero dígame, señor Juez, ¿acaso había en ese momento una revolución bolchevique que estuviera viva? Lamentablemente no, ¿verdad? O sea que él no se refería a algo que estaba viviendo, sino a algo que habrá escuchado por ahí, a cierta expresión familiar, quizás a cierto clamor popular... ¿De veras le tienen tanto miedo a un chico que anda por ahí gritando algo que ni sabe lo que es y enarbolando un paño de un color poco conveniente porque no tenía otro? ¡Yo le prometo que, si me lo llevo conmigo, le voy a explicar con total claridad que no debe decir "Viva la revolución bolchevique y mueran los burgueses explotadores" hasta que efectivamente la revolución haya ocurrido! ¡No le tenga miedo, es solo un chico!

Dice usted que mi hijo no dijo nada de burgueses explotadores... bueno, se habrá olvidado de esa parte, señor Juez, perdóneselo.

¿Quiere que le diga una cosa, quiere que le confiese al-

125

go? Una vez, hace poco tiempo, yo mismo creí que había una revolución. Claro que en Tsúremberg no pasaba nada raro, pero eso no quería decir nada, porque en Tsúremberg es más importante una pelea matrimonial que una revolución mundial, porque la pelea ocurre ahora, y una revolución puede tardar años en llegar, ¿me entiende?

Pero yo sentí que había una revolución bolchevique, y entonces salí a festejar, solo, con mi bandera roja por todo el pueblo. Y todos me veían pasar corriendo, cantando, bailando, gritando, gesticulando, y nadie me decía nada, alguno simplemente levantaba su mano, ni siquiera su puño izquierdo, al verme pasar. Hasta que finalmente llegó de Lomirkvechn... ¿No conoce? ¡Es al lado de Tsúremberg! Bueno, entonces le decía, llegó de Lomirkvechn Jatzotzera Zaimirmoijl junto con Dinstik Tumiratoive, que son los camaradas editores del diario clandestino *Naie Linkeraje*. No, no son de Lomirkvechn, vinieron de Lomirkvechn, pero no le puedo decir de dónde son, ¿no le dije ya que era clandestino? Bueno, ellos vinieron de allí porque estaban recorriendo pueblo a pueblo avisándoles a los camaradas que la revolución había tenido éxito en fracasar. ¡Sí, ya sé que es raro, señor Juez, pero esa era la interpretación del Partido!

A mí me molestó un poco, porque no estaba muy seguro de que hubiera empezado, ¡y ya había terminado! Así que guardé mi bandera y me fui al templo a rezar para que la próxima revolución tuviera éxito en tener éxito, no en fracasar. Ellos me acompañaron al templo, pero no rezaron porque ellos no son creyentes, piensan que la revolución se puede dar igual. Pero lo importante, señor Juez, es que no pasó nada. La revolución terminó en Tsúremberg antes de empezar, y si viene otra, ¡que sea con salud!

Al sábado siguiente di mi sermón y todos se pelearon, como siempre. ¿*Nu*, qué iba a hacer un grupo de judíos en un templo, escucharme en silencio? Pero usted no los encerraría en su hospedaje por eso. En cambio, si discutiesen de política en una calle de Varsovia, sí, ¿no es cierto? O sea que el problema es que mi hijo corrió con una bandera roja por una calle de esta ciudad y la Policía lo vio, dice usted. Por supuesto, si hubiera corrido por la calle de Tsúremberg, como yo, la Policía jamás lo hubiera visto, porque allí no hay ningún policía, y si hubiera, estaría dedicado a leer la Torá como todos los demás hombres, ¿o pondría usted a una policía mujer para que junte papas mientras persigue a los ladrones?

¿Por qué llegó mi hijo hasta una calle de esta ciudad agitando una bandera roja? ¡Yo también querría saberlo, señor Juez! Pero apliquemos la lógica. Una posibilidad sería que Dios lo haya llevado hasta allí, aunque no es probable que, con lo ocupado que Él está, se tome el trabajo de llevar a mi hijo hasta una gran ciudad al solo efecto de que sus policías lo vieran y usted lo hospedase gentilmente.

Una segunda posibilidad es que haya llegado en medio de una gran revolución, ¿es cierto eso? ¿Acaso pasó de nuevo y yo no me enteré? ¡Cuánto lo lamentaría, señor Juez!, pero no lo creo.

Una tercera opción es que mi hijo no haya pretendido salir de Tsúremberg, se haya perdido y haya llegado hasta aquí. Nuevamente, señor Juez, él no cometió el delito por el que se lo acusa. Mejor dicho, cometerlo lo cometió, pero no es delito, porque él creía que seguía estando en Tsúremberg. Aunque para los demás, estaba en una gran ciudad. ¿Cómo iba a saber mi hijo la diferencia, si él nunca había estado en una gran ciudad?

Señor Juez, honorable Kapolic Czwczczczwcztskn, piense usted como un padre que tiene hijos que pueden, en cualquier momento, salir a la calle agitando una bandera roja. ¿Castigaría usted a sus hijos por eso? ¿Castigaría el Zar al zarevich? Piense en mí no como un rabino, sino como un sacerdote, un hombre de fe. Ya sé que los sacerdotes católicos no tienen hijos, pero si los tuvieran, ¿los metería usted presos?

¿Qué dice usted, señor Juez, que puedo llevarme a mi

hijo porque es un insaciable comedor de papas, gritón, y además intenta rebelar a los otros huéspedes, y que no quiere oír hablar más de nosotros? Señor Juez, me molesta que hable así de mi hijo, pero haré de cuenta que no escuché lo que usted dijo, o mejor dicho, que sólo escuché una parte de lo que dijo, y me iré ya mismo a buscar a Shloime Gueshijte. Y quédese tranquilo que no nos escuchará más, salvo que quiera usted darse un paseo por Tsúremberg, o que la revolución se dé, finalmente, un paseo por aquí.

Capítulo 8

¡Que sea con salud!

El psicoanálisis es un fenómeno urbano.
¿Qué sentido tiene, para un psicoanalista,
perderse en una aldea donde los hombres
comen, trabajan, comercian, desean
según las tradiciones?

Prof. Dr. Karl Psíquembaum

El Dr. Shimen Groisnboij era el médico oficial de Tsúremberg. No era una tarea muy complicada (salvo si se quisiera ejercitar con excesivo celo profesional y un extraño sentido de la competencia) en un pueblo en el que las autoridades religiosas decían, y casi todos creían, que si uno se enfermaba debía ser porque Dios lo quiso, y ni bien Dios lo quisiera se iba a curar; o bien que las enfermedades eran producto de la explotación del Zar y los burgueses hacia los hombres más pobres, y que, entonces, la curación pasaba por lograr que fueran el Zar y los burgueses quienes explotasen de una buena vez. Competir con Dios y con el proletariado a la vez era tarea difícil para un simple médico.

Los otros científicos del pueblo, los *dokters* Úguerke y Píchifke, creían en cambio en que el hombre podía encontrar remedio para muchas enfermedades, pero que no iba a ser en Tsúremberg donde lo encontrasen, ya que el pueblo mismo era difícil de encontrar, y que en caso de enfermedad había que averiguar qué es lo que hacían en Londres, París o Varsovia cuando alguien tenía un cuadro similar, y hacer lo mismo.

Pero todos estaban de acuerdo en que Tsúremberg debía tener un médico, para mayor seguridad y prestigio del pueblo, y porque hacía falta tener a quién acudir si uno se sentía mal, aunque más no fuera para poder quejarse adecuadamente. Más de un tsúrele creía que esa era la verdadera misión del médico, escuchar las quejas, que con eso los pacientes se aliviaban, lo que no dejaba de ser cierto en algunos casos.

Además, ya que no había un rico a quién pedirle dinero, por lo menos que hubiera un médico a quién pedirle consejos. Porque si el dinero era algo muy difícil de conseguir en Tsúremberg, los consejos sobraban, y entonces era un crimen no aprovecharlos en bien de la comunidad. De hecho, casi todos los tsúrelej eran "médicos" si de dar consejos se trataba: "¡Para el dolor de cabeza no hay nada mejor que ponerse un par de rodajas de papa mojadas en la frente!"; "¿No va de cuerpo? ¡Para eso no hay nada mejor que unas *floimen* (ciruelas)! ¿Dónde se pueden conseguir? ¡Ojalá lo supiera yo!"; "¿Tiene tos? ¡Póngase una rodaja de papa calienteenvuelta en una tela, sobre la espalda!"; "¿Le duelen los riñones? ¿Y dígame, por qué no va a ver al *rebe*?".

Pero no todos tenían el título que los habilitara. A decir verdad, tampoco Reb Shimen Groisnboij, pero, la tarea recayó en él, y "una *mitzvá* es una *mitzvá*", si te to-ca te toca. Y hay que cumplirla. A partir de ese momen-to, Shimen Groisnboij se transformó en el *Dokter* Shimen Groisnboij. Su mujer Gezunte Parnose pidió, en reconocimiento a los méritos profesionales y a la trayec-toria de su marido, ser conocida como "la *doctóretzn*". ¿Por qué, si la mujer del *rebe* puede ser *rébetzn*, yo no puedo ser la *doctóretzn*?

Él no sabía ni por dónde empezar, pero le dijeron que todo iba a ser muy fácil: "Mirá, viene alguien, te dice que se siente mal, vos le preguntás qué le pasa, él te lo cuen-ta, vos le das un consejo, y él se va". Digamos que la me-dicina así entendida era algo muy peligroso. También es cierto que el *dokter* era muy raramente consultado, ya que todos preferían ir a lo del *rebe* (confiaban más en que Dios *quisiera* curarlos que en que el médico *pudiera* ha-cerlo); o al *shadjn*, que con toda su experiencia en armar parejas tenía "ojo clínico"; o preguntar a quien estuviera sentado en la mesa del Tsúkerke Café si alguna vez se ha-bía sentido así y qué había hecho (uso vulgar de las teo-rías científicas de Úguerke y Píchifke).

O sea que Shimen Groisnboij no estaba demasiado ex-puesto a los juicios por mala praxis, ya que casi nadie lo consultaba nunca en su condición de médico. Su tarea consistía, esencialmente, en acompañar a los tsúrelej diariamente en sus lecturas de la Torá, y cuando las ora-ciones se referían a la salud, elevar la voz.

Pero una vez una nena lo consultó:

—*Dokter* Shimen, ¿qué puedo hacer para ser varón?

—Y decime Cúquele, ¿para qué querés vos ser varón? ¿Acaso tenés ganas de que te hagan el *bris*?

Eso solía alcanzar para que la nena se fuera, aterroriza-da, pero con su consulta resuelta.

Y también algún adulto:

—*Dokter* Shimen, cada vez que camino tres cuadras me siento muy cansado, ¿qué hago?

—Pues... camine dos cuadras.

—*Dokter* Shimen, no puedo dormir de noche, ¿qué hago?
—Lee la Torá.
—Pero está oscuro, no puedo leer.
—Entonces duerme, que para eso está oscuro.

—*Dokter* Shimen, estoy embarazada, ¿qué hago?
—Nada, lo que tenías que hacer, ya lo hiciste.

Y así el *Dokter* Shimen iba construyendo su fama. No porque curase, que no lo hacía, sino porque siempre tenía alguna salida razonablemente ingeniosa, aunque no más que el promedio de los tsúrelej, que aunque lo envidiaban por su título, pensaban que cualquiera podía ser doctor. Por supuesto que el *Dokter* Shimen se ocupaba de las enfermedades leves; de las graves, se ocupaba Dios.

Otro de los "sabios" que alguna vez pasó por Tsúremberg fue el Doctor Rajmiel Tunquen, conocido como el "Doctor Banques" por su creencia de que las ventosas (*banques* en idish) lo podían curar absolutamente todo. Pensemos que para esa época, entre aceptar la curación por la palabra (psicoanálisis) o por las ventosas, mucha diferencia no había.

El *Dokter* Banques tenía sus copitas especiales, anchas y chatas, siempre colocadas boca abajo; y un hisopo impregnado en alcohol. Primero lo pasaba por un hornillo encendido, y entonces tomaba una de las copas, y lo pasaba, como si pintase el fondo con el hisopo. Después colocaba la copa en la espalda de su paciente. Era un espectáculo ver cómo la piel "se iba para adentro" de la ventosa; claro, siempre que el paciente fuera otro, y que el doctor hubiera tenido la precaución de no tocar el borde de la copa con el hisopo. Es imposible saber cuántos se curaban con este sistema, pero no faltaba quien llevara a un pariente a una consulta aunque más no fuera para verlo con la espalda llena de copitas que no se caían aunque él se moviera.

Pero a nivel casero, así como los varones se ocupaban de proveer a la familia de alimento espiritual, la mujer, la madre nutricia, era también la encargada de cuidar la salud de los suyos. Sabían, lógicamente y por experiencia de generaciones, que ante una dolencia simple no hacía falta consultar al *rebe* ni mucho menos al médico. El botiquín básico de cualquier familia tsúrele constaba de *tei con límene*, sopa de pollo (o sucedáneo, léase "sopa de pollo de papa", si la plata no alcanzaba para pollo de verdad), y enemas. La mayoría de las enfermedades más frecuentes se podían curar con estos tres recursos. Algunos preferían usar solo uno de los tres por vez (unicistas) en cantidad, otros preferían combinar dos, o aun los tres a la vez. Los chicos se curaban rápido, con tal de no tener que seguir "el tratamiento", y enseguida se los veía normalmente sentados a la mesa, para tomar su "sopadepollodepapa", pero ahora como parte de la dieta normal, que es otra cosa.

Una tarde llegó a Tsúremberg un forastero. Vestía como los judíos de la ciudad, fumaba en una pipa y tenía un andar parsimonioso que denotaba su condición de intelectual. Digamos, cuando los *dokters* Úguerke o Píchifke querían influir en una discusión, se paraban y caminaban como este hombre.

Se sentó en una mesa del Tsúkerke Café. Pidió un café, recibió su té de papas, y lo bebió en silencio.

De pronto, y sin que nadie se lo preguntase, dijo:

—Soy el *Dokter* Víntziquer Psíquembaum, psicoanalista.

—¿"Psicoanalista"? ¡Qué apellido raro para un judío! ¿Es usted sefaradí? —Este fue Shloime Vantz.

—¿Tzvi Cohan Aleitzter? ¿Tiene algo que ver con los Aleitzter de Kleinershtok? —Se sumó Reb Fárfale Kratznpupik.

—Me entendieron mal, psicoanalista es mi profesión, no mi apellido, vengo de Viena.

—¿Y eso queda muy lejos de su familia en Kleinershtok?

—No sé, nunca estuve en Kleinershtok.

—Qué raro, porque los Aleitzter son de allí.

—Pero yo soy Psíquembaum, Víntziquer Psíquembaum.

—¿Y entonces por qué dice que se llama Tzvi Kohan Aleitzter?

—¿Y a usted qué le parece?

—¿A mí qué me parece? ¡Yo qué sé qué me parece! ¡Por ahí está usted escondiéndose de la Policía del Zar, o es usted mismo un policía del Zar, o un hombre que huye de su novia, como Motl el emprende(u)dor... o viene a cobrar impuestos!

—En realidad esas son fantasías suyas.

—¡Por supuesto! Si usted no me dice quién es, de dónde viene ni de qué trabaja, y encima me pregunta qué me parece, ¿qué otro remedio me queda?

—Bueno, no se lo tome así. Yo trabajo de interpretar...

—Ah, es usted rabino... interpreta la Torá... pero en este pueblo ya tenemos dos, y ni siquiera se ponen de acuerdo, ¡imagínese si tuviéramos tres, nos volveríamos locos!

—No, yo no intepreto la Torá... interpreto los sueños.

—¡Como José, que en Egipto le interpretó los sueños al Faraón, eso de las siete vacas gordas y las siete vacas flacas que siempre nos explica Reb Jaim como un milagro, y que Reb Meir nos dice que los poderosos siempre se quedan con las vacas gordas y a los pobres ¡ni las vacas flacas les dejan!

—Pues los dos están equivocados, no se trata de un milagro ni de la política, se trata de lo inconsciente.

—Mire, Reb Víntziquer —este fue Reubén Tsurelsky—, cada uno trabaja de lo que quiere y puede, y, ¡sabe Dios cómo me gustaría poder dedicarme libremente a estudiar la Torá, en vez de tener que estar todo el día estudiándola! Yo no me quiero meter en su vida. Pero usted está aquí solo, no sé si en Viena o en Kleinershtok tiene una mujer que le junte papas para la cena. Entonces si va a trabajar de rabino, que ya hay dos, y encima solamente va a dedicarse a interpretar el libro de José y el Faraón, ¿no es muy poco para ganarse la vida?

—No, mire, yo interpreto los sueños, pero no solamente los del Faraón, también los suyos, los de él, los de su mujer, sus hijos, etcétera.

—¡¿Y cómo hace, si mis sueños no figuran en la Torá?!

—No, pero figuran en su inconsciente.

—¿Mi inconsciente? ¿Usted dice que puede leer mi inconsciente?

—Cuando uno dice algo, cuenta un sueño, un *lapsus*, uno dice una cosa que en realidad no era lo que uno quería decir, sino otra cosa; lo que uno quería decir quedó reprimido en lo inconsciente, y no salió de allí, salió otra cosa para taparlo, para esconder el verdadero deseo.

—¿Y usted puede adivinar el deseo verdadero?

—¡No es adivinar! ¡Es científico, yo puedo investigar, interpretar y conocer sus deseos reprimidos!

—O sea que los adivina, pero no los adivina.

—Yo los interpreto. ¡IN-TER-PRE-TO!

—¡¿Qué clase de *dokter* es usted?! ¡Usted cree que yo tengo que ir al *dokter* para conocer mis deseos reprimidos? ¡Uno va al *dokter* cuando se siente mal, si le duelen los *kishkes* o le pica el *tujes*! ¡Yo no necesito saber cuáles son mis deseos! ¡Mi deseo reprimido es tener un rico plato de comida en la mesa todas las noches, mi deseo reprimido es tener una cama cómoda y calentita; mi deseo es que no me ataque ningún *pogrom*; mi deseo es tener plata para poder comprarle a mi Iajne lo que me pida; mi deseo es que mi Iajne no me pida que le compre nada que yo no pueda comprarle; mi deseo es ser rico para poder darme corte delante de todos, pero que nadie lo sepa para que no me pidan plata; mi deseo es que Dios nos diga de una vez por todas cuál es nuestra Tierra Prometida, y que no les haya prometido esa misma tierra a otros! ¡Ese es mi deseo, y también es el deseo de todos los tsúrelej! ¡Y seguramente el de los lomirkvéchalaj, blintzemberguers, ¡acá todos sabemos cuáles son nuestros deseos, y son todos iguales! ¡Si quiere otros deseos vaya a interpretar a los cosacos, pero no se lo recomiendo, porque ellos suelen desear *pogroms*, y no son muy reprimidos, que yo sepa!

Pero el *Dokter* Víntziquer Psíquembaum no se iba a dar por vencido así nomás. Él había llegado desde lejos, cual moderno profeta, para difundir las "nuevas corrientes" que circulaban en Viena. A decir verdad, en Viena circulaban dos corrientes: el furioso antisemitismo, de la mano de su alcalde Lüger, nazi antes del nazismo; y el curioso psicoanálisis, de la mano del Dr. Sigmund Freud. No es necesario aclarar que las ideas que sustentaba Psíquembaum eran las segundas, ya dijimos que las suyas eran "nuevas", y el antisemitismo en tan viejo como los judíos, aunque siempre vaya a encontrar nuevas y refinadas formas de expresión.

Víntziquer consiguió un sitio donde alojarse. Se trataba de una pieza anexa al Tsúkerke Café, con vista a la calle, cómoda, de acuerdo a los estándares de comodidad locales, según los cuales si una habitación era compartida por menos de cinco personas, era lujosa. En este caso Víntziquer podía incluso trabajar y atender a sus pacientes, aunque de vez en cuando pudiera interrumpirlo algún parroquiano del café que quisiera ir al baño y se equivocase de puerta. Muchos de los pacientes del *dokter* le fueron "derivados" de esa manera, luego él les interpretaba el equívoco y así empezaba una fructífera relación.

Una tarde el *Dokter* Víntziquer estaba esperando la llegada de un paciente; no de uno en particular, sino de algún paciente, cuando de pronto golpearon a su puerta. Estuvo tentado de decir "no, acá no es el baño" como de costumbre, cuando se dio cuenta de que algo raro estaba pasando, ya que los equivocados no solían golpear, sino que entraban directamente. Por lo cual, con estudiada parsimonia, como si tuviera seis pacientes por día, abrió la puerta. Del otro lado estaba Reb Reubén Tsurelsky, apenas menos ansioso que él. Víntziquer descartó que su visitante quisiera ir al baño, cuando Reb Reubén se sentó en el sillón, y le preguntó:

—¿Realmente usted interpreta los sueños, *Dokter*?

—Sí.

—¿Y puede llegar a conocer lo que está oculto en ellos?

—Claro.

—Y lo que usted averigua es un secreto, ¿no?

—Queda entre el paciente y yo.

—Bueno... mi mujer... Iajne, usted sabe... bueno, que no me perdona que yo haya dejado de ser el rico del pueblo...

—Necesita llenar su falta femenina con una imagen poderosa.

—No, se trata de plata, *Dokter*, aunque cuando yo era rico, era tan pobre como ahora, quizás más pobre, porque encima los demás me creían rico.

—Freud llama a eso "los que fracasan al triunfar".

—¿Freud? ¿No era que esto quedaba entre usted y yo, *Dokter*?

—Freud es un teórico...

—Ah, ya entiendo, no está acá, no sabe nada de esto, pero es como si estuviera, es teórico.

—Bueno, digámoslo así.

—Bueno, el tema es que el otro día ella soñó que se ganaba la lotería de Varsovia, ¡y que éramos ricos de verdad!

—Es una respuesta onírica para compensar la frustración cotidiana...

—Lo que sea *Dokter*, pero el problema es que se despertó y, ¡no recuerda el número!

—¿El número?

—¡No se acuerda a qué número jugó, *Dokter*! ¡Por favor, descubra usted el número que quedó reprimido en la cabeza de mi Iajne, así volvemos a ser ricos!

—No entiendo.

—¿Qué es lo que no entiende? ¡Usted descubre el número, mi Iajne le juega, y somos ricos de verdad!

—¿Y si no sale?

—¿Cómo que si no sale? ¿Usted tiene miedo de no poder descubrir cuál era el número de mi Iajne...? ¿Qué clase de psicoanalista es usted que no adivina nada?

—¡Yo no soy adivino!, soy psicoanalista, yo...

—Sí, ya sé, ¡IN-TER-PRE-TA! , usted me dice lo que en realidad yo quería decir pero no lo dije porque dije otra cosa que en realidad no era lo que yo quise decir sino lo que dije porque lo que yo quería decir quedó reprimido, pero si usted no lo adivina, o lo interpreta o lo descubre, o lo que sea, yo no voy a poder ganar la lotería, y nunca voy a ser el rico del pueblo, y puedo asegurarle, le digo más, puedo adivinar, sin ser psicoanalista, que ¡ESE ES MI DESEO! O, al menos, es el deseo de Iajne, y como yo estoy casado con ella, es también mi deseo, ¡porque nosotros los deseos, los compartimos!

—Es una manera de estar alienado en el otro.

—¡*Dokter*, estamos en Tsúremberg! ¿Usted sabe lo que cuesta tener un deseo cada uno?

—Bueno...

—Hagamos una cosa, *Dokter*, usted descubra el número que quedó en el inconsciente de Iajne y yo le prometo que todos los que quieran ganar la lotería lo van a consultar a usted.

Por supuesto que, a pesar del "secreto", todo el pueblo estaba pendiente de lo que pasaba. ¿Secretos en Tsúremberg? ¡*Fehhhhh*...! Todos tenían la secreta esperanza de que Psíquembaum no adivinara el número y demostrara la inutilidad de su "ciencia", y la esperanza más secreta aún, de que sí lo adivinara, y que Reb Reubén Tsurelsky volviera a ser el rico del pueblo, pero esta vez, nada de "el rico más pobre que hay", sino un rico bien rico al que todos le pudieran pedir plata.

Claro que Reb Piterkíjel dijo lo suyo, en el templo:

—¿Interpretar los sueños? ¿Quién se cree que es: José, el hijo de Jacob, nieto de Isaac, bisnieto de Abraham? ¿Acaso Dios le dijo a Abraham: "*Lej lejá*, vete de aquí e inter-

preta los sueños a tus hermanos"? ¿Acaso le dijo a Noé:
"Separa los animales de dos en dos, e interprétales los
sueños"? ¿Acaso el rey David derrotó a los filisteos inter-
pretándole los sueños a Goliat? ¡No, el único que pudo
interpretar fue José, y era esclavo del Faraón! ¿Acaso el
dokter es esclavo de sus pacientes? ¡¿Qué es lo que quieren judíos, interpretar los sueños que les da Dios?! ¿Decir: "Dios me hizo soñar con una vaca, pero en realidad
es un perro reprimido"? ¡Después van a decir que en la
Torá dice "no robarás", pero ese "no" es solo represión,
y quiso decir "robarás"!

Y Reb Meir Tsuzamen pensaba que descubrir los deseos y llevarlos a cabo era una tarea del pueblo en su
conjunto, y no de una persona en particular. Y que seguramente ese deseo era el de una revolución, en el que todos pudieran ganar a la lotería. Porque hasta ahora solo
los ricos solían ganar, quizás porque los pobres rara vez
accedían a la compra de un billete. Y si un pobre llegaba a ganar, se transformaba en rico. Y Reb Meir quería
que todos fueran ricos, pero todos juntos, no de a uno.

Reb Víntziquer Psíquembaum se preguntaba qué hacer.
Él quería dejar bien alta la imagen del psicoanálisis y de
sí mismo, pero era muy difícil trabajar con los tsúrelej...
ellos parecían romper todos los esquemas creados por
Freud. ¿Cómo puede aceptar su "obsesividad" un judío
que todos los días lee ansiosamente la Torá buscando
una respuesta, si es lo mismo que hizo su padre, su abuelo y su tatarabuelo?, ¿qué, eran todos obsesivos? ¿Cómo
puede aceptar su histeria una mujer cuya insatisfacción
puede verse de lejos?, ¿acaso su madre, su abuela y su
bisabuela eran mujeres satisfechas, cuando las casaban
por decisión paterna y las obligaban a trabajar día y noche,
porque esa era la voluntad de Dios? ¡Felices, puede ser,
depende del momento!, pero ¿satisfechas? Víntziquer,
quizás de puro obsesivo él, no reconocía que quizás el ámbito más propicio para su disciplina era "la gran ciu-

dad", que de la salud mental de los tsúrelej ya se ocupaban los rabinos, fuera para mejorarla, o, ¡Dios no lo quiera!, para complicarla un poco.

Víntziquer Psíquembaum pensó en su hermano Karl, también psicoanalista, profesor en una cátedra de Viena, y lo imaginó moviendo con energía el dedo índice de su mano derecha de arriba hacia abajo, reprochándole que no se hubiera quedado en la comodidad de la gran metrópoli, donde todo era tan fácil. Es cierto, era fácil pero para Karl. En cambio él, él se había cansado de ser la sombra de su hermano, de ser "el deseo reprimido" de la familia, y se había ido, iniciando una extraña carrera que lo condujo hacia... ¿sabía él hacia dónde? ¡Hacia la libertad, se supone!

Pero el propio Moishe Rabeinu lo supo por propia experiencia cuando liberó a los judíos de la esclavitud en Egipto: "El primer paso de la libertad es el desierto". Y allí estaba él, libre pero solo, en esa aldea a la que nadie sabe cómo fue a parar, en medio de gente que creía que el psicoanálisis era adivinar un número de lotería, y que lo único interpretable era la Torá. Incluso Reb Meir Tsuzamen, que al parecer había conocido al mismísimo *Dokter* Freud, tampoco lo entendía.

Víntziquer Psíquembaum recordó que Freud aconsejaba supervisar los casos difíciles con un analista más experimentado. ¿Dónde encontrarlo, en Tsúremberg? Analista no había, pero para experimentado estaba el rabino. ¿Qué podía perder? Además, el segundo paso de la libertad, después del desierto, fueron Los Diez Mandamientos. ¿Qué mejor representante que el propio rabino? Ahora bien, ¿cual de los dos? Reb Víntziquer recordó que se decía que Reb Meir Tsuzamen había conocido a Freud...

Reb Jaim Piterkíjel sonrió al ver entrar a Reb Víntziquer en su templo, lo invitó a su despacho, lo escuchó en silencio, y luego, con voz clara pero firme, le dijo:

—¿Usted teme por su prestigio, Reb Víntziquer? ¿Por qué? En realidad usted no necesita que sus pacientes le crean ni le tengan fe para curarlos. Yo paso por situaciones mucho más complejas, ya que si los judíos dejaran de tener fe en Dios, no solo mi templo, sino el orden en el que se construye el mundo, se caerían. ¿Acaso usted se cree Dios, para necesitar que le tengan fe? Usted no es Dios, quédese tranquilo, alivie su pesar, quítese esas toneladas de encima, que sólo Dios puede soportar semejante carga. ¡Y sólo Él sabe cómo lo logra! Reubén Tsurelsky actúa como si usted fuera Dios, le tiene fe, usted no puede defraudarlo, usted debe decirle el número correcto para seguir siendo Dios ante él, pero ¿acaso no lo defrauda usted poniéndose en el lugar de Dios?

Reb Víntziquer no lo podía creer:
—¡¿De dónde sabe usted tanto sobre psicoanálisis?!

—¡Sólo Dios lo sabe! —le respondió Reb Jaim Piterkíjel, y lo despidió con una sonrisa, para luego seguir leyendo *Tótem y Talmud*.

Reb Víntziquer caminó por Di Breite Gas, la calle ancha del pueblo, rumbo a su consultorio. Caminó muy lentamente, porque todos los judíos se le acercaban para implorarle:

—¡Por favor, Reb Víntziquer, dígame a mí cuál fue el número que soñó Iajne, que yo nunca fui el rico del pueblo, como Reb Reubén!

—¡Reb Víntziquer, le prometo que si me dice a mí cuál es el numero, lo comparto con usted, gane o no gane!

—¡Reb Víntziquer, si me dice el número voy a poder recuperar todo lo que nunca tuve!

—Tome, Reb Víntziquer, mire qué hermosa papa le doy, a cambio del número.

¡Ya no solo era Reb Reubén Tsurelsky! ¡Hombres, mujeres y niños de Tsúremberg lo veían como a un Dios, y le imploraban... más todavía, porque al Dios de verdad ya le habían rezado muchas veces y sabían que no siempre, por no decir casi nunca, les otorgaba lo pedido! Ahora entendía cómo debía sentirse su hermano, el analista exitoso de Viena, pero ¿acaso él quería sentirse así? Bueno... quizás un poco, pero no era el momento de hacerse el Dios.

El doctor Psíquembaum giró hacia la multitud que lo seguía reclamante e implorante.

Y dijo:

—¿A ustedes, qué les parece?

La multitud no entendía nada, ¿él les estaba pidiendo a ellos que adivinaran el número? ¿Pero cómo hacerlo, si no eran psicoanalistas, como él? Se quedaron en silencio. Entonces él, curioso por saber cómo se habían enterado del "secreto", les preguntó:

—¿Y ustedes cómo se enteraron de lo del número?

Y todos le respondieron a coro:

—¡¿Y a usted qué le parece?!

Mientras todos se quedaron discutiendo acaloradamente "qué les parecía", Víntziquer se escapó y siguió su camino hacia el consultorio. A lo lejos escuchaba el rumor popular. Los tsúrelej ya estaban discutiendo sobre cuál podría ser el número indicado. O algún otro tema. Llegó, se instaló y esperó la llegada de Reb Reubén Tsurelsky. Quien, finalmente, llegó.

—¿*Nu, Dokter*? ¿Sabe usted el número?

—No.

—¿Quiere que le traiga a mi Iajne?

—¿Usted qué cree?

—Que mejor no, pero como la que soñó es ella...

—No, ella soñó, usted soñó, todos los tsúrelej están soñando con el número, ¿y qué pasa mientras tanto? ¡Que de tanto soñar, no pueden dormir! A ver, dígame, ¿qué haría usted si ganase la lotería?

—Volvería a ser el rico del pueblo, pero esta vez sería en serio, no seria "el rico más pobre que hay".

—¿Y qué cambiaría de su vida?

—Bueno, me compraría una hermosa casa, con adornos de oro, tendría el mejor asiento del templo... la gente me pediría plata... yo no les podría dar, porque los ricos no dan plata, los ricos reciben, entonces ellos se enojarían, me dejarían de lado, y yo me terminaría yendo del pueblo.

—Y perdería su casa y su asiento, sería tan pobre como antes, o más pobre, ya que no tendría con quién quejarse, y no le podría pedir a Dios que lo haga rico, porque usted "ya sería" rico.

—¡Tiene razón, nunca lo había pensado de esa manera! Pero entonces, ¿por qué los ricos quieren ser ricos?

—¿Y a usted qué le parece?

—No sé... ¿será que quieren ser ricos porque no saben lo bueno que es ser pobres? Pero si fueran pobres, querrían ser ricos, porque no sabrían lo malo que es ser rico, ¿es así?

—No, Reb Reubén... los ricos no "quieren ser" ricos, los ricos SON ricos, los que quieren ser ricos son los pobres, y ¿sabe por qué? Porque NO son ricos. A veces, uno quiere ser lo que no es, lo que le falta. ¡Pero solo quiere serlo si no lo es!

—¿Y usted cómo sabe esto, porque es psicoanalista?

—¿A usted qué le parece?

—Que si todo es tan difícil siendo pobre en Tsúremberg, ni quiero imaginar lo que sería siendo rico, sin amigos ni motivos de queja, con Iajne pidiéndome todo el tiempo que le compre cosas, los pobres pidiéndome plata prestada, los cosacos atacando mi casa porque sería "la casa del rico" y supondrían que hay más cosas que saquear... no, gracias... ¡Guárdese el número para usted, que no es de Tsúremberg! ¡Y que sea con salud!

Y se fue, aliviado.

Al ver salir a Reb Reubén, todos los tsúrelej, ansiosos por saber qué pasó, se le acercaron:

—¿*Nu*, qué te dijo?

—Yo le dije que se guardara el número para él.

—¿Para él, que apenas lo conocés, y no para mí, que soy tu amigo, o al menos tu vecino, que tanto nos hemos peleado, reconciliado, ayudado, enojado?, ¡ooyoyoyoyoy! —sollozó Shloime Vantz.

—Shloime, ¿a vos te gustaría que todo el mundo te pidiera dinero prestado?

—¿Y por qué me van a pedir plata, si no tengo un *kopec*?

—Si ganaras la lotería, tendrías muchos.

—¡Ooooooooooyoyoyoy!

Ni Shloime Vantz, ni Fárfale Kratznpupik, ni Simjastoire Nusslgrois, ni Fárfale Tzimes, luego de un par de horas, ningún tsúrele quería ser el rico del pueblo; pero ahora lo veían con otra óptica, "habían elaborado la situación", y para festejarlo, se fueron a tomar un té al Tsúkerke Café. Vísele Tsúkerke les trajo el menú, y al rato apareció a preguntarles:

—¿Qué quieren?

Y le respondió un coro:

—¡¿Y a usted qué le parece?!

En realidad los tsúrelej sabían desde hace mucho que no querían ser ricos individualmente, y que lo que siempre habían querido, el famoso "deseo reprimido" del sueño de Iajne (y del sueño de todos), es que "hubiera un rico", alguien que se hiciera cargo. Por eso Iajne se olvida el número, para que "otro" lo descubra. Ellos tenían claro, desde siempre, que los afectos y el conocimiento son más valiosos que el dinero, ya que nadie los puede robar y se pueden transportar a cualquier sitio al que uno vaya.

Extracto de *Introducción a la shtetlpatología*,
del Dr. Víntziquer Psíquembaum
(Con el que consiguió el aplauso y
la aprobación de los psicoanalistas vieneses,
incluso de su hermano Karl.)

Capítulo 9

La importancia de llamarse Kratznpupik

Cuando el Zar decretó que los judíos debían tener apellido, seguramente buscaba un sistema para poder identificarlos rápidamente. Es posible que este sistema haya sido efectivo, para el Zar. Pero los judíos ya tenían, no solo un sistema para identificarse, sino varios, que funcionaban simultáneamente, y contribuían a la identificación rápida y precisa, o a la mayor de las confusiones, según el caso.

El primero, y más simple, era por el nombre. Abraham se encuentra con Isaac y le dice: "Estuve con Shloime". Información clara, precisa, concreta. Pero entonces Isaac pregunta: "¿Qué Shloime?", abriendo el abanico de posibilidades. Abraham podría repreguntar: "¿Cómo qué Shloime, no sabes quién es Shloime?". O bien, decir: "¡¿Qué Shloime va a ser?!, ¡Shloime! Si te digo Shloime, no va a ser Moishe, ¿no?" O bien intentar un camino más largo: "Shloime, el que vivía al lado de Moishe". Isaac podría seguir con "¿Qué Moishe?" y Abraham concluir "El que vivía la lado de Shloime" e irse lo más tranquilo, luego de haber resuelto la cuestión para él, aunque no para su interlocutor.

Podría ser, como ocurría entre los hermanos Guelozt, que tuvieran códigos propios, cerrados al resto del pueblo. Decía uno:

—¡Estuve hablando con Esa!

—¿Con Esa? ¿No estabas peleado con Esa, vos?

—¡No, con la que estaba pelado era con Esa, pero con Esa no hay problema!

—¿Y qué te dijo Esa?

—Que el otro día lo vio a Ese, con Aquella.

—¡Eso lo sabe todo el mundo... qué novedad!

—¡No, no, pará, no Aquella Esa, sino Aquella la Otra!

—¡¿Con Aquella la Otra?! ¡No te lo puedo creer!

—¡Creémelo, me lo dijo Esa!

El sistema les servía a los Guelozt, nunca se confundían de persona, o si lo hacían, no se enteraban, pero era inútil ante terceros.

A veces, los pronombres eran fácilmente identificables, como en el caso de Copel Shlafnboij, para quien solo existía una persona en el mundo además de él mismo: Ella. ¿Quién era Ella? Su mujer. ¿Y cómo se llamaba ella? Ya nadie lo recordaba. Bastaba que un vecino lo interpelase en el *shil*:

—*Sholem aleijem*, Reb Copel, ¿cómo está?

—Ella está enojada conmigo, no me habla.

—¿Y por qué?

—¿Y cómo quiere que yo lo sepa, no le dije que no me habla?

Copel no hablaba de otra cosa que de Ella. Tanto era así, que alguna vez otro hombre osó decir "Ella", en relación a su propia esposa, y casi originó una pelea. "Ella" era la mujer de Copel, como quiera que se llamara de verdad. Y no es que Copel estuviera tan enamorado de Ella, sino que, sospechamos, Ella era una especie de placard, de buhardilla, en la que él se escondía del resto del mundo, y guardaba allí sus fortalezas y debilidades, sus amores y sus rencores. Digamos, con perdón de los psicoanalistas, que Copel en su aparato psíquico, más que Ello, tenía Ella.

Entre los vecinos se solían usar los patronímicos: así como "Rodríguez" es el hijo de Rodrigo en castellano y "Johnson" es el hijo de Juan en inglés, "Abrúmelson" es el hijo de Abraham, en idish. Pero esto era lo oficial. Puertas adentro de cada casa, lo que verdaderamente identificaba a una persona era su apodo.

Ya en la Biblia nos hablan de Salomón, el sabio; Moisés, nuestro *rebe*; Abraham, nuestro padre, apelativos entrañables y gloriosos, dignos de los personajes bíblicos que los encarnan. La realidad cotidiana no frecuentaba apelativos tan magnificentes, y por cada "sabio" había muchos "el que no sabe ni dónde caerse", "la que no puede tener la lengua callada", "el más tonto que su propia tontería", "el que no para de comer jamás", "el que nació con el *tujes* en el cerebro", "el que transpira cada vez que mira a alguien", "papá, ¿puedo? (en idish *tatekenij*)", "olor de papa vencida", "novia ideal para un enemigo", "ni me cuentes", "llamá al *rebe*", "el emprende(u)dor", "el *oremeraij* (o sea el 'pobrico')", "el doctor *banques* (ventosas)" "¡pogrompogrom!", "el que se cree músico", y tantos otros.

También había, no podían faltar, apodos despectivos para grupos de judíos. Así, los alemanes eran los "*iekes*", que viene de *jaquet* (chaqueta), ya que estos, asimilados, no usaban la típica levita judía, sino algo más mundano, según ellos mismos, y más sacrílego, de acuerdo a los piadosos hombres del *shtetl*. De hecho, se dice que los judíos alemanes se sentían "más alemanes que judíos" y decían "*Doischland iber ale*" (Alemania ante todo), y recibían en irónica rima la frase "*in Doischland faift dem dales*" (en Alemania sopla la miseria).

Los apodos eran despectivos y/o cariñosos, y podían ser crueles; pero no tener apodo era no estar integrado a la comunidad. ¿Qué sentido tiene ser conocido como "Moishe"? La pregunta inmediata que cualquier tsúrele haría es: "¿Qué Moishe? ¿Moishe 'huele como vaca en celo', Moishe 'ellas no me dan bolilla', Moishe 'mañana te lo devuelvo', Moishe 'le faltan veinte centavos para ser pobre', Moishe 'apurate Sarita' o Moishe 'iom kipur'?". "No, Moishe, nomás." "¿Y ese quién es?" "No sé." Y pasaba a ser "Moishe quémoishe" o "Moishe Kmoishe" o "Moishe Kapoishe", y ya tenía su apodo. Ya era uno más.

También para los no judíos había apodos, pero en este caso no era con el fin de integrarlos, sino de poder hablar de ellos sin que lo supieran.

Como siempre, todo era mucho más complejo de lo que parecía. Porque cada familia, cada casa, es un mundo

---

KULTÚRISHE CICLOS EN EL TSUKERKE CAFÉ

Próximas conferencias:

LA IMPORTANCIA
DEL PROGRESO
por el Dr. Abramitsik Úguerke

EL PROGRESO
DE LA IMPORTANCIA
por el Dr. Efrom Píchifke

LA TEORÍA
DE LA RELATIVIDAD
por el Dr. Abramitsik Úguerke

LA RELATIVIDAD
DE LA TEORÍA
por el Dr. Efrom Píchifke

EL ROBO DE IDEAS
por el Dr. Abramitsik Úguerke

CIEN AÑOS DE PERDÓN
por el Dr. Efrom Píchifke

---

aparte. Y así, los apodos, en su informalidad, variaban de casa en casa. Y quien podía ser, visto desde los Cohen, Shloime "me rasco todo el tiempo", en lo de los Tsurelsky podía ser llamado Shloime "me creo todo", y en lo de los Nusslgrois, ser conocido como Shloime "es la primera vez que me pasa". Aunque muchas veces, cada judío terminaba teniendo su "apodo oficial", y unos cuantos "apodos paralelos, o subterráneos", menos usados, pero seguramente más despectivos.

Para los tsúrelej todo esto no parecía ser un problema, ya que todos se conocían, y sabían dónde encontrarse si se necesitaban o si no; pero si algún extraño aparecía en la aldea buscando a alguien, la tarea podía transformarse en un imposible y finalmente podía partir con la imagen de que los tsúrelej eran muchos más de los que parecían ser.

Esto de tener muchos apodos vinculados a sus múltiples actividades, actitudes y características personales, tiene que ver con que los judíos tenían tanta noción de lo efímero de la vida, que necesitaban hacer todo al mismo tiempo, por las dudas. Así se cuenta un chiste popular, referido a los judíos de la ciudad, que también tenían sus apodos, porque serían urbanos, y tal vez asimilados, pero ante todo, eran judíos.

Un judío de un shtetl *vuelve tras haber visitado Varsovia por primera vez y cuenta a sus amigos lo que vio allí:*

—Varsovia es una ciudad absolutamente extraordinaria. Vean, encontré allí a un judío erudito en Talmud, que se sabía tratados enteros de memoria; un judío comunista, pero de esos fanáticos; un judío dueño de un comercio enorme, con cincuenta empleados por lo menos, que vivía en una mansión bellísima, con sirvientes y mucamas; un judío totalmente ateo. No se imaginan qué diversidad hay en Varsovia.

—No veo qué te asombra. Es normal que en una ciudad tan grande como Varsovia, con un millón de judíos

por lo menos, hayas encontrado judíos tan diferentes.
¿Qué tiene de extraordinario?
—*Parece que no entendieron. Era* el mismo *judío.*[1]

ANUNCIE SUS NAJES
Y SUS TSURES EN EL

TSÚRELDIQUE TZAITUNG
ÓRGANO OFICIAL DE TSÚREMBERG

¿Qué prefiere, que la gente se
entere de sus cosas por el shnorer,
por las iajnes, o por usted mismo?

También es cierto que los judíos del *shtetl*, al tiempo que miraban envidiosamente a las ciudades, tenían, sin embargo, un cierto orgullo. Ellos seguían viviendo de acuerdo a las tradiciones, seguían sobreviviendo como judíos, con su Torá, sus papas, sus *rebes* y su pobreza, y entonces, si los de la metrópoli eran despectivos con ellos, ellos no iban a ser menos. Hay otro chiste popular al respecto:

Mendl y Cohen, dos judíos pobres en Lomirkvechn, comentan entre ellos:
—*¿Viste?, parece que Einstein va a venir a Lomirkvechn.*
—*¿Y para qué va a venir Einstein a Lomirkvechn?*
—*Para explicarnos la teoría de la relatividad.*
—*¿Y eso qué es?*
—*Mirá, te lo voy a explicar: si en tu barba tenés solo cuatro pelos, ¿eso es mucho o poco?*
—*Es poco.*
—*Bueno... pero si en tu sopa tenés cuatro pelos, es mucho, ¿entendés?*
—*Sí, ¿pero no es más fácil sacar los pelos de la sopa que traer a Einstein para que nos lo explique?*

---

1 Todos los chistes populares de este capítulo fueron tomados de Rudy y Eliahu Toker: *La felicidad no es todo en la vida y otros chistes judíos*, Buenos Aires, Grijalbo, 2001.

Quizás era mejor para los judíos ser conocidos por los apodos, y no que se hiciera referencia directa a sus cualidades, como lo ilustra este otro chiste popular:

Cierta vez vino una persona de otro pueblito buscando a Rubinstein, el presidente de la sinagoga.

–¿Busca a Rubinstein, ese estafador, el que tuvo aquel turbio episodio con una muchacha no judía? Vaya a la plaza, lo va a encontrar al lado de la sinagoga.

–¿Rubinstein? Sí, lo va a encontrar en la otra cuadra, pero no vaya a jugar a las cartas con él que lo va a esquilmar.

–¿Rubinstein? Vive en aquella casa que se cae a pedazos; acérquese nomás y va a escucharlo porque está siempre a los gritos con su mujer.

Así, preguntando, finalmente dio con Rubinstein.

–Rubinstein –le dijo–, ¿así que eres presidente de la sinagoga? ¿Y eso para qué te sirve?

–Y, toda persona quiere recibir un poco de reconocimiento de la gente.

Lo cierto es que cada tsúrele iba por la vida con su nombre, sus apodos, y ahora, gracias al Zar, también iba a tener su apellido.

A los *rebes* esto de los apodos mucho no les gustaba. Reb Jaim Piterkíjel sostenía que el nombre uno lo recibía en el *bris*, o sea ante Dios, y no tenía por qué reemplazarlo por otro. Que era una manera de tratar de engañar a Dios, ya que si Él en determinado momento quería ver qué estaba haciendo Motl, iba a encontrarse con mil referencias diferentes. Por otra parte, era como poner los pecados a nombre de otro. Que nadie iba realmente a engañar a Dios, pero que a él el intento no le iba a gustar nada. Y que ya sabemos los judíos las cosas que puede hacer Dios cuando se enoja con nosotros. Si cuando está feliz nos tiene de acá para allá, cuando está furioso, mejor ni pensarlo.

Al parecer el *rebe* no se preocupaba tanto por los apodos de las mujeres. Lo cierto es que durante mucho tiempo las mujeres recibían el apodo de sus maridos (como actualmente el apellido). Así, la mujer de Shloime "me creo todo" puede ser "la Mecreotódetzn" la "Mecreotódeje", etcétera. Pero con el avance del feminismo, las mujeres se ganaron el derecho a sus propios apodos. Y muchas mantenían con orgullo su "apodo de soltera" aun después de casadas.

A Reb Meir Tsuzamen no le gustaba que nadie tuviera tantos apodos, porque creía que todos somos una parte de un todo más grande, y nadie tiene derecho a ser dos partes, porque esto haría que otro fuera "ninguna parte", lo que sería injusto. Nadie le entendía demasiado este tipo de razonamientos, pero igual se lo respetaba.

Esto de los seudónimos también le complicaba la vida a Shmulik Groistsures, dueño, editor y cadete del *Tsúreldique Tzaitung*, único medio gráfico masivo de comunicación, segundo en audiencia, después del rumor, con predominio en el sector PPPP1: pobres, piadosos, preocupados, papas, Dios (que es uno), lo que quizás no fuera un "*target*" atractivo en París o en Nueva York pero en Tsúremberg, era el único *target* que había, y además nadie sabía qué quería decir "*target*".

¿Por qué los seudónimos le complicaban la vida? Porque si él publicaba la noticia: "Moishe se peleó con Shloime", iba a recibir cientos de protestas: "¿Qué Moishe? ¿Qué Shloime?". Pero si publicaba "Moishe 'llega tarde' se peleó con Shloime 'siempre sábado'", también iba a recibir cientos de protestas, "No, fue Moishe 'prestame' y se peleó con Shloime 'dice mi mujer'"; "Fue Moishe 'te lo dije' y se peleó con Shloime 'mi suegra'", y otras mil versiones de Moishes y Shloimes, Shloimes y Moishes peleándose, o discutiendo, o asociándose.

Los doctores Píchifke y Úguerke, por motivos notoriamente diferentes, se oponían también a los seudónimos. Uno de ellos, porque alguna vez fue llamado "el descubrigurnisht (el descubrenada)" o bien *Dokter Shmokter*"; el otro, porque solía ser conocido como "el otro descubrigurnisht", y no sabemos si le molestaba más ser "descubrigurnisht" o "el otro".

Pero ¿qué iban a hacer unos rabinos, un periodista, un par de científicos, o un decreto del Zar contra una tradición más que milenaria? Si los judíos ni siquiera llamaban a Dios por su nombre, está prohibido hacerlo; y por ello crearon muchas formas eufemísticas para llamar a Dios, ya que debían rezarle varias veces por día, pero sin poder nombrarlo. ¿Cómo podía saber Dios que era a Él a quien le estaban rezando y no a otro? Sí, ya sabemos que si los judíos somos monoteístas, un solo Dios, no tiene sentido temer que Él pensara que le pudieran estar rezando a otro, pero, como diría Reb Piterkíjel: "¿Quién es uno para deducir qué puede pensar Dios, y que no?".

¿Acaso esas formas de llamar a Dios, eran "apodos"? Por lo sagrado del tema, podríamos pensar que no. Pero ¿lo eran o no para cada judío que día a día se dirigía a Él? Solo ellos, y Él, lo sabían.

Capítulo 10

Otra noche de Peisaj

Shloime Gueshijte Tsuzamen tenía doce años y había estado preso. El Juez, Honorable Kapolic Czwczczczwcztskn, lo había encerrado por correr solo por los alrededores del pueblo, enarbolando una bandera roja. Ese era un delito grave, sobre todo si uno era comunista. Si uno no lo era, se trataba de un delito muy tonto. Y Shloime Gueshijte Tsuzamen podía ser chico, pero no tonto.

Con ese argumento concluyente el Juez lo encerró por comunista por más que Shloime intentara explicarle que en el futuro ser comunista no constituiría ningún delito. El Juez se basó en la jurisprudencia, que en general refleja el pasado y no el futuro de una ley. Por más que Shloime lo acusara de retrógrado y le dijera que si lo encerraba, él en venganza no lo invitaría a su *Bar Mitzvá*, igualmente lo encerró. Lo cierto es que ser comunista no era algo demasiado grave. Lo grave era ser acusado de comunista, lo fuera uno o no.

Ahora Shloime Gueshijte había sido liberado. Gracias al testimonio de su padre, Reb Meir, quien había convencido, o cansado, al Juez.

Shloime volvió a Tsúremberg y pidió a su madre, doña Tzebrójene Mishpoje, que preparara *kneidalaj*, porque había que celebrar un *seider* (cena de *Peisaj*, Pascua judía).

—¿Un *seider*, ahora, que faltan unos cuantos meses para *Peisaj*? ¡Apenas si podemos celebrar *Peisaj* cuando es *Peisaj*, y él quiere que la celebremos cuando no es *Peisaj*! ¡Querido hijo, yo estoy contentísima con tu libertad, pero no pidas imposibles! ¡A lo sumo podemos celebrar *Iom Kipur* con un buen ayuno!

—No, mamá, *Iom Kipur* es el Día del Perdón, y *Peisaj* es la fiesta de la Liberación. ¡Yo fui liberado por el pueblo, y no tuve que pedir perdón a los cerdos capitalistas burgueses!

–¿El pueblo? Hijo: tu padre, que viva hasta los 120 años, es un hombre enérgico, pero él no es el pueblo, es el *rebe.*

–¡El *rebe* es parte del pueblo, mamá! ¡El *rebe* representa al pueblo ante Dios! ¡El *rebe* le exige a Dios que escuche al pueblo!

–¡Ay, hijo mío! ¿A quién habrás salido vos así? ¡Ya sé a quién, a tu padre! ¡Andate, y nada de estar agitando banderas rojas por ahí!

Shloime Gueshijte Tsuzamen salió a la calle. Se unió a un grupo de chicos. Al rato, los estaba arengando:

–¡¿Cuanto hace que Dios les prometió a Moisés y los suyos la Tierra de Leche y Miel?! ¿Alguno de ustedes tiene leche y miel en su casa? ¿Alguien me podría convidar un poco de leche y miel, que yo no tengo? ¿No estamos acaso, como en Egipto, esclavos del Faraón? ¿O del Zar, o del "Zaraón"? Por eso yo les digo: ¡*Peisaj*, *Peisaj*! ¡*Pei-saj*! ¡*Pei-saj*! ¡*Pei-saj*!

Los chicos, por convicción o por diversión, o simple curiosidad, se plegaron. Al rato estaban todos gritando: ¡*Pei-saj*! ¡*Peisaj*!

Y entonces, uno se detuvo:

–Shloime, ¿no falta bastante para *Peisaj*?

–¡Para el *Peisaj* tradicional, sí, pero para el *Peisaj* revolucionario, no!

–¿Cómo es la historia esa, Shloime?, ¿hay dos *Peisaj*?

–Les voy a contar... Hace miles de años, en Egipto, el Faraón y sus secuaces explotaban a los pobres, pero como había un auge de la construcción de pirámides necesitaban mano de obra barata, y entonces expoliaban a los judíos reduciéndolos a la esclavitud total.

–¿Qué quiere decir expoliar, Shloime?

–No lo sé exactamente, pero debía ser algo muy feo, porque mi papá cada vez que dice esa palabra se pone nervioso y golpea la mesa con el puño.

–¿Y explotar?

–Es casi tan feo como expoliar, mi papá cuando la dice se pone nervioso, pero no golpea la mesa. Una vez le pregunté y me dijo "sacarles la plusvalía".

—¿Plusvalía? ¡Tu hermana se llama Sara Plusvalía, Shloime! ¿Acaso el Faraón quería casarse con tu hermana?

—No, mi hermana no estaba en Egipto, pero seguramente habría otra mujer llamada así... Bueno, déjenme seguir... una joven proletaria judía, que acababa de ser madre, no quería que su hijo sufriese la miseria, y, tentada por la publicidad de la clase dominante, pensó que su hijo podía ascender socialmente y salvarse solo.

—¿Ascender socialmente?

—Sí, subir en la pirámide social.

—Y debía tener razón, si Egipto estaba lleno de pirámides... acá en Tsúremberg no hay ninguna, por eso somos todos pobres.

—No, Caclétene... acá somos pobres porque hay ricos que nos explotan.

—¿Dónde ricos, si yo nunca vi ninguno?

—No, acá no hay, pero hay.

—¿Dónde hay, en Egipto, y nos "expoliotan" acá porque no tenemos pirámides?

—No... Mi papá dice que los ricos están en Moscú.

—Pero si en Moscú no hay pirámides.

—Capaz que el Zar manda hacer alguna... judíos que hagan de esclavos, hay.

—Yo no entiendo por qué los ricos de Egipto van a explotar a los pobres de Tsúremberg porque tu hermana no quiere casarse con el Faraón.

—Así son los ricos, Caclétene, no hay que entenderlos, hay que combatirlos, cuando no haya más ricos, tampoco va a haber más pobres.

—¿Qué, nos vamos a morir todos?

—Escúchenme, que les sigo contando.

—Shloime, contanos de cuando vos estabas preso, no de cuando toooodos los judíos estaban "espelotados".

—Es la misma historia con otros nombres, Púlquele. Es siempre la lucha de clases.

—¿Clases? ¡No sabía que en Egipto había *jeider*!

—¡En Egipto no había *jeider*!

—Ah, ¿en la cárcel había *jeider*?

—¡No, tampoco!

—¿Y entonces, qué clases eran esas, sin *jeider*? ¿Dónde leían la Torá?

—¡En Egipto los judíos no leían la Torá!

—¡Sí que era malo el Faraón ese! ¡No solo se quería casar con la hermana de Shloime, sino que además no nos dejaba leer la Torá, y nos "expoliataba"!

—¿Y los judíos no hacían nada?

—¿No lo escuchaste a Shloime? ¿Qué iban a hacer si no podían leer la Torá? ¿Juntar papas?

—Escuchen... la historia sigue. La joven madre colocó al bebé en una cesta de mimbre y lo dejó flotando en el río Nilo, que era adonde iba la clase alta de aquellos tiempos.

—¿Al río iban? ¿Y para qué?

—¡Y yo qué se! ¡Los ricos no necesitan un para qué, Pílquele! ¡Los ricos primero hacen lo que quieren, y después encuentran un para qué! En cambio los pobres necesitan un para qué, porque nunca pueden hacer lo que quieren..., yo esto lo sé porque se lo pregunté a mi papá.

—¿Y él te contestó esto?

—No, él me contestó: "¿Para qué me lo preguntás, Shlóimele?". Pero déjenme contar. El niño fue encontrado por la hija del Faraón, quien decidió transformarlo en un aristócrata más, para lo cual lo adoptó, y lo llamó Moisés.

—¿Y por qué lo llamó Moisés?

—¿Y cómo querías que lo llame, Caclétene?

—No estaría mal... Caclétene Rabeinu.

—¡Escuchen... el niño creció pensando que era hijo de la hija del Faraón!

—¡El Faraón era su *zeide*! ¡Qué bueno, poder sentarse en sus rodillas en medio del palacio!

—¡No seas aristócrata, Pílquele!

–Shloime, ni siquiera sé qué quiere decir aristócrata...
¿Qué comen los aristócratas?

–Caviar... cordero... queso blanco.

–No, entonces seguro que no soy.

–Bueno, les digo, entonces Moisés creció como un
aristócrata egipcio.

–¡A upa de su *zeide* el Faraón!

–No sé, pero, cuando ya era un joven robusto...

–¡...Dios le dijo que era judío!

–Sí, esa es la versión del *Peisaj* tradicional, pero lo
que creo que pasó es que adquirió conciencia de clase.

Vosvilste caviar

Por Farfoiltene Kratznpupik

*Se toman unas papas, se pelan, se cocinan, de ser posibles acompañadas de
cebollas, y a la hora de la cena, se sirven con la mejor sonrisa. Cuando el marido, y/o el resto de la familia, se quejen de que todos los días la cena es igual, sin
perder la sonrisa, pero adquiriendo un leve dejo de ironía, se le pregunta:
"¿Nu? ¿Vos vilste, caviar?", (o sea, "¿Qué querés, caviar?") y se continúa
comiendo, hasta que se termine la porción.*

–Ah... ¿fue al *jeider* y allí le dijeron que era judío?

–No, se dio cuenta de que el pueblo vivía muy mal.

–¿Y eso a él qué le importaba, si él era un príncipe?

–Justamente, se dio cuenta de que no lo era, de que tenía más que ver con los pobres que con los aristócratas.

–¡¿No le gustaba el queso blanco ni el caviar?!

–¿Por qué, a vos te gustan?

–No sé, nunca los probé, pero si fuera aristócrata, seguro que me gustarían.

–Bueno, miren, no sabemos cómo Moisés tomó conciencia de su identidad... en la Torá dice que fue Dios,
otros dicen que adquirió conciencia de clase por sí mismo, otros, que tuvo un maestro, pero la verdad es que

todos coinciden en que Moisés le pidió al Faraón que dejara irse a su pueblo.

—¿Y adónde querían irse los egipcios?

—No, los judíos... querían irse a cualquier lado donde no fueran esclavos.

—¡Y seguro que el Faraón los dejó... al fin y al cabo Moisés era su nieto, no le iba a decir que no!

—¡El Faraón le dijo que no!

—¡Aj, es como mi *zeide* cuando quiero comer más papas de las que me corresponden! ¡Pero yo estoy seguro de que si estuviésemos en un palacio, mi *zeide* me dejaría comer todas las papas, todo el queso blanco, y todos los aristócratas que yo quisiese!

—Bueno, entonces Moisés lo amenazó al Faraón.

—¡¿A su *zeide*?!

—¡No, no era su *zeide*!

—Ah, bueno.

—Aparte, Moisés ya tenía conciencia.

—¿De que era un príncipe?

—No, de que era un proletario.

—¡¡Pero si acabás de decir que vivía como un príncipe!! Cuando un proletario adquiere conciencia de clase, se vuelve más proletario todavía, pero si un príncipe adquiere conciencia, ¿no debería volverse más príncipe todavía?

—Bueno, hay una versión según la cual Moisés nunca dejó de ser príncipe, pero la construcción ya no estaba más en auge, y de acuerdo a la coyuntura el Faraón quería expulsar a los judíos de Egipto, pero sabía que si los echaba no se iban a querer ir, entonces le pidió ayuda a Moisés para que los convenciera de querer irse, y Moisés le dijo que la mejor manera de que deseasen irse era que el Faraón se los prohibiera, por una cuestión de dialéctica tesis-antítesis, ¿entienden?

—¿Quienes eran Tesis y Antítesis? ¿Dos egipcios?

—No, y además no se preocupen, esa versión es demasiado ultra, nadie la creería de verdad.

—¿Nadie?

—El Partido no la cree, entonces, nadie la cree. Moisés en realidad era un hombre de vanguardia, y necesitaba que los judíos tomaran conciencia de clase, para modificar la situación.

—Y se hicieran aristócratas.

—No, para terminar con los aristócratas.

—¿Qué, para que todos fueran pobres y esclavos? ¿Qué clase de cambio es ese que hace que todos sean esclavos?

—¿Pero no te das cuenta, Pílquele, que si no hay amos, no hay esclavos, que si no hay ricos, no hay pobres?

—No, ¿cómo me voy a dar cuenta de eso?, ¡si en Tsúremberg no hay ningún rico, y está lleno de pobres!

—Pero es porque los ricos están en otro lado.

—Sí, en Egipto.

—¡No, Kíjele, ya dije que no!

—Bueno, está bien vamos a creerte. Los ricos son como Eliahu Hanovi. Nadie los ve nunca, pero si uno les deja una copita de vino, en algún momento, sin que nadie los vea, se la toman.

—No, Caclétene. Los ricos no son así. Si les dejás una copita, se llevan el resto de la botella y, si pueden, la copita también. Pero les repito: Moisés era un visionario, un hombre de vanguardia.

—¿Y eso que quiere decir?

—No sé, me lo dijo mi papá.

—Ah, bueno, ¿y entonces?

—Bueno, ¡que él quería llevarse a los judíos de la esclavitud!

—Sí, pero, ¿adónde los quería llevar?

—¡Hacia la libertad!

—¿Y eso dónde queda?

—En un lugar donde no haya que trabajar día y noche.

—O sea que Moisés pudo conducir a los hombres a la libertad, ¿pero a las mujeres las dejó en la esclavitud?

—No, Sara, ¿de dónde sacaste eso?

—¿Acaso mamá no se queja de que trabaja día y noche?

—Bueno, pero es distinto. Moisés quería llevarlos a la libertad.

—¡Ya sé dónde queda eso! Mi tío Schvitzer nos mandó una carta desde Nuyor, que es una ciudad muy grande donde vive mucha gente, y también la libertad vive ahí, ¡si hasta tiene su propia estatua! ¡Moisés quiso llevar a los judíos a Nuyor!

—¡Pero Pílquele! ¿Cómo se te ocurre una cosa así? ¿Acaso no sabés que una de las grandes verdades proletarias es "No idolatrarás"? ¿Dónde viste a gente de izquierda yendo a un lugar porque allí había una estatua? ¡Las estatuas son personas que se quedaron duras, que no pueden hacer nada más, como la mujer de Lot! ¡Moisés los quería llevar a una tierra nueva, donde fueran libres!

—Porque así se lo dijo Dios.

—O porque así lo planeó él, como quieras. Pero el Faraón no quería perder a sus esclavos.

—¡Qué tonto! ¿Para qué quería esclavos, teniendo tantos aristócratas ricos a quienes poderles pedir dinero si lo necesitaba?

—Los ricos siempre necesitan a los pobres, para poder sentir que son ricos.

—Ah, mirá, en eso es distinto, yo me siento pobre sin necesidad de que haya ricos.

—Bueno. La cuestión es que Moisés amenazó con una huelga si el Faraón no los dejaba irse, pero el Faraón no quería.

—¡Entonces vinieron las plagas!

—Bueno, Pílquele, vos sabés que en la Torá hay cosas que se dicen de una manera pero se interpretan de otra. La realidad es que hubo una huelga terrible, los esclavos se negaban a trabajar, entonces los ricos se quedaron sin agua, sin comida, sin nadie que los abanicase si hacía calor o les espantase los mosquitos o les matase las arañas, y así.

—¿Y por qué hacían huelga?

—Para que los dejasen irse.

—Pero... ¡si los dejaban irse, no iban a tener más quienes les trajeran el agua, los abanicasen, les matasen los mosquitos...!

—Ay, Kíguele, qué te importa eso a vos... ese era el problema de los ricos, no te preocupes que ellos iban a saber cómo resolverlo, por eso eran ricos. Bueno, la cuestión es que al final el Faraón los dejó que se fueran, y ellos se fueron, pero después se arrepintió, y salió con todos sus soldados a buscarlos... ¡Son las contradicciones del sistema!

—¿Y eso qué quiere decir, Shloime?

—No sé, debe ser parte de un rezo, porque mi papá siempre lo repite cuando lee la Torá. Bueno, les sigo contando. El Faraón y sus tropas corrían detrás de Moisés y los judíos, hasta que llegaron al Mar Rojo.

—¡¿Era comunista el mar, Shloime?!

—¡El mar no puede ser comunista, se trata de una metáfora!

—¿Qué es una metáfora?

—Es cuando dice una cosa en lugar de otra.

—¿Ah, una mentira?

—No, es cuando uno dice una cosa en lugar de otra, pero es verdad.

> **BUSCO YERNO**
> **(SE ESCAPÓ CON**
> **LA DOTE DE MI HIJA)**
>
> Reb Fárfale Tzimes

—Ah, claro... no entiendo debe ser algo de los políticos.

—No, mirá, Kíguele, cuando tu mamá hace *guefilte fish*, pero de papa, y sin pescado, ¡es *guefilte fish*, pero no es *guefilte fish*...! Bueno, ¡eso es una metáfora!

—¡Entonces yo todos los días estoy comiendo metáforas sin saberlo... ¿serán *kasher* las metáforas?

—Miren en este caso, la metáfora es la siguiente: Moisés, para llevar a su pueblo a la libertad, partió las aguas del mar Rojo, ¿se dan cuenta?

—¿De qué?

—Miren, "el mar Rojo partido lleva al pueblo a la libertad". ¡No hace falta decir mar, todos saben que es un mar...! Entonces "el Rojo partido lleva al pueblo a la libertad". O, lo que es lo mismo, ¡"el Partido Rojo lleva al pueblo a la Libertad"! ¿Se dan cuenta?, ¡esto lo dice la Torá! ¡Como dice mi papá, hay que saber interpretarla!

—Shloime, ¿había partidos políticos en esa época?

—No, justamente por eso digo, que hay que saber interpretar la Torá, ¡era una profecía! ¡Ustedes quédense con los Diez Mandamientos, que son leyes que protegen la propiedad privada! ¡No codiciarás lo de tu prójimo, no robarás...! Pero antes, antes, hay una profecía oculta, pero muy clara, el Partido Rojo es el camino a la libertad. ¡Lo dice la Torá!

—Bueno, pero mucho no los condujo, porque después estuvieron cuarenta años en el desierto.

—Bueno, esa parte... Hubo muchas disidencias... suele pasar cuando se quiere construir un nuevo orden. ¡Cuando está el Faraón, todo es muy fácil se le hace caso a lo que diga él, y ya está, pero cuando hay libertad, todo es más difícil, porque uno es parte del pueblo!

—¡Entonces uno no decide, si decide el pueblo!

—No, Kíjele, ¡uno decide aceptar lo que decidan todos!

—¡Seguro que en ese caso, se armaba cada metáfora terrible!

—¿Cómo, Púlquele?

—¡Seguro que decidían una cosa, pero después algunos decían que en realidad habían decidido otra! ¡Mi papá dice que es así! Dice que cada vez que el Zar dice tomar una medida a nuestro favor, termina siendo en nuestra contra. ¡Me tienen harta estas metáforas!

—Bueno, escuchen. ¿Vieron cómo somos los judíos en Tsúremberg, que siempre discutimos por cualquier cosa? ¡Bueno, me dijo mi papá que en el desierto eran igual! Así que Moisés decidió que hubiera unas leyes, y decir que esas leyes las había dicho Dios, los Diez Mandamientos.

—Pero ¿cómo va a hacer eso Moisés? ¿No es que el tercer Mandamiento dice "No nombrar a Dios en vano"?

—Sí, pero eso fue después de que Moisés les dijera los Mandamientos... antes se podía.

—Ah..., ¿y vos cómo sabes eso, Azoi?

—Porque mi papá, Motl Guéltindrerd, el emprende- dor, sabe muchísimo de leyes.

—Bueno, está bien pero, ¡cuarenta años en el desier- to...! ¿No era mejor que se hubieran ido a Nuyor, a pe- sar de la Estatua de la Libertad?

—Ninguna profecía de la Torá dice nada de eso... Moisés llevó a los judíos, después de cuarenta años llegaron a Canaán, y por eso ahora festejamos *Peisaj*, comemos *guefilte fish* de papa, *matze* de papa, y metáforas de papa.

—¡Tengo una pregunta que hacer, Shloime!

—Bueno, dale, en *Peisaj* se hacen cuatro preguntas. Se pregunta por qué comemos solo *matze*, cuando en los días comemos pan...

—¡Eso puede ser cierto en otros lados, pero acá come- mos *matze* cuando hay *matze*, y pan no hay casi nun- ca!

—Bueno, pero siempre hay un chico que se lo pregun- ta al *zeide*.

—¿Para recordar al Faraón, que era el *zeide* de Moisés?

—No, para que nadie se olvide.

—¿De qué?

—Eso mi papá no me lo aclaró.

"Le contarás a tus hijos... a tus hermanos, a tus ami- gos...", la tradición se mantiene... cambiando cada vez. Esa noche se diferenció del resto de las noches, en que no era de noche, sino de día. Y fue *Peisaj*, aunque no era *Peisaj*.

Capítulo 11

¿Nu, dónde vivimos?

Durante muchos años los tsúrelej no sabían dónde vivían, pero sabían dónde vivían. Es decir, tenían claro que ellos estaban en Tsúremberg, pero no tenían muy claro dónde estaba Tsúremberg. Quiero decir, los tsúrelej sí sabían dónde estaba Tsúremberg, si nos referimos a categorías como "acá, allá, cerca de Lomirkvechn, Blintzemberg y Shlejtelokshn, lejos de Moscú, muy lejos de la Tierra Prometida"; pero no podían decirlo con certeza si nos referimos a "ser parte de Rusia, Polonia, Rumania, Lituania". Esto se complica más si le agregamos una coordenada temporal, ¿a qué país pertenece "hoy" o, más aún, "mañana"? Ni siquiera "dentro de un rato" era un parámetro adecuado para definir la ubicación geopolítica de un pueblo ubicado justo en el camino de todos los invasores de la Historia.

Pero todos esos avatares no les complicaban la vida a los tsúrelej. Podían cambiar los opresores, pero no la opresión. Gobernase quien gobernase, ellos seguían leyendo la Torá y pidiéndole a Dios, como dijo Sholem Aleijem en *Tevie el lechero*, que conservase al Zar... lejos de nosotros.

Ellos vivían en el mismo pueblo que sus padres, abuelos y bisabuelos. No elegían vivir allí, simplemente, si eran tsúrelej, ¿dónde iban a vivir?, ¿en Moscú, en Varsovia, en Cachebondelijemfortz? No, Dios los había hecho tsúrelej para que vivieran en Tsúremberg: si hubiera querido que vivieran en Cachebondelijemfortz, los hubiera hecho Cachebondelijemfértzalej.

Pero lamentablemente Dios no era el único que opinaba. De hecho, cuando Él llevó a los judíos a Canaán y los dejó allí, en la Tierra de Leche y Miel, hubo pueblos que se atribuyeron el derecho de polemizar con el mismísimo Dios, y trataron de expulsar a los judíos del Reino de Israel. Parece que los filisteos, los caldeos, los griegos, los romanos, etc., tenían otros dioses.

Ahora los judíos no estaban en Israel, estaban en Tsúremberg. Desde que Tito había destruido el Segundo Templo de Jerusalén, en el 70 d. C., vivían en la Diáspora. Ni siquiera los que vivían en Israel vivían en Israel, ya que desde hacía siglos esa región era parte de Turquía, o del Imperio Otomano, como se llamaba entonces.

En más de 1.800 años los judíos habían sido expulsados de casi todas las regiones del mundo en las que habían vivido. En el siglo XIX, muchos lograron establecerse en una pequeña zona entre Polonia y Rusia. Pero últimamente, con los *pogroms* en aumento, y las actitudes antisemitas del Zar, comenzaron a pensar en... irse.

"Hay que irse antes de que nos echen", decían algunos. "¡Nunca nos van a echar, porque si nos vamos no van a tener a quiénes hacerles *pogroms*!", razonaban otros con un concepto muy extraño de supervivencia. "En Israel no hay *pogroms*", decían unos. "Tampoco hay Israel", respondían otros, "y cuando había, cuando teníamos nuestro país, nos invadían por todos lados. No terminábamos de defendernos de un ataque, que ya sufríamos otros, éramos 'el pueblo elegido para que los demás lo atacasen'".

En cada casa, en cada esquina, en cada charla, el tema surgía.

–¿Adónde querés que vayamos a vivir? ¿A Israel? ¡Pero si Israel no existe!

–¿*Nu*? ¿Acaso existía la primera vez, cuando Moishe Rabeinu condujo a los judíos cuarenta años a través del desierto? ¡No, no existía, y los judíos lo construimos! ¿Acaso existía cuando luego de que Nabucodonosor, que tenga tantas desgracias como todos nosotros juntos y algunas más, destruyó nuestro templo y nos llevó prisioneros a Babilonia, y solo pudimos volver cincuenta años después porque los persas nos liberaron? ¡No, no existía, y los judíos lo volvimos a construir! ¡Entonces, ahora, que tampoco existe, lo vamos a volver a construir, Pípike! ¡Si ya lo hicimos dos veces!, ¿por qué no lo vamos a volver a hacer?

—Justamente, Calman, justamente, porque si ya lo hicimos dos veces allí, y dos veces fue destruido, y eso sin contar todas las veces que trataron de destruirlo y no pudieron... ¿por qué hacerlo otra vez en el mismo lugar, que parece ser un lugar que a todos los demás les gusta destruir? ¿Por qué no probar en otro lado, en un lugar que no hayan destruido tantas veces? ¿Me lo podés explicar, Calman Farbrent?

—Oy, Pípike, sos mi mujer y te amo, pero hay cosas que las tenés que aceptar, porque sos mujer y las mujeres no leen la Torá.

—¿Y eso qué tiene que ver? ¿Acaso la Torá dice que hay que cometer varias veces el mismo error? ¿Acaso a vos te gustaría que todas las noches a mí se me quemaran las papas? ¡Al tercer día seguido te quejarías y me dirías: ¡¿Qué te pasa, Pípike?!, ¿no aprendiste de lo que te pasó ayer y anteayer? Y entonces yo te diría "lo que pasa, Calman, es que vos no leíste la Torá", ¡y vos te irías a dormir con el estómago vacío!

—¡Vos no entendés, Pípike!

—Pero las papas no las quemo, Calman...

—Eso es cierto, pero si leyeras la Torá.

—Dios no lo permita, sería un varón.

—Dejame seguir, Pípike... si leyeras la Torá, sabrías que la historia judía está llena de milagros, como cuando Moisés separó las aguas del mar Rojo para que pudiéramos huir de Egipto, o cuando Daniel el profeta hizo aparecer en la corte de Babilonia las tres palabras *menel*, *tekel*, *fares* que es "pesado, medido, calculado" en arameo, por los días que faltaban para la liberación, y ahora, parece que en Viena hay otro hombre que hace milagros.

–¿Freud, ese que dice que los *kishkes* hablan? ¿Eso es un milagro para vos? ¡Pasate tres días sin comer y vas a ver como tus *kishkes* hablan sin necesidad de Freud!

–No, Pípike, este se llama Theodor Herzl, y dice *"Im Tirzú, ein zu hagadav"*.

–¿Qué es, otra frase en arameo?

–No, es hebreo, y quiere decir: "Si ustedes lo quieren, he ahí el milagro". Si nosotros queremos que Israel exista, ¡entonces Israel va a existir!

–¡Pero qué lindo, qué hermoso, qué maravilla! Y decime una cosa, Calman, ¿de los *pogroms*, dice algo este hombre, Hershl?

–Herzl.

–Herzl... bueno, pero ¿dice por ejemplo "si ustedes lo quieren, los *pogroms*, no van a existir más...", o de las papas "si ustedes lo quieren, van a tener papas, cebollas, leche y hasta queso blanco para sus hijos"? ¡Ese sería el milagro, Calman! Ese sería, que no haya *pogroms*, y que haya leche y queso para nuestros hijos. ¿Sabés cuál es el milagro hoy, Calman, sabés cuál es? ¡Yo te voy a contar cuál es el milagro! Mirá: hoy a la mañana, cuando te fuiste, ¿había papas en casa? ¡No, no había!, ¿había pan?, ¡no!, ¿había plata?, ¡por supuesto que no! Ahora, cuando venís a cenar, ¿hay papas calientes y sopa, y hasta un poco de pan? Sí, hay todo eso, ¿cómo se obtienen todos esos alimentos? ¡Comprándolos! Pero para eso, hace falta plata... ¿y si uno no tiene plata? ¡Le puede pedir al vecino! ¿Y si el vecino tampoco tiene? ¡Entonces, solo con un milagro! Pues bien, Calman, ha sucedido un milagro... en nuestra mesa, hay como todos los días, sopa caliente, pan y papas para comer... Y si viene el doctor Herzl que decís, habría otro milagro más, nos arreglaríamos con lo poco que tenemos, para que él tampoco se quedase con hambre. ¡Ese sería el milagro!

–¿Estados Unidos? ¿Qué clase de nombre es ese para un *shtetl*?

—Reubén, yo no sé si es un *shtetl*, pero mi tío Bátrum se fue hace unos años, y mandó una carta diciendo que ahí todo cambia, ¿entendés?

—¿Tu tío Bátrum? ¿Quién es tu tío Bátrum?

—¿No te acordás?, acá se llamaba Bódzimer Shoingenug, pero allá le cambió todo, ¡hasta el nombre!, al idish lo hablan en inglés y... ¡todos son ricos!

—Ay, Iajne, peor todavía. Acá en Tsúremberg, yo soy pobre, pero todos los demás tsúrelej también son pobres. Y puedo decir que soy el pobre menos pobre, porque alguna vez me vieron como el rico del pueblo. Pero allá, si todos los demás son ricos, ¿qué voy a ser?, ¿"el único pobre"? ¿Te imaginás Iajne, lo que diría la gente?: "Ahí va Reubén, el pobre del pueblo, y ahí lo sigue su mujer, Iajne, la mujer del pobre del pueblo... parece que en Tsúremberg una vez fueron ricos, pero acá, son los pobres". ¿Te acordás cuando todos eran pobres menos nosotros, y entonces nadie nos hablaba, según dicen por respeto a nuestra riqueza, o cuando nos preguntaban por el precio de las acciones en San Petersburgo, como si yo pudiera saberlo? ¿Te acordás que era horrible quedarse afuera de las charlas, por ser rico? ¡Bueno, imaginate por ser pobre! ¡¡Mucho peor!! Todos se pondrían hermosas ropas y relojes de oro, y tomarían café de verdad, y harían negocios, y ¡ le agradecerían a Dios, porque de verdad tendrían algo para agradecerle! Y nosotros... afuera. ¡¡*Fehhhh*!! No, Iajne, no me gusta. Viste que acá en Tsúremberg tenemos una maldición "ojalá que seas el único rico de tu familia", seguro que allá tienen otra "ojalá seas el único pobre del pueblo".

—Pero Reubén, ¿qué tenés en tu pobre *képele*? ¿Vos me escuchaste lo que te dije? ¡TODOS son ricos! ¡O sea que si vamos para allá, nosotros también vamos a ser ricos!

—Sí, Iájnele, claro que sí, Iájnele... ¿sabés qué pasa? ¡Yo ya fui rico una vez, ya supe lo penoso que es ser rico cuando no se tiene ni un peso! Porque... ser pobre y no tener un peso, es algo tolerable, porque para eso uno es pobre, puede quejarse, rezarle a Dios para que lo haga rico, quejarse junto a los otros pobres, pero ¡¿ser rico y no tener un peso?! ¿Qué le vas a pedir a Dios, que te haga pobre de nuevo? ¿Con quién te vas a juntar para quejarte, con los otros ricos que sí tienen plata? ¡*Feeeehhh*!

—¡Pero si fuéramos a Estados Unidos, tendríamos plata, Reubén!

—¿Ah, sí? ¿Y por qué no tenemos plata acá, entonces? ¿Allá uno siembra plata y crece? ¡No lo creo! ¡Pero aunque fuera cierto, habría que tener plata para sembrar, y tampoco tenemos!

—Dios nos va a ayudar, Reubén.

—A ver, Iajne, decime, ¿cómo haría yo para rezarle a Dios en inglés, si no sé inglés? ¡Acá le rezo en idish, que es mi idioma, y no me da bolilla! ¿Te parece que Dios me haría caso si encima le rezo en un idioma que no entiendo? ¡Y si me hiciera caso, seguro que le pedí cualquier cosa: "plata, pero para el vecino", o comida abundante, pero para *Iom Kipur*, o capaz que en inglés se usa una palabra parecida para decir "dinero" y "*pogroms*"! O va a decir, ¿qué le pasa a Reubén, que en vez de rezarme en idish como lo hicieron siempre él, su padre, su abuelo y su bisabuelo, ahora usa un idioma *goi*? ¿Y Dios, entiende inglés?

—Reubén, tenés que confiar... mirá, los Vantz y los Kratznpupik lo están pensando...

—Bueno, pensalo vos también, si tenés ganas de pensar.

—¡O key!

—¿Y eso?

—No sé, según mi tío Bátrum lo dicen allá, debe ser la forma de decir "*Oy vey*", en inglés.

—¡*Oy vey*!

—¡O key!

—Argentina, Itkefrukte, Argentina.

—¿*Árguenen* Dina? ("matar a Dina", en idish). ¿Qué te

hizo la pobre Dina para que la quieras matar? ¡Vos estás medio *tsedreit,* Gueburstog!

—No, es el nombre del país que te digo.

—¡¿Pero cómo un país va a llamarse "matar a Dina?! ¿Qué clase de país es ese donde todos quieren matarla?

—Es uno muy lindo que queda muy lejos, y no se llama "Arguenen Dina" sino "Argentina".

—¿Y vos cómo sabés que es lindo, si queda tan lejos, y nunca lo viste?

—¿Cómo sé, que cómo sé, vos querés saber cómo sé…? ¡¿Qué se yo cómo sé?! Itkefrukte, las cosas se saben… ¡Yo sé que Dios hizo al mundo en siete días, y que dos más dos son cuatro, y que no nos sobran las papas a la hora de comer! ¿Cómo sé cada una de esas cosas? ¡No tengo ni la menor idea… simplemente… las sé! Y no se trata de que yo sea un hombre ignorante, Itkefrukte… mirá, el *rebe,* que sabe muuchas cosas más que yo, tampoco sabe cómo es que las sabe, ¡pero preguntale a Reb Jaim Piterkíjel cómo sabe él que Dios quiere que obedezcamos los Diez Mandamientos, y que todos sigan las mismas tradiciones por siempre, como si el tiempo no pasara y vas a ver que te va a decir que él lo sabe, porque… ¿de qué otra manera iban a ser las cosas? Preguntale a Reb Meir Tsuzamen cómo sabe él que en el futuro las cosas van a ser diferentes, y vas a ver que te va a decir que lo sabe porque lo sabe, y porque, ¿de qué otra manera iban a ser las cosas? Y ahora preguntame a mí por qué sé que Argentina es un sitio bonito, y te contesto que lo sé porque, ¿te creés que te llevaría allí si supiera que es un sitio feo? ¡No, Itkefrukte, si te quiero llevar, es porque es un sitio hermoso, lleno de árboles, de comida, y sobre todo ¡vacío de cosacos!

—Motl, mucha gente en el *shtetl* está pensando en irse.

—¿A Lomirkvechn, a Shmecovia, a Blintzemberg, Einecurvealeingueblibn, Gueshtorbeneshpilke, Trénengut, Vusbrejste?

—No, más lejos a una tierra mejor, de paz.

—¡¿Se puede creer algo así, se puede creer algo así?! Hermanos míos, compatriotas, amigos... ¿quién fue el visionario, el adelantado, el hombre que previó que todo esto pasaría, el emprendedor que antes de que la desgracia cayera sobre sus hermanos, los alertó...? ¡Un servidor, Motl Guéltindrerd! Pero ellos, vos, tus padres, mi padre, todos... ¡nada! ¡No me quisieron apoyar en mi búsqueda temeraria, en mi expedición en pro de salvar a todos mis hermanos, compatriotas y amigos... y ahora, ahora que todos quieren encontrar la Tierra Prometida, ¡nadie sabe dónde está! ¿Me querés decir adónde se van a ir, inocentes criaturas obedientes del fantasma de sus tatarabuelos? ¿Quien será su Moishe Rabeinu que los conduzca a salvo sin tardar cuarenta años? ¿Quién será su profeta Daniel, que sabrá el día y la hora de regresar a la tierra de Abraham y de Moisés después del exilio en Babilonia?

¿SU HIJA NO CONSIGUIÓ NOVIO, TODAVÍA?
¡YO TAMPOCO!

VENGA A MI CASA
Y LLORAMOS JUNTAS

MAJASHEIFE GUEBLIBN
MÁS DE 35 AÑOS DE QUEJAS

—Motl... ¿a quién le estás hablando? ¡Acá estoy yo sola, y no te entiendo nada!

—Por supuesto, Floime Beheime, por supuesto, está clarísimo que vos no me entendés... es más, ¡por eso me casé con vos!, ¡si me hubieras entendido, no te hubieras casado conmigo! Pero no, ¡ella, su padre, su madre, mi padre, todos insistían en que un hombre que había cobrado la dote, tenía que honrarla y casarse con la mujer que venía adosada a ella, o bien devolver el dinero! Pero, decime, Floime Beheime, ¿quién devuelve el dinero, quién? No sabés, eh... ¡claro que no sabés...! ¡Los tibios, los cobardes, los tontos devuelven el dinero... los emprendedores, los valientes, los hombres libres, lo invierten, lo arriesgan, nunca lo devuelven! Y de Motl Guéltindrerd se puede decir cualquier cosa, pero no que es un timorato... Decime, Floime, ¿acaso la gente del *shtetl* sabe dónde queda esa tierra de paz?, ¿sabe cómo llegar?

—No... bueno... yo no sé... supongo que harán como siempre, saldrán para algún camino, y ya verán cómo llegan... así llegaron acá, así viajaron con Abraham, con Moisés...

—Y alguna mujer se dará vuelta para mirar Tsúremberg por última vez y se convertirá en estatua de sal, como la mujer de Lot... Floime Beheime... ¿a mí me vas a venir con preceptos bíblicos? ¿Qué me querés decir, Floime? ¿Qué querés?, ¿irte? ¿Qué querés?, ¿quedarte? ¿Qué, mujer?

—Que no sé, a veces quisiera quedarme, pero me da miedo, y otras quisiera irme, pero me da miedo.

—¡Miedo, miedo! ¡El miedo es el pasado, Floime, la libertad es el futuro! Si los tsúrelej confiaran en mí, y me dieran dinero para que yo me arriesgase por ellos y buscase el sitio adecuado... ¡Pero no me comprenden, Floime, primero me obligan a casarme con vos, después a quedarme aquí!

—Nadie te obliga a nada, Motl, te podrías ir por tu propia cuenta y riesgo.

—¡¿Qué clase de irresponsable, que clase de egoísta sin remedio sería yo si sólo arriesgara mi propio capital?! ¡Jamás les haré eso a mis conciudadanos! Además, tenemos dos hijos, Floime, ¿qué clase de irresponsable sería yo si renunciara a cobrar la dote del casamiento de Azoi? ¿Qué hombre, qué judío sería yo si no tratara de casar a Míljique con un hombre bueno que la quiera, que la mantenga, y que además me preste dinero? ¡Voy a honrar la memoria de tu padre, Floime!

—Mi padre está vivo, Motl.

—Sí, pero siempre se acuerda de su dote... como si eso alcanzara para pagar por ti, Floime... ¡Vos valés mucho más que eso! ¡Tu padre te desvalorizó, me dio mucho

menos dinero del que realmente valés, y yo estoy dispuesto a conseguir la diferencia, de su propio bolsillo,
o del de cualquier otro! ¡Acá o en otro sitio! ¡Vas a ver!

El magnate Mainguelt Ostuguefunen era "más rico
que Rothschild juntos", según sus propias palabras. Tenía una hija "Tsúrele" y un hijo "Shmóquele" produc-
tos de su unión con Brívele Mitnajes, hija del
millonario Mainzunderdokter Mitnajes. Este también
trabajaba de magnate, y había amasado una cuantiosa
fortuna gracias a los billetes que él mismo supo impri-
mir; los famosos billetes "mainzunderdokter" que acu-
ñara en su viejo pueblito Shmecovia, y también en
Oremfortz, que era donde huían cuando la situación se
ponía peligrosa en Shmecovia. Mainguelt, el yerno de
Mainzunderdokter, había sucumbido al encanto de la
cuantiosa dote de billetes falsos, pero luego decidió inde-
pendizarse de su suegro y dedicarse a estafar a la gente
por cuenta propia. Hizo mucho dinero (y en este caso,
"hizo" puede ser literal), y luego, con una ética bastante
particular, decidió usar parte de su fortuna para ayudar a
los judíos a irse de Europa. Según sus amigos, para sal-
varlos de los *pogroms*, y según sus detractores, para salvarse él de los *pogroms*, ya que "si los judíos se fueran de
Europa los cosacos se irían con ellos y lo dejarían tranquilo", sostenía. Pero más allá de las críticas, Mainguelt
Ostuguefunen tentó a los judíos con un nuevo hogar, trabajo, riqueza, paz, o simplemente con un pasaje. Los invitó a establecerse en Manhattan, pero luego los llevó a
Entre Ríos, Argentina, sitio al que muchos tsúrelej llegaron de incógnito, sobre todo para ellos mismos que no sabían adónde estaban llegando.

—¿Y cómo es Nuyor, Shloime?
—¡Ahhhhhhhh!
—¿Y eso qué quiere decir?
—¿Acaso lo sé yo? Cada vez que le pregunto a alguien
cómo es Nuyor, me responden "¡ahhhhhhhh!", enton-

ces yo te digo ¡ahhhhh! Parece que todos se llaman Yankil allá, hasta los *goi*.

—¿Y hay tanta plata como me dijeron?

—Mirá, debe haber mucha, porque... no hay Zar.

—¿No hay Zar? ¿Y qué hay, Káiser, Rey?

—No, un señor que se llama *President*, que lo eligen cada cuatro años.

—¿Quién lo elige?

—¡Yo qué se! ¡Yo me llamó Shloime, no Yankil!

—Me dijeron que hay una estatua que tiene una antorcha encendida en la mano.

—¡*Oy vey*! ¡El monumento al *pogrom*! ¡Ni el Zar se atrevió a tanto!

—No... parece que es una mujer, y que es el símbolo de la libertad.

—¿La libertad, una antorcha? ¡La libertad es poder comer papas todas las noches, la libertad es que no haya *pogroms*, la libertad es poder rascarse en el templo, si te pica...! ¿Una antorcha?

—Pero es que ahí hay muchas papas, no hay *pogroms*, y podés rascarte todo lo que quieras.

—Y decime, esa mujer con la antorcha, ¿está alumbrando a un hombre que lee la Torá?

—No, que yo sepa. No hay ningún hombre en esa estatua.

—Ya entiendo a qué libertad se refiere...

—¿Buenos Aires? ¿Y eso en idish que quiere decir?

—¡*Gute shtinquen*!

—*Oy vey*, debe ser un lugar con muy feo olor, entonces.

—¿Por qué?

—¿*Nu*? Cualquier ciudad con buen olor, no necesitaría llamarse así.

—Mirá Mérishke, a mí me dijeron que es un lugar en el que la comida crece en el piso. ¡Un hombre se agacha y recoge *knishes*, *varéniques*, *guefilte fish*... ¡al revés que acá, Mérishke! ¡Es un milagro!

174

–¡Claro que es un milagro!, ¡¡es un milagro que un hombre se agache...!! ¡Acá leen la Torá y ni tienen la menor idea de lo que pueda haber en el piso! ¿Vos decís que en Gute Shtinquen los hombres se agachan y las mujeres leen la Torá?

–¿Cómo nos vamos a ir justo ahora que viene la revolución?

–¿No nos fuimos ya de otros lugares, Meir?

–Sí Tzebrójene, pero ¡justamente, nos fuimos porque no venía la revolución!

–¿Y cómo sabés que acá sí que va a venir?

–¡Ay, Tzebrójene!, las circunstancias históricas lo indican, y además el Partido lo dice, y Jatzotzera Zaimirmoijl y Dinstik Tumiratoive, mis fieles camaradas y yo, estamos seguros de que tiene razón.

–¿Por qué?

–Porque siempre tienen razón, incluso cuando se equivocan...

–¿Cómo van a tener razón cuando se equivocan?

–Porque cuando el Partido se equivoca, puede ser que se haya equivocado de momento, o de lugar, pero nunca, jamás, de concepto, que es lo importante: por ejemplo, pueden decir que va a haber una revolución aquí y ahora, y la revolución puede ser en Lomirkvechn, y dentro de veinte años, pero de lo que podés estar segura, es que si el Partido dice que va a haber una revolución, en algún momento y en algún lugar va a haber una revolución, ¡Dios lo quiera!

–¿Dios? ¿Qué tiene que ver Dios en esto, Meir?

–Tzebrójene, yo soy un *rebe*, creo en Dios que creó al Hombre, aunque no lo creó para que otro se aprovechara de él... ¿acaso en algún Mandamiento dice "Trabajarás seis días... para otro"? ¿O bien "Otros trabajarán seis días, para vos"?

–Pero el Partido no cree en Dios, y vos dijiste que nunca se equivoca...

–No, yo lo que dije es que se puede equivocar de fe-

175

cha y lugar, pero no de concepto. El Partido no puede creer que exista Dios... acá; porque es muy claro que si Dios estuviera acá, no permitiría que los hombres pobres la pasaran tan mal. Quizás cuando los romanos nos expulsaron de Canaán, Dios se quedó allí, y ahora no sabe dónde encontrarnos. El Partido no cree en ese Dios que nos dicen que quiere que seamos pobres, que no cambiemos nada, pero si apareciera Dios con una bandera roja gritando "¡De pie, los pobres de la Tierra!" vas a ver cómo el Partido creería. ¡Él tiene su lugar al lado de los tsúrelej, que son pobres como Él, si creemos que los hizo a imagen y semejanza! ¿Para qué nos vamos a ir a otro lado?

—Meir, ¿y el Zar, y los *pogroms*?

—No hace falta que yo crea en eso, Tzebrójene, ocurren igual. ¡Y yo no voy a dejar solos a los tsúrelej!

—¿De qué tenés miedo, Meir? ¿De que vengan los cosacos y no te encuentren? ¿De que se la pasen preguntando "Dónde está Reb Meir, que nos falta uno para el *pogrom*"? ¡Tenemos muchos hijos, Meir, y tenemos que cuidarlos, darles la oportunidad de un futuro mejor, en paz, salud y bienestar!

—¡¡Pero cómo puede alguien tener bienestar si los demás no lo tienen, Tzebrójene?!

—¡Yo no sé cómo, pero hasta ahora funcionó así! ¿O me vas a decir que el más pobre de los judíos tenía tantas esposas como el rey Salomón? ¿O me vas a decir que no hubo, históricamente, ricos y pobres? ¡Tenemos muchos hijos, Meir, y merecen un futuro mejor!

—En esto estamos de acuerdo, Tzebro, y es lo importante, porque ese es el concepto... en lo que no estamos de acuerdo es en el momento y el lugar, ¿por qué nuestros hijos no pueden tener un futuro mejor acá, en Tsúremberg?

—¡Porque si Dios se quedó en Canaán, y la revolución puede ser en París, o en Guerratevetkétzale, o en Vuguéistemberg, dentro de veinte años, o veinte mil, ¿quién va a darles ese futuro mejor a nuestros hijos?

¿Los cosacos, el Zar, Petlura, que se la pasan matando a nuestra gente? ¿Quién, decime, Meir, quién, acá?

—¿Y allá?

—¿Allá, dónde?

—Es lo que yo también quisiera saber, ¿allá, dónde? Tzebrójene, ¿ves que estamos de acuerdo?

Irse, quedarse, cambiar una tradición milenaria por otra de cuatro mil años... había que ser tsúrele para poder decidir lo más rápido posible... postergar la decisión.

Muchos se fueron por miedo al Zar, y otros, cuando ya no estaba el Zar, por miedo a "no saber a quién tenerle miedo". La Revolución del 17, y el nacimiento de la Unión Soviética prometían un futuro de absoluta igualdad, pero ¿iguales a qué, a quién?, porque para los tsúrelej el derecho a la diferencia era algo esencial. Siempre se sintieron diferentes, ni mejores ni peores que nadie, pero sí, distintos. Igual que aquellos judíos de la novela de Sholem Aleijem, *Tevie el lechero*, le pedían a Dios dejar de ser su pueblo elegido, no querían dejar de serlo por decisión de una revolución, que "una cosa es que Dios se canse de nosotros y nos deje tranquilos de una buena vez, y otra muy distinta es que hombres como nosotros decidan quitarnos esa condición que tanto nos costó mantener durante milenios". Hay quien podría afirmar que los judíos son un pueblo imposible de conformar, que siempre quieren algo más, otra cosa, ¿*nu*, es acaso eso un defecto?

Capítulo 12

Los rublos

¿Quién decide qué es justo y qué es injusto? Por los siglos de los siglos, entre los judíos y también entre los *goim*, esa tarea estaba reservada a Dios. Así de simple, y así de complicado. Los hombres podían descansar tranquilos, sabiendo que Dios les iba a indicar el camino correcto, pero, interpretar las señales de Dios siempre fue un trabajo arduo. No todos las entendían de la misma manera, y además no todos creían en el mismo Dios. Algunas civilizaciones (egipcios, fenicios, griegos, romanos, persas, etcétera.) creían en muchos dioses a la vez, que podían emitir juicios contradictorios entre sí.

Los judíos fueron una de las primeras, si no la primera, civilización monoteísta, lo que jurídicamente hablando, limitaba los fueros a la decisión de un solo Dios. Esto no es poco, pero no es suficiente. Porque si Dios era uno solo, muchos eran los que se arrogaban la facultad de ser sus intérpretes: sacerdotes, profetas, reyes e incluso hombres y mujeres comunes que quizás en público eran absolutamente sumisos a la voluntad de Dios según la versión de las autoridades, en privado la criticaban y pensaban que Dios quería otra cosa.

Por otro lado, los conflictos que se suscitaban entre las personas, los pueblos, las instituciones (más todas las combinaciones posibles), eran muchísimos, y seguramente Dios no daba abasto, por más omnipresente que fuera, para resolver todos en tiempo y forma. Si tenía que resolver la guerra contra los filisteos, y al mismo tiempo, decidir si un perro en disputa era de Moishe o de Shloime; o si Meir adquiría algún derecho porque el aroma de los *latques* que cocinaba doña Guefrújtene su vecina llegaba hasta su casa, Su trabajo podía llegar a superarlo, más allá de su divina condición.

Pero Dios, además de "su pueblo elegido", también

tenía otros pueblos a los que dedicarles su tiempo. Que no los "eligiera" no quería decir que no los aceptase y cuidase. De hecho muchos judíos sospechaban que hubiera sido mucho mejor no ser "pueblo elegido", y que los demás pueblos tenían la suerte de que Dios no les dedicase tanto tiempo. A veces se sentían como un juguete en manos de un niño caprichoso, y aunque esto pueda sonar herético, pensemos que si Dios hizo al hombre a su imagen y semejanza; todo hombre, primero fue un niño, así que...

En los tiempos antiguos, rabinos y sacerdotes se dedicaron a "hacer justicia" en nombre de Dios y apoyados en las leyes, que, como todo lo demás, tenían origen divino (aunque no muy comprobable, ese origen). Era mucho más fácil condenar a alguien "porque Dios así lo dispuso" que "porque a mí me parece razonable" o "porque eso es lo que quiero, ¡y basta!".

Cuando los judíos eran invadidos por otros pueblos, estos intentaban imponer las leyes de sus propios dioses y demás autoridades. Trataban, entre otras cosas, de imponer la idolatría. No sabían que era imposible, y no solamente porque uno de los Diez Mandamientos era "No idolatrarás", sino también porque en la "naturaleza cultural" (si tal expresión fuera posible) del pueblo judío, está el espíritu crítico, la imposibilidad de aprobar algo, o alguien, por más Dios que fuera, "a libro cerrado", sin revisarlo minuciosamente bajo la lupa de la propia opinión. A veces, a un costo terrible, como el caso de la mujer de Lot, que tuvo que darse vuelta a ver qué pasaba, no pudo creer lo que le habían dicho y se convirtió en estatua de sal.

Sometidos, entonces, a un doble código (sus propias leyes y las de los invasores), los judíos sobrevivían como podían, y muchas veces ese "como podían" era, interpretando las leyes de manera peculiar, relativizándolas, cumpliendo con la ley impuesta en público, y burlándose de ella en privado. Y nadie podría decir que no se hiciera lo mismo con las propias leyes y tradiciones judías.

¿Acaso no había codicia, deseo de la mujer del prójimo o adulterios, aunque los Mandamientos lo prohibiesen? Estamos hablando de seres humanos, de "un pueblo ordinario con una historia extraordinaria".

A partir de la destrucción del Segundo Templo de Jerusalén a manos del Emperador Tito, en el año 70 d. C., los judíos no tuvieron más país propio. Desparramados por el mundo, debían someterse a las leyes de los países que los cobijaban, leyes que muchas veces eran especialmente restrictivas y persecutorias para ellos. Y tenían, además, al *rebe* para dirimir las cuestiones cotidianas.

En Tsúremberg no solía haber grandes cuestiones que dirimir, ¿qué iban a hacer, pelearse por la posesión de una papa? Ya sabían que si se sometían al arbitrio de Reb Meir Tsuzamen, iban a tener que compartirla entre todos como buenos camaradas, e incluso dejar un pedazo para los cosacos; mientras que si el que mediaba era Reb Jaim Piterkíjel, la papa sería de Dios.

Dios seguía siendo la fuente de toda justicia, pero más por tradición que por cumplimiento efectivo, ya que los tsúrelej no notaban que hubiera mucha justicia en sus vidas, y "las" tsúrelej, menos todavía. Era poco creíble una justicia que permitiese los *pogroms*, que no castigase a los responsables de tantos crímenes; un mundo que obligase a los judíos a vivir en tales condiciones, y encima los sometiera a que cada tanto les quitasen sus pobrezas (de riquezas, nada), no era un mundo justo.

—La Justicia existió —decía Reb Piterkíjel— cuando Dios expulsó del Paraíso a Adán y Eva por haber comido del árbol del Bien y del Mal; cuando David venció a Goliat, cuando Salomón decidió quién era la madre del bebé que dos mujeres codiciaban, cuando Moisés nos entregó los Diez Mandamientos...

—La Justicia existirá —decía Reb Meir Tsuzamen—
cuando todos puedan tener una buena casa, buena comida, salud...

—¡Uno dice que la Justicia existió, el otro que existirá
en el futuro, pero nadie dice que existe ahora! —se que-
jaba Reb Simjastoire Nusslgrois, un pragmático de su
tiempo—. Nosotros quizás podamos viajar a Nuyor, o a
Gute Shtinquen, o a Varsovia, si los cosacos nos dejan,
pero ¡no podemos viajar al pasado, ni al futuro!

Una tarde en el Tsúkerke Café apareció una valija. Mejor dicho, una tarde se advirtió su presencia, pero nadie
podía saber si estaba allí desde hacía unos minutos o
desde hacía décadas. Bueno, décadas seguro que no. Lo
cierto es que Reb Shloime Vantz se iba a sentar a tomar
un tecito, y no pudo hacerlo, porque en la silla había
una valija. Era chica, más bien vieja, y estaba cerrada.

Reb Shloime llamó a Vísele Tsúkerke.

—¡Vísele, en mi silla hay una valija!

—¿Nu? ¿Cuál es el problema? ¡Sáquela y póngala en el
piso! ¿O también quiere que le sirva un té a la valija?

—¡Es que esa valija no es mía, y no sé de quién podrá
ser!

—¿Y acaso yo lo sé? Debe ser de... ¡alguien que se la olvidó! ¡No se haga problemas, Reb Shloime! Seguramente el dueño va a venir a reclamarla, o capaz que es de
alguien que emigró y dejó acá una valija llena de cosas
inservibles... no se preocupe, ¡estamos en Tsúremberg,
no corremos el riesgo de que la valija esté llena de oro,
ni de rublos! ¡Esas cosas la gente se las olvida en Nuyor,
en París, en Viena, incluso en Varsovia, pero acá, no!

Las palabras de Vísele atrajeron a los curiosos. No
porque tuvieran algo de especial, sino porque siempre
las palabras atraen a los curiosos. Pero, esta vez, además de palabras había una valija de dueño y contenido
desconocidos. Y eso sí era algo raro.

—¿Y por qué no puede alguien olvidarse una valija llena de dinero en Tsúremberg? –preguntó Reb Gueburstog Mequenbrejn.

–¡Nunca ha pasado, sería romper una tradición! –dijo Reb Simjastoire Nusslgrois.

–Además, digamos, para que alguien se olvide dinero acá, primero alguien tiene que traer el dinero a nuestro *shtetl*. ¡Y nadie lo hace! Acá la gente trae quejas, preguntas, hasta *pogroms*, pero ¡¿dinero?!

–Bueno, quizás sea un regalo de Rothschild.

–Los ricos no les regalan cosas valiosas a los pobres.

–¿Ah, no? ¿Se acuerdan de cuando nos regaló el coche?

–Justamente, ¿de qué nos sirvió el coche, sin la nafta? ¡Los ricos les regalan cosas a los pobres, pero con la condición de que los pobres no puedan usarlas!

–Bueno, pero un coche es algo valioso.

–¡Valioso para los ricos, que tienen nafta! Es como si nos regalaran entradas para el teatro, pero de París; o una montura para el caballo, como si alguien tuviera caballo; o un abanico importado, ¡para que nuestras *tsureiajnes* se hagan vientito con una mano mientras con la otra juntan las papas! ¡¿Cuándo te regaló un rico algo que te sirviera para algo?? A ver, el más rico de todos los ricos, el Zar, ¡¿cuándo firmó un decreto, un edicto, una ley que a nosotros nos viniera bien?! ¡Ellos solo nos regalan las cosas que les sobran y que nosotros no sabemos cómo usar!

–Entonces puede haber dinero, ¡porque a los ricos, les sobra!

–Pero si en esa valija hubiera dinero, ¿vos no sabrías cómo usarlo?

–¡Sí que sabría!

–¿Ves? ¡Entonces, no hay dinero!

–Momentito –este fue Reb Reubén Tsurelsky–, decime, Shloime, ¿cómo usarías el dinero?

–Bueno, yo lo pondría en un banco.

–¡En Tsúremberg no hay bancos!

–Entonces iría a Varsovia, y lo pondría en un banco, allí.

—Claaaro, y los cosacos sabiendo que llevás una valija llena de dinero, te dejarían llegar lo más bien a Varsovia, ¿no?

—Bueno, quizás los cosacos no sabrían qué llevo en la valija, quizás pensarían que llevo *shmates*, o papas, o *shmates de papa*, que no les sirven para nada.

—¿Y a vos te parece que si ven un judío con una valija, no lo van a atacar por las dudas? ¿O por deporte? ¿O por costumbre? ¿O por sacarse la curiosidad? ¡No! Shloime no sabe cómo usar el dinero, así que, ¡¡¡es posible que en la valija sí haya dinero!!!

—Pero... ¿y si la valija no era para Shloime?

—¿Y para quién va a ser si no?

—Bueno, podría ser para mí.

—Y decime, Gueburstog... si el dinero fuera tuyo, ¿me lo prestarías?

—Sí.

—Ves, ¡vos tampoco sabés usar el dinero! ¡Yo creo que hay dinero!

—Pero ¿cómo saber realmente de quién es? ¿Acaso el que dejó la valija nos avisó para quién era?

—¡Nooo, porque seguramente se la olvidó!

—¿Y esa es una buena manera de usar el dinero? ¡El que la olvidó, tampoco sabía cómo usarlo...!

—¡Entonces, casi seguro que hay dinero! ¡Porque si hubiera papas, los tsúrelej sí sabríamos cómo usarlas, así que los ricos nunca nos dejarían papas de regalo!

La noticia se difundió como reguero de *shnorer*; Kolnidre Medarfloifn se encargó de que todos lo supieran: había una valija, y aunque nadie la había abierto, la lógica más elemental indicaba que estaba llena de dinero. Pero ¿de quién era ese dinero? ¿Qué se hacía con ese dinero?

Por supuesto que entre los tsúrelej, Reb Jaim Piterkíjel dudaba de la existencia del dinero, porque, como él mismo explicó:

—¡No podemos creer en algo que aún no hemos visto!

Quizás algún tsúrele muy temerario se animase a comentarle:

—*Rebe*, en realidad usted tampoco vio a Dios, y sin embargo cree fervientemente en Él.

—¡Sólo un idiota necesita ver a Dios para creer en Él! ¡El mundo en sí es una prueba viviente de Su existencia! A ver, decime, ¿quién creó el mundo, si no es Dios? ¿Acaso el Zar dijo "hágase la luz, y la luz se hizo? ¡¿Somos "el pueblo elegido" del Zar, nosotros?! ¡O fue Rothschild, que viajó a otro planeta y compró mares, montañas, llanuras, plantas, animales y personas y las trajo acá? ¿O fueron los monos, como dice ese Darwin? ¡No, fue Dios, sólo Él pudo haber sido! ¡Sólo un idiota necesita ver a Dios para creerlo! ¡Y sólo un idiota puede creer en el dinero sin verlo! ¿Qué pruebas te dio el dinero de su existencia? ¿Creó mares, llanuras y montañas, hizo caer un diluvio, nos designó "su pueblo elegido? ¡Nada de eso hizo, y sin embargo los hombres creen en el dinero como si fuera una divinidad! ¡Uno de los mandamientos es "No idolatrarás"!

Algunos tsúrelej sentían la urgencia de abrir de una vez la valija y ver qué se hacía con el dinero que seguro estaba allí. Pero ¿cómo se hacía eso legalmente?

El más urgido era Motl el emprende(u)dor:

—Hermanos de mi vida, Motl Guéltindrerd nunca se quedó atrás a la hora de ponerle el pecho al dinero, y esta vez, nuevamente, me ofrezco a aliviaros de tan penosa situación, de tanta discusión, de tanto tormento mental. Yo me haré cargo de la valija, y de su contenido, y si resultase que es dinero, de invertirlo y haceros llegar vuestra parte de las eventuales ganancias que devengaran.

La generosidad de Motl se vio nuevamente postergada, aunque su codicia, quizá levemente adormilada por su condición de padre de familia, despertó nuevamente. Tampoco había muchas otras ideas, y decidieron esperar, pensar, y luego ver qué se hacía.

Algunos vecinos recomendaron esconder la valija en algún sitio del que Motl, y otros posibles codiciosos no tuvieran noticia, para dejarlo a salvo. Pero a decir verdad, no encontraron ningún lugar potable, porque a la hora de hacer el listado de "tentados", se dieron cuenta de que los únicos que no pertenecían a esa categoría, eran los que no creían que allí hubiera dinero. Por supuesto que Reb Piterkíjel no admitió que la guardaran en su templo, por tratarse de algo tan sacrílego. Le insistieron que dado que él no creía que hubiera dinero, no entendían qué tenía de sacrílega la valija para él. Reb Jaim les contestó:

—¡No idolatrarás! —Y con eso dio por zanjada la cuestión. La valija no iba a permanecer en su templo.

Tampoco, por cierto, en el de Reb Meir Tsuzamen. A él no le preocupaba lo que pudiera haber en la valija, sino que la valija en sí misma, era, sin duda, un elemento de distracción creado por los poderosos de siempre para que el pueblo centrase su atención en la posibilidad de progresar de una manera fortuita e individual, y no de una forma colectiva y revolucionaria, que es como corresponde.

—¡De ninguna manera voy a esconder ese objeto en mi templo! ¡Es un sinónimo de tentación, es como el fruto del Bien y del Mal, que Adán y Eva comieron, no lo compartieron con el resto de los habitantes del Paraíso, y por eso Dios los echó! ¿O acaso ustedes creen que Dios los echó por haber comido? ¿Qué Dios va a condenar a un hombre o a una mujer simplemente por comer? ¡Si Dios no hubiera querido que lo comieran, simplemente no lo hubiera puesto allí! ¡Pero esa actitud individualista y poco solidaria de Adán y Eva nunca pudo haber sido buena a los ojos de Dios! ¡Miren si el resto de los animales también hubiera comido! ¡Todavía estaríamos en el Paraíso y todos los animales serían inteligentes!

—¡Pero *Rebe*, si todos los animales fueran inteligentes

185

como nosotros, no podríamos comerlos! ¿Qué comeríamos en el Paraíso?

—¡Papas comeríamos!

—*Rebe*, ¿qué diferencia habría con lo que comemos ahora?

—¡Que estaríamos en el Paraíso! Mirá, Moritz, es muy difícil de explicar, porque ninguno de nosotros estuvo nunca en el Paraíso, pero ya vas a ver, cuando venga la revolución, ¡vamos a construir un nuevo paraíso, y nadie nos va a echar! ¡Porque toda la Tierra va a ser un paraíso, los hombres van a ser felices, los perros van a ser felices, las vacas van a ser felices!

—¿Y las mujeres?

—Por supuesto, ellas también.

—¿Y los cosacos?

—También.

—¡Oyoyoyoy...!

—¿Y los ricos, *Rebe*, van a ser felices los ricos en el Paraíso?

—No va a haber ricos en el Paraíso, todos van a tener lo que necesiten, sin necesidad de dinero.

—Y dígame, *Rebe*, ¿quién va a determinar qué es lo que yo necesito?

—Ay, Moritz, ¿acaso te creés que tus necesidades son tan distintas a las de los demás? ¿Qué necesitás vos, una valija llena de plata? ¿Necesitás un palacio, un ejército, un bosque para vos solo?

—No, *Rebe*, pero ya que pregunta, me gustaría comer de vez en cuando unos *blintzes* de queso, un trocito de *leikaj* de miel, un poco de carne recién cocinada, *guefilte fish*, y disfrutar del fueguito de una chimenea, un paseo, un saco nuevo, un vestido para mi Fráguele, y para mis hijos... no digo que los necesite, *Rebe*, con las papas puedo vivir, pero, esas cosas, ¡me gustan! Y supongo que con la plata que hay en la valija, me alcanzaría para eso.

—Moritz, eso está muy bien, el problema es que no alcanza para los gustos de todos, ¡y eso los ricos lo saben muy bien! Como no quieren satisfacer a todos, nos dejan valijas como esta para que nos peleemos entre nosotros. ¡No les demos el gusto!

—¡Yo no les quiero dar el gusto a ellos, *Rebe*, me quiero dar el gusto a mí!

—¡Pero si te das el gusto a vos solo, les estás dando el gusto a ellos!

—¡Pero *Rebe*!, ¿qué les pueden importar a los ricos unos *blintzes* de queso? ¿Qué le van a hacer unos trozos de *guefilte fish* a la revolución? ¿En qué puede definirse el futuro del proletariado que mi Fráguele tenga un vestido más o no?

—¡En lo mismo que cuando Adán y Eva comieron del árbol y no lo compartieron, se perdieron el Paraíso! ¡Basta de darle tanta importancia al dinero...! ¡No idolatrarás, no idolatrarás!

La valija y su contenido se transformaron en un problema. Por un lado, implicaba riquezas y la posibilidad de concretar algunos sueños. Pero por otro lado, ¿cuánto tiempo tardarían los cosacos en enterarse y hacer un *pogrom* para llevarse las riquezas? ¿De qué servirían todos los esfuerzos, el proyecto del cartel, toda la tradición de pobreza del *shtetl*, si los cosacos se enteraban de que había una valija llena de dinero? Por otro lado, sin valija alguna, igual ya había habido *pogroms*. No se trataba de que los cosacos necesitasen una excusa, eran muy buenos en inventarlas, o simplemente en obviarlas. A los tsúrelej también les daba miedo que el mismísimo Zar se acordase de repente de que en sus dominios había una pequeña aldea llamada Tsúremberg, en la que habría una valija llena de dinero y la reclamase, y después no hubiera dinero de verdad. Porque ellos estaban seguros de que, mientras nadie abriese la valija, allí había dinero, pero una vez abierta, vaya uno a saber lo que había de verdad.

Pero la valija también era la promesa de un futuro mejor: el *shadjn*, Reb Jolodetz Saltzn, imaginaba los cientos de jóvenes solteros que se acercarían a Tsúremberg, tentados por "una maravillosa dote, una valija llena de oro", y eso haría florecer el negocio en la aldea. De nada valía que algunos vecinos le dijeran que con esa tentación solo se acercarían jóvenes que no tuvieran un centavo, con lo que difícilmente florecería negocio alguno, ya que los negocios, para florecer, generalmente necesitan clientes con dinero. El *shadjn* veía a la valija con un atractivo sin par, se imaginaba a Tsúremberg como la "capital nacional del casamiento". Alguien le comentó:

—¡Pero Reb Jolodetz!, supongamos que le damos la valija a un novio, como dote... ¡luego de esa boda nos quedamos sin el dinero!

Reb Jolodetz, que conocía muy bien su negocio, aclaraba:

—Ustedes saben de papas, pero no de casamientos... cuando ustedes se casaron... ¿sabían realmente cómo iba a ser su futura esposa en unos años, o unos meses? ¡No, ustedes se casaron con una promesa, con una posibilidad! ¡Bueno, esto es lo mismo! En Tsúremberg hay una valija, que "puede" estar llena de oro, que "puede" ser parte de una dote... ¡Es mucho más que lo que tienen otros pueblos! Estoy seguro de que Motl el emprende(u)dor se volvería casar con Floime Beheime, si lo tentaran con algo así.

Y no se equivocaba Reb Jolodetz. Motl suspiraba, transpiraba, se exasperaba pensado en la valija. Y tampoco era el único:

—¡Esa valija te pertenece, Reubén! —decía doña Iajne Tsurelsky—. ¿Acaso el dinero no es de los ricos? Bueno, ¡vos sos el rico de este pueblo!

—Fui... Iajne... fui, y además, acordate, era "el rico más pobre". Además, seguro que si me dan la valija, la abro, está llena de *shmates*, y encima vienen todos a pedirme préstamos. ¿Y qué les voy a prestar?, ¡¡*shmates*?!

Reb Kolnidre Medarfloifn también estaba inquieto:

—¡Tienen que decidirse de una vez por todas y darle la valija a alguien! Si no, ¿a quién le voy a pedir plata yo? ¡No se puede jugar así con los sentimientos de un *shnorer*!

Reb Shmulik Groistsures decidió terciar y proponer que la aldea pusiera un aviso en el *Tsúreldique Tzaitung:*

> # ENCONTRAMOS UNA VALIJA. CREEMOS QUE ESTÁ LLENA DE PLATA
>
> # NO SABEMOS DE QUIÉN ES ¿NU?

Para variar, su sugerencia no tuvo éxito, ya que los tsúrelej consideraban que el rumor era el medio más seguro de que todos se enterasen de una noticia.

Una mañana, la valija desapareció. Nadie recordaba dónde había quedado exactamente la noche anterior, pero la buscaron en todos los lugares posibles, y en algunos imposibles, y no estaba. Por la tarde, se sumó un segundo misterio, y se resolvió el primero. Floime Beheime Tzimes comentó alarmada que desde hacía varias horas nadie sabía el paradero de su queridísimo marido, Motl Guéltindrerd, el emprende(u)dor. Poco después, se dieron cuenta de que nadie sabía dónde estaba Motl, pero entonces todos sabían dónde estaba la valija... con él.

La indignación recorrió las calles y las casas de Tsúremberg. Era cierto que muchos veían a la valija como una fuente de problemas, y a Motl Guéltindrerd como otra fuente más, pero no era cuestión de que esas dos fuentes desaparecieran a la vez, y menos, juntas. No porque se fueran a quedar sin problemas, ese riesgo no lo corrían, sino, simplemente porque no era cuestión. Los tsúrelej tenían derechos adquiridos sobre sus propios problemas, habían trabajado para conseguirlos y les molestaba mucho pensar que ahora los de Lomirkvechn, o los de Shmecovia, o los de Vuguéistemberg se estuvieran aprovechando de los problemas de Tsúremberg para quejarse.

Además de los problemas, Motl se estaba llevando sus esperanzas. Aunque de alguna manera, les estaba abriendo otras: al no saber qué había en la valija, la posibilidad de que estuviera llena de dinero seguía vigente.

—Si la valija está vacía, Motl va a volver.

—Y si está llena de dinero, también va a volver, solo que habrá que esperar el tiempo que tarde en perderlo todo.

—Pero no es justo que nos haga esto.

—No, no es justo. ¿Pero acaso hay justicia?

De pronto, Tsúremberg era un gran tribunal y Motl era, nuevamente, juzgado. Ya había sido condenado a casarse con Floime Beheime, de apuro (él se apuraba a irse cuando fue detenido y casado). Pero ¿quién sería el juez? No estaba muy bien eso de juzgar a un hombre sin que estuviera presente y pudiera defenderse. Aunque estaba muy claro que Motl era culpable. ¿O podía alguien huir con la valija llena de dinero y ser inocente?

¿Y si en la valija no había dinero, eso cambiaba algo? ¡En ese caso Motl quedaría como un tonto, más digno de ser un *jélemer* que un tsúrele, pero igualmente culpable! Pero ¿cómo harían para que cumpliera la condena, si él no estaba allí? En ese caso Motl no se atrevería a volver, porque, como él mismo decía, Motl Guéltindrerd, el hi-

jo de Abraham Reitefíselaj Guéltindrerd, tenía una reputación que defender, y podía pasar por estafador, ¿qué
empresario no corre ese riesgo?, pero no, ¡nunca, por un
tonto!

Pasó el tiempo, como siempre. El "juicio" se iba dilu-
yendo, sin que hubiera noticias ciertas de Motl. Falsas,
o no comprobables, había muchísimas: que estaba en
Nuyor juntando oro del piso y metiéndolo en la valija;
que con la plata de la valija se había establecido en París, donde triunfaba como *shnorer*; que le habían roba-
do la valija y ahora estaba recorriendo el mundo para
recuperarla; que en la valija no había plata sino el mapa de un posible tesoro escondido, y Motl estaba buscando inversores para ir a buscarlo; que estaba en Gute
Shtinquen, trabajando como *cuéntenik*, vendiendo las
cosas que había en la valija, etcétera.

No había tsúrele que no tuviera su propia teoría, o su
propio rumor, sobre el paradero de Motl. El *Tsúreldique
Tzaitung* organizó un concurso en el que quien tuviera
la tesis más divertida sobre Motl, ganaba una suscripción. A los tsúrelej lo de la suscripción mucho no les in-
teresaba, pero ¡un concurso es un concurso, y hay que
participar!, por lo que en cada casa, en cada familia, se
jugaba a "¿Dónde está Motl el emprende(u)dor?". Llegaban a imaginárselo en la Luna, en África, como primer
ministro del Zar en Moscú, todo era posible.

¿Y la valija? Nadie sabía nada, pero todos insistían en
que "no era justo" que Motl se la hubiera llevado.

El tiempo siguió pasando, y todos fueron encontran-
do otros temas de qué quejarse. Floime Beheime se hizo a la idea de que debía criar sola a sus dos hijos, lo
que no cambiaba demasiado su situación, aunque a la
hora de la comida había una boca menos que alimentar.

Dicen que un *cachivachnik* pasó un día por el Tsúkerke
Café buscando una valija que "tal vez se hubiera olvidado allí". Cuando dijo que había "unos pañuelos vie-

jos", todos supieron que no se trataba de la misma valija. La que ellos habían encontrado en el Tsúkerke Café estaba llena, llena de sueños.

Capítulo 13

¿Podemos hablar de sexo?

Si guiado por la aparente ingenuidad de
estos relatos algún lector creyera que los
tsúrelej eran puritanos o abstinentes, ese lector
estaría por cierto sumamente equivocado... Los
tsúrelej y las tsúrelej eran tan sexuados y sexuales como los habitantes de cualquier otro *shtetl*, ciudad o
país. Y además se casaban y tenían hijos, aunque no necesariamente con quienes ellos o ellas deseaban, sino,
como nuestro lector ya habrá sospechado, con quienes
sus padres, el rabino y el *shadjn* designaban como su
futuro marido y/o mujer.

La actividad conyugal, extraconyugal, o preconyugal
por excelencia, vale decir el sexo, formaba parte de la
cotidianeidad tanto como el rezar, el criticar o el comer
(quizás más que esto último, ya que nadie puede comerse dos veces una misma papa).

¿Por qué, entonces, se preguntará nuestro lector sorprendido, el sexo ha estado, no digamos que del todo,
pero sí podemos decir que "casi" ausente de estos relatos? La respuesta es simple, aunque compleja a la vez,
como la mayoría de las cosas: el sexo en Tsúremberg

formaba parte del ámbito de lo privado, de lo que cada uno reservaba para sí mismo, y, a lo sumo, para su compañero/a de intimidad.

Los tsúrelej no presumían de sus riquezas materiales, primero porque no las tenían, y segundo, porque de haberlas tenido, la exhibición hubiera sido una forma inmediata de dejar de tenerlas a través de: 1) un *pogrom*, 2) impuestos, ó 3) insistentes y constantes pedidos de ayuda del resto de la población. Tampoco presumían de sus hazañas sexuales. En el caso de las mujeres, estaría muy mal visto y jamás sería considerado una hazaña el tener relaciones fuera del matrimonio. Reb Meir Tsuzamen podría aceptar la libertad social entre el hombre y la mujer, pero ¿la sexual? Y las relaciones dentro del matrimonio, aunque algunas veces constituyeran verdaderas hazañas, ¿quién querría presumir?

Los varones tampoco presumían. ¿Por qué no? Veamos: si la compañera sexual no había sido su propia esposa, sino la esposa de otro, confesar las relaciones sería admitir el adulterio, infringir uno de los Diez Mandamientos. ¡Y una cosa era transgredir una norma sagrada, y otra mucho más grave era confesar con orgullo el haberlo hecho! La falta de culpa podía ser condenada por toda la sociedad, incluso por los que habían transgredido la misma ley, pero simulaban, o estar compungidos por haberlo hecho, o no haberlo hecho.

Podía ocurrir que la muchacha en cuestión no fuera la esposa de nadie, que fuera soltera. En ese caso el silencio era para protegerla a ella. Estamos hablando de finales del siglo XIX, en Inglaterra regía la rígida moral victoriana. En Tsúremberg no, pero tampoco era cuestión de que una soltera tuviera relaciones con un hombre; le hubiera complicado la vida al *shadjn*, a la hora de conseguirle marido. La "experiencia sexual" no podía ser presentada como una virtud de la muchacha, no en Tsúremberg, donde podían ser progresistas, pero conservadoramente progresistas.

La tercera posibilidad era que se tratase de la propia

esposa, pero ¿qué varón se vanagloria de una cosa así? ¿Podemos imaginarnos a Reb Shloime Vantz, sentado en el Tsúkerke Café, tomando su té de papas mientras se vanagloria del sexo con su Mérishke? ¿O Reb Meir y su Tsebrójene? ¿O al mismísimo *rebe* Piterkíjel, hablando de las maravillas de su Grepche y lo bien que la pasan juntos en la cama? No, Reb Jaim jamás haría algo así, ni siquiera aceptaría que otro hombre lo hiciera en su presencia:

—¿Potencia? ¡El único Omnipotente es Dios! ¿Quién te crees tú, pequeño judío, por siete, diez o quince hijos que puedas haber tenido y ahora ni sabes cómo alimentarlos? ¡Dios nos hizo a todos, miles, millones, a todos...! Ni todos los hombres juntos hubieran podido hacer lo que Dios hizo solo... ¡Crear vida! ¡Porque todos los hombres, aunque quisieran, no podrían dar origen a un solo ser humano más, sin una mujer!

Pero en Tsúremberg había sexo. Varones y mujeres lo hacían con deseo, pasión, ortodoxia, culpa, placer, tradición, a favor y/o en contra de los mandatos bíblicos. El dicho "pueblo chico, infierno grande", no podría aplicarse a Tsúremberg, que podía ser un pueblo chico, pero en ningún caso era un "graaan" infierno. No podía ser una gran tragedia, con un poco de suerte, era una comedia de enredos.

—Rifke, ¡vos me engañás! ¡Lo sé!

—Pero, Alevái... ¿de dónde sacaste una cosa así? ¿Quién te puede haber dicho algo semejante?

—¡Nadie me lo dijo!

—¿Lo ves? ¡Nadie te lo dijo, entonces es absolutamente y totalmente falso!

—¡Yo mismo lo soñé!

—¿Lo soñaste? ¿Vos soñaste algo así y entonces te parece que es cierto? ¡¡Pero qué sos vos?!, ¡¡psicanalisto, que adivina los sueños?!

—No te hagas la tonta, Rifke Marantzn, que sos mi mujer... Yo lo escuché al *Dokter* Víntziquer Psíquembaum, él es científico, y además vino de Viena, que es de donde vienen los científicos, y él dijo que en todo sueño hay un deseo, así que si yo soñé que me engañaste, ¡es que vos me engañaste, o querías engañarme!

—Escuchá. Alevái... si vos soñaste, y en todos los sueños hay un deseo, entonces, si es "tu" sueño, es "tu" deseo, ¿entendés? ¿Vos querés que yo te engañe?

—¡Que sea "mi" sueño, no quiere decir para nada que sea "mi" deseo! ¿o acaso mi casa no es también tu casa, mi cama no es tu cama, mis papas no suelen ser tus papas, también?

—Para tener dos casas, hay que ser ricos, ¿qué somos, ricos, nosotros? ¿Dónde soñaste que éramos ricos? ¿Por qué no me hablás de ese sueño?

—Porque no soñé que somos ricos.

—¿Y por qué no soñaste que somos ricos, ya que podías soñar lo que quisieras? ¡Tenemos una sola casa mucho más chica que la quisiéramos, una sola cama mucho más dura de lo que quisiéramos, y unas pocas papas, "mucho más pocas" de las que quisiéramos!

—¡No me critiques mi sueño! ¿Acaso yo te critico los tuyos?

—¿Ves, ves? Justamente, Alevái, no somos ricos, pero ¡soñar, todavía es gratis! ¡Y podemos tener un sueño cada uno!

—¿Gratis? ¿Vos decís que soñar es gratis? Un judío pasa un día enterándose de desgracias nuestras y ajenas, antiguas y futuras, de todo lo malo que le puede pasar si no obedece los Mandamientos, sumado a lo malo que ya le pasó obedeciéndolos. Después llega a su casa, y ¡más desgracias! ¡Poca comida, frío en invierno y calor en verano, la mujer que lo mira con cara de cansada!, ¿sabés lo que le cuesta a ese judío soñar un poco, Rifke? ¿Sabés lo que le cuesta sacarse de la cabeza todo lo que tuvo que sobrevivir un solo día?

—Noooo, Alevái, ¿cómo lo voy a saber yo, si solo soy una mujer? Hoy lavé, cociné, crié, limpié, sequé, lloré, grité... pero no tuve que lamentar la ira del Faraón, ni la inclemencia de Nabucodonosor, ni temí que Hamman el desalmado nos matase... Así que, ¿por qué iba a tener yo dificultades para dormirme? Pero ¿sabés qué, Alevái?, a pesar de los faraones, las papas, los *pogroms* y los mismísimos *rebes*, yo, Rifke, por un ratito puedo soñar con que soy quien quiero y hago lo que quiero.

—¿Sí?, ¡engañarme, eso es lo que querés!, ¿no? ¡Acostarte con otro hombre!

—Decime una cosa, Alevái, y, por favor, no lo tomes a mal, ¿puedo saber, al menos con quién me acostaba yo en tu sueño?

—¿Ves, ves? ¡Ahora no solo admitís que te acostás con otro hombre, sino que además querés saber con quién! ¡Nunca te lo voy a decir! ¡Nunca! ¡Será un secreto entre él y yo!

—¿Qué es un hombre sin una mujer? ¿Y sin dos? ¿Y sin tres? ¡Como que me llamó Ítzele Samovar Bolinsky, que yo nunca entendí esto de la monogamia! O mejor dicho, sí lo entendí en lo que tiene que ver con estar casado; ningún hombre podría soportar todas las noches a dos o tres mujeres a la vez reclamándole por lo poco que trae a casa, como si fuera función de él aportar todo lo que una casa necesita. La función del hombre es pedirle a Dios, y luego, Él proveerá, o ella proveerá, depende de qué se trate. Uno llega cansado después de tooodo un largo día de intentar ser escuchado por Dios, lo que es difícil en medio de tantos otros judíos que también quieren ser escuchados, y todos hablamos al mismo tiempo, y seguramente en otros pueblos también hay otros judíos que quieren ser escuchados, y no me extrañaría de que también haya *goim* que quieran ser escuchados, y entonces uno tiene que hacer un gran esfuerzo para que Dios lo escuche y la mujer de uno pueda esa noche poner algo más que unas papas en la mesa. Y para que Dios escuche a la mujer de uno, así no tiene que escucharla uno.

Pero la mujer de uno, que consiguió las papas gracias a los ruegos de uno, no sabe agradecérselo al hombre con un poco de sexo y nada de reproches. Ella pide más... de lo que sea, más. Y uno quiere más, no es que no quiera, pero ¡uno necesita un mimo! Y si pueden ser varios, mejor, y si pueden ser varias, ¡mejor todavía! Pero a las mujeres no les gusta que uno esté un rato con otra... son muy celosas, y no toleran, no les entra en la cabeza que uno pueda llegar a su casa de mejor humor si primero retozó un poquito en otro lado... ellas creen que en ese caso uno no va a tener la energía necesaria para escuchar sus reproches, porque ya estuvo escuchando los reproches de la otra. Pero con "la otra" no hay reproches, no puede haberlos, porque si hay reproches, no hay más "otra". Esto todos los hombres lo saben, aunque ningún *melamed* te lo enseñe, y ningún *rebe* te lo explique mientras te prepara para tu *Bar Mitzvá*. Y después del sexo, un hombre llega a su casa con la mente más fresca para poder, ahí sí, soportar los reproches, o bien, no escucharlos. Las mujeres griegas, las romanas, sabían esto, tenían muy claro que si el marido les decía que se iba a la guerra a pelear contra los atenienses, lo más probable es que no fuera "contra", sino "con", y no fueran "los", sino "las" atenienses. Y cuando su marido volvía, años después, sonriente, lo confirmaban. ¿Qué hombre volvería sonriente de una guerra de verdad? ¿Qué placer podía haber en matar a otros que a su vez tratan de matarlo a uno? ¡Ninguno!, ¡como que me llamo Ítzele Samovar Bolinsky! ¡Los judíos sabemos muy bien lo que es escapar de la muerte, y que eso no da ninguna satisfacción! ¡En cambio el sexo...! ¡Ah, eso sí, aunque depende de con quién!

¿Julio César conquistó Francia? ¡No, a las francesas! Así como para conquistar Egipto, lo que hizo fue seducir a Cleopatra... Pero ¡las mujeres judías nos quieren para ellas solas! El pueblo que instauró el monoteísmo, eso está bien, pero, ¿la monogamia? ¡Como que me llamo Ítzele Samovar Bolinsky, que eso está muy mal!

—Dale, Alevái, decime, ¿con quién me acostaba yo en tu sueño?

—¡Rifke Marantzn! ¡Ninguna mujer decente quiere saber con quién se acuesta en los sueños de su marido! ¡¿No podrías haber usado, por lo menos, el sueño de algún otro?!

—¡Era un sueño, no es para tanto!

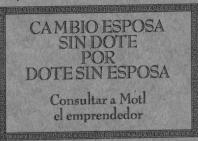

CAMBIO ESPOSA
SIN DOTE
POR
DOTE SIN ESPOSA

Consultar a Motl
el emprendedor

—¿Cómo puede un hombre sentirse digno si su mujer lo engaña ante sus propios ojos cerrados, me podés decir? ¿Cómo puedo ir mañana por la calle, cómo puedo entrar en el templo, cómo puedo presentarme ante el resto de los hombres dignos que viven en esta ciudad si todos saben que mi mujer se acuesta con otro hombre?

—¡Pero Alevái...! ¿Por qué lo iban a saber ellos, si solo ocurrió en tus sueños?

—En Tsúremberg se sabe todo, Rifke, se sabe todo. No se dice, pero se sabe... además, ahora está el psicanalisto que adivina los sueños

Bródifke Oisguebrajt abrió la puerta. Frente a ella, un hombre, un vendedor, un galán.

—¿Ítzele Samovar Bolinsky, el *cachivachnik*?

—El mismo.

—¿El de "pague hoy, mañana le traigo"?

—Sí.

—¿Y qué quiere, si se puede saber?

—Decirte que me gustás mucho.

—No estoy en venta.

—No... solo me gustaría acostarme con vos.

—¡Pero cómo se atreve! ¡Soy una mujer soltera!

—Justamente por eso... si fuera casada no me atrevería.

—Pero yo tengo una reputación que mantener.

—¿*Nu*? ¿Quién se va a enterar?

—¿Cómo quién? ¡Todos! ¡Estamos en Tsúremberg, se sabe hasta lo que uno sueña! ¡Hasta lo que es mentira, enseguida lo sabe todo el mundo!

—¿*Nu*? Si es mentira, qué importa.

—Mire, Ítzele, seguramente usted conseguirá mujeres con facilidad, por algo es *cachivachnik*, va de un pueblo a otro juntando plata a cambio de promesas... Pero usted se va, y yo me quedo acá, ¿entiende?

—No.

—¿Cómo voy a mirar de frente al resto de la gente?

—¿Y por qué no? ¿Qué tiene de malo?

—Los Diez Mandamientos, Ítzele.

—No los tengo acá, pero si me da unos centavos, en unos días se los consigo.

—No se haga el *cachivachnik* conmigo, Ítzele, que así no va a conseguir nada. Yo ya tuve un novio, pero se fue a hacer el servicio militar en el ejército del Zar... no creo que vuelva.

—Y si vuelve, después de diez años de ejército... seguro que es poco lo que quedó de él. Pero por unos pesos, le puedo conseguir un novio nuevo. Es más, si se acuesta conmigo, le consigo un novio... gratis.

—¡Atrevido!

—Bueno, si quiere, le consigo uno atrevido, aunque no sé si es lo que le conviene.

—¡Insolente!

—No, de esos no trabajo....

—Basta, Ítzele, no pienso acostarme con usted.

—¿Y comprarme unas servilletas?

—¡*Dokter* Víntziquer, mi marido soñó que me acostaba con otro hombre!

—¿*Nu*? ¿Y qué? ¿Quieren saber a qué número de la lotería jugarle? ¡Yo ya les dije que no soy adivino!

—Yo ya lo sé, usted no adivina, interpreta.

—Exactamente. Bueno, a ver, cuénteme, ¿qué la trae por aquí?

—Ya le dije, *Dokter*, mi marido soñó que yo me acostaba con otro hombre...

—¿Y no se acuerda con quién?

—Sí que se acuerda, pero ¡no me lo quiere decir!

—¿Y usted para qué quiere saberlo?

—¿No le parece que me merezco una respuesta, ya que me tomé, según él dice, el trabajo de meterme en su propio sueño?

—¿Y a usted, con quién le gustaría haberse acostado en el sueño de su marido?

—¿En el sueño de mi marido? ¡Con nadie, *Dokter*! ¡Ni siquiera con él mismo! ¿Qué gracia tiene acostarse con un hombre, si una no está allí de verdad?

—Es usted sin duda una mujer moderna, Rifke. ¡Muchas de las tsúrelej preferirían no estar allí cuando sus maridos se acuestan con ellas! Y algunas, realmente "no están allí".

—*Dokter*, no tengo mucho tiempo para divagar, soy mujer y vivo en Tsúremberg, además si tardo un poco más mi marido va a sospechar.

—¿Que usted se acuesta conmigo?

—No, *Dokter*, él sabe con quién me acosté, ¡era su sueño! ¡La que no lo sabe soy yo! ¡Y él sabe que yo quiero saberlo! Y va a sospechar que yo vine acá a que usted me lo diga.

—¡Pero es que yo no lo sé! ¿Por qué no se lo pregunta a él?

—¿Usted cree que no se lo pregunté, *Dokter*? ¡Todo el tiempo se lo pregunto! ¡Pero él dice que una mujer decente no debe preguntar con quién se acuesta en los sueños de su marido!

—La verdad es que es extraño.

—No, *Dokter*, no es un extraño, ¡yo no me acosté con otro hombre, salvo en su sueño! ¡Quiero una respuesta!

—Bueno, usted sabe que en los sueños hay deseos escondidos. A veces las cosas no son lo que parecen. Quizás en su sueño usted no es usted, el otro hombre no es el otro hombre, y acostarse no es acostarse. Quizás lo que él desea es que usted se acueste con él, o acostarse él con otra mujer, o que usted le dé de comer; o que su mamá le dé de comer como cuando era chico.

—¿Y cómo se llega a esa conclusión?

—Asociando, Rifke, asociando.

¡Prostitución en Tsúremberg? ¡Por favor! ¡Si nadie tenía un centavo!, ¿cómo pensar que se pudiera pagar por sexo? Sin embargo, el oficio más antiguo del mundo seguramente contaba con algunas profesionales en el *shtetl*, aunque, si de sexo no se hablaba, imagínense de la prostitución que implicaba dos temas de los considerados "*treif*": el sexo y el dinero.

Si algún forastero preguntaba, le iban a decir que sí, que alguna vez hubo, pero que ya no existía más, o que si existía, nadie sabía dónde, porque todos eran ciudadanos respetablemente casados, pero si el forastero insistía le sugerirían que preguntase en Lomirkvechn, que allá seguramente sí, aunque ellos no sabían... Pero bastaba que el forastero preguntase en Lomirkvechn para que lo mandasen a Blintzemberg, y si preguntaba en Blintzemberg, le dirían que en Shlejtelokshn, y así. Porque el secreto para acceder a los servicios de la tan poco prestigiosa profesión, era no ser forastero.

No estaba muy claro que los Mandamientos lo prohibiesen. A decir verdad, lo que estaba prohibido era el adulterio, o sea que un hombre mantuviera relaciones sexuales con la mujer de otro (ese era el concepto de adulterio de aquellos tiempos, aunque parezca machista), y codiciar. Un poco más lejos, diríamos que no estaba bien visto tener relaciones los sábados, ya que era el día del descanso, pero esto sería si se considerara al sexo como un trabajo y no un placer, no mucho más.

Incluso en la Torá no quedan demasiado mal paradas las prostitutas. ¿Acaso no fue una de ellas, quien ayudó a los espías judíos en Jericó, y por esto mismo su vida y, su casa fueron respetadas cuando la ciudad fue tomada por las tropas de Yoshua, recién llegadas a Canaán en busca de la Tierra Prometida?

Pero claro, no era una de los judías, era de otro pueblo, entonces se permite. Lo que estaba mal visto, muy mal visto, es que las hubiera en el propio pueblo, y ¡Dios no lo permitiera ni por casualidad! en la propia familia. Si eran de otro lugar, era otra cosa.

Entonces si uno de los tsúrelej aceptaba haberlo hecho, diría que fue con una mujer de Lomirkvechn, (aunque no se hubiera movido de su cuadra) y viceversa. Eran verdaderos servicios que se prestaban los pueblos unos a otros, sin saberlo.

Incluso los rabinos aceptaban las cosas en esos términos. Reb Meir, con mucho esfuerzo, trataba de pensarlas como "trabajadoras del sexo", pero las condenaba por considerarlas "burguesas que trabajaban por su propia cuenta". Reb Piterkíjel tampoco aprobaba que una mujer trabajase fuera de su casa, o dentro de su casa pero con hombres, pero como "no eran de Tsúremberg", poco podía decirles. En cuanto a los hombres, a los "clientes", ¿qué decirle a un soltero que, si tuviera relaciones con su propia novia mancharía la reputación de la chica, o a un casado, que no quería sumarle a su propia mujer una tarea más?

—Alevái, ¡vos me engañás!

—No me cambies de tema, Rifke… ¡la que me engaña sos vos…! ¿O acaso no voy a reconocer con quién sueño?

—No es eso.

—¿Qué me vas a decir, Rifke, que vos soñaste que te engaño pero no me vas a decir con quién? ¡No te creo!

—No, se trata de tu propio sueño… el *Dokter* Víntziquer me dijo que hay un deseo escondido, y que en realidad lo que vos deseás es que tu mamá te dé de comer como cuando eras chico. ¡No te gusto más, no te gustan mis papas!

—Pero Rifke, ¿de dónde sacó eso, el *Dokter*?

—Asociando, Alevái, él me explicó que en el psicanálisis se asocia, y que él asoció eso.

—Pero Rifke... tranquilizate, mirá, me encanta como cocinás, hasta cuando hacés papas crudas, me gusta, gozo con cada uno de tus platos, me seducen tus ollas, me excita verte revolver en la cacerola...

—¡Pero en tu sueño la preferías a tu mamá!

Dicen que a principios del siglo XIX Napoleón, en su campaña contra Rusia, se estableció en Tsúremberg. Que estableció su cuartel general en la que hoy es la casa de los Tsurelsky. Reb Simjastoire Nusslgrois asegura que él era un muchacho en esos tiempos, y que Napoleón no estuvo en el *shtetl*, pero nadie le cree. Se cree que el Emperador de Francia, portador de ideas liberales y a la vez uno de los hombres que más poder concentró en la Historia, cayó perdidamente bajo los influjos de una tsúrele, Ploike Míljique Dainemishpoje. Y que estaba dispuesto a divorciarse de María de Austria para casarse con ella, tal como antes se había divorciado de Josefina para casarse con María.

Pero dicen que Reb Katzunféiguele Piterkíjel, el rabino del *shtetl*, se opuso al casamiento porque Napoleón no era judío. Y que si bien Bonaparte no era muy religioso que digamos, no le resultaba conveniente convertirse al judaísmo. Según dicen que dijo: "Francia es un país bastante antisemita, y ni yo estaría a salvo". Esto es difícil de creer para un emperador que tenía en vilo a toda Europa, pero cosas más improbables aún han dicho los hombres a la hora de tener que rehuir un compromiso. El *rebe* no quiso saber nada: ¡sin conversión, no habría casamiento! y esto sumió a Bonaparte en una terrible depresión, que fue el comienzo del fin del imperio napoleónico, según la leyenda.

Parece que le confesó a Talleyrand, su canciller: "Podré tener en París muchas otras que igualen o superen la belleza física de Ploike. Pero ninguna mujer, ninguna en toda Francia, ni la suma de todas ellas, ninguna me hará, todas las noches, incansablemente, sin que se lo pida, tantos y tan duros reclamos que me hagan de-

sear urgentemente que llegue el día siguiente, aunque
sea el de una batalla en inferioridad de condiciones, o
una conspiración de mis propios ministros, o dos revo-
luciones juntas en mis dominios. Con una mujer así a
mi lado, sería invencible. ¡Con tal de huir de ella, con-
quistaría el Universo entero!".

Dicen que Napoleón dejó Tsúremberg mortalmente
herido en sus sentimientos, y que nunca llegó a saber
que meses después Ploike dio a luz a un bebé, que usa-
ba una extraña *kipá* más ancha que lo normal, al que
llamó Apl León, quien algún día se iría a Francia a re-
clamar el imperio de su padre, o algún otro imperio,
tampoco era cuestión de ser tan exigente.

Se supone que la monogamia se estableció entre los
judíos más o menos para el siglo X, o el XI de nuestra
era, y que todos los grandes sabios, según me señalase
el ilustre pensador Horatius Von Abulafia, vivieron antes de aquellos tiempos.

En Tsúremberg no había bigamia, pero había dos rabinos contradictorios a los que todos hacían caso, o simulaban hacerlo. Tampoco había adulterios, porque
estaban estrictamente prohibidos por los Diez Mandamientos, así que si un hombre se acostaba con una mujer casada con otro, no se lo llamaba adulterio, se le
ponía otro nombre, y chau. O ni se lo mencionaba, y
listo.

Así como, nuestro lector ya lo sabe, la única forma de
llegar al pueblo era perdiéndose en el camino a otro pueblo, de la misma manera, al sexo se llegaba... perdiéndose en el camino. Pero los que creen que en Tsúremberg
no había sexo, es porque nunca estuvieron allí. (Allí no
se refiere en este caso a Tsúremberg, sino a... a... ¡Lo
siento, pero los tsúrelej se enojarían si revelase dónde
era!)

Capítulo 14

Edipo en Tsúremberg

Los mitos tienen, que duda cabe, la extraña característica de ser universales y a la vez particulares. Se parecen y se diferencian. Moisés y Edipo fueron abandonados de chicos, uno para que se salvase, el otro para que muriese. Ambos fueron criados como príncipes que no eran, y de adultos conocieron su identidad, uno para liberar a su pueblo, el otro, para perderlo todo.

Los griegos tomaron Troya gracias a un caballo de madera; los hebreos tomaron Jericó soplando trompetas sobre sus murallas. El Minotauro era mitad hombre mitad bestia, como muchos dioses egipcios. En todos los pueblos —si bien en cada uno con sus matices— los sacrificios, la promesa de un salvador, las profecías, llevaban al hombre a un plano sobrenatural, lo elevaban por sobre su propia vida.

Por supuesto que el pueblo judío también cuenta con personajes grandiosos, como el rey David, Moisés, Macabeo, el rey Salomón, Jacob, Abraham, Bar Kojba, pero ninguno de ellos, y de esto se puede dar cuenta, es originario de Tsúremberg. Son los héroes bíblicos, los patriarcas. Tsúremberg no podría darse el lujo de dar al mundo un hombre así, aunque Motl el emprende(u)dor bien quisiera para sí mismo un honor semejante. ¿Cómo podría decirse de Moisés "anduvo cuarenta años perdido, y entonces llegó a un lugar que ni él mismo sabía cuál era", o del rey David "detuvo un *pogrom* con una papa", o de Salomón "dos mujeres discutían sobre la propiedad de una papa, y entonces él ordenó que la cortasen por la mitad...".

En Tsúremberg se contaba la historia del Dr. Yankel y el siniestro Mr. Jaim su "alter id"; también la de Reb Ben Yud, un héroe de la Edad Media que robaba a los ricos para darles de comer a los pobres, pero como no había ricos en Tsúremberg, tuvo que emigrar a Inglaterra para tener a quiénes robarles algo; y después ya que estaba, les daba lo que robaba a los pobres de ahí, porque si no los costos del transporte eran demasiado altos. También la de don Kijl Motl, que estaba un tanto *tsedreit* y atacaba a los molinos de viento que según él estaban planeando un *pogrom*, ayudado por Saltz Schopantzik, su escudero. No faltaban "Los tres Morguenstern: Hacn, Prostn y Orem Itzik", que junto con su amigo Dortn Yankl compartían la aventura de la extrema pobreza. Tan es así que solían cenar un solo plato de sopa de papa entre los cuatro, y comentaban con tristeza: "¿Uno para todos y todos para uno?".

Tsúremberg sólo puede darse el gusto de dar al mundo héroes que parten anónimos y se vuelven leyenda en otros sitios, como los ya nombrados. Además, dicen que "nadie es profeta en su tierra", y es que, ¿qué sentido tiene ser profeta en Tsúremberg? ¿Qué va uno a profetizar, que va a venir un *pogrom*, que hay miseria, que el Zar va a presionar aún más a los judíos, que otro país se va a adueñar de las tierras y las va a someter a sus leyes? ¡Eso ya lo saben todos! Si el oráculo de Delfos quedase cerca de Tsúremberg, sus sacerdotes se hubieran muerto de soledad, y eso si no los destruía primero un *pogrom*, previsto o no. Y los tsúrelej, consultados por un ocasional visitante que hubiese perdido el rumbo y preguntase por el oráculo, responderían:

—¡Oráculo, shmoráculo, ¿qué es lo que quiere saber?, ¿si nos van a atacar primero los rusos, los polacos o los cosacos?

Una tarde, Vísele Tsúkerke anunció a los parroquianos del café que pronto habría una jornada especial dentro de sus "Cultúrishe Ciclos". Un gran actor, Búsheben Majer, que había "triunfado con éxito" (textuales palabras de Vísele) "en las mejores capitales de Europa", estaba en Tsúremberg, y los deleitaría con una función teatral con debate posterior.

–¿Que quiere decir "debate posterior"? –preguntó Reb Reubén Tsurelsky.

–Bueno, que primero él dice todo lo que tiene que decir, y después nosotros le decimos en qué se equivocó –le explicó Reb Shloime Vantz.

–¿Es esa una manera respetuosa de debatir? ¿Cómo se puede escuchar a otra persona si no la podés interrumpir? ¿Qué sentido tiene estar una hora escuchando algo con lo que uno hace rato que no está de acuerdo?

–Bueno, pensá que cuando habla el *rebe*...

–¡Cuándo habla el *rebe*, habla en nombre de Dios! ¿Quién quiere debatir con Dios?

–Bueno, yo a veces me pregunto si no podría, por un ratito, como dice Sholem Aleijem, dejar tranquilos a los judíos y tener otro pueblo elegido...

–Bah... estamos hablando de otras cosas, acá... estamos hablando de un derecho elemental que tienen los seres humanos, y es el de interrumpirse. Te digo más, si el que hablara fuera yo, durante un largo rato, y nadie me interrumpiese, me sentiría muy poco respetado, estaría seguro de que nadie está oyendo lo que digo, de que todos están en otra parte.

–¡Es que estaríamos en otra parte, Reb Reubén! ¡Si hablaras vos, estaríamos en otra parte! ¡Y no te digo si la que hablara fuese mi mujer! ¡Soy capaz de irme a... París, a Nuyor, a Lomirkvechn...!

–Bueno, bueno, ¿y cómo se llama el actor ese?

–¡Búsheben Majer!

–¿Y actúa solo? ¡Yo pensaba que para hacer una obra, se necesitan varios actores!

–¡Pero es que él hace de todos los papeles a la vez!

–Lo que es la necesidad, ¿no?

–¡No seas irrespetuoso!

–¡¿Ah?! –exclamó Reb Reubén–. ¡Él no me deja hablar, no me deja interrumpir mientras actúa, y el irrespetuoso soy yo! ¡Solo porque creo que si actúa solo es porque se quedó sin compañeros, o porque necesita toda la plata! ¿Así que soy yo el irrespetuoso?

—Calmate, Reubén... Búsheben Majer es un gran actor, en toda Europa se habla de sus éxitos: *Hamlet*, *Edipo*, *Romeo y Julieta*.

—¿En serio son de él, todas esas obras?

—Son sus éxitos.

—¿El hace solo de Romeo y Julieta? ¿Pero no son un hombre y una mujer, con esos nombres?

—Un buen actor es capaz de cualquier cosa.

—Seh... ¡ya me imagino al actor ese haciendo de Reb Jaim y Reb Meir al mismo tiempo!

—Bueno, eh... todo tiene sus límites, Reubén, tampoco exageremos.

Búsheben Majer efectivamente había triunfado en Europa, pero no todos sus triunfos habían sido tan exitosos como decía Vísele. La realidad es que la mayoría de sus triunfos habían sido verdaderos fracasos, y otros, unos pocos, habían sido verdaderos triunfos escénicos, pero lamentablemente no había muchos testigos de los mismos, quizás porque, como él solía decir, al público masivo no le gusta ver triunfar a un gran actor. Pero en Tsúremberg estaba seguro de triunfar. O al menos, de que el público no le tiraría papas... ¡Nadie derrocharía una, quizás el único manjar de ese día, en arrojársela a un actor! ¿Y si lo hacían, qué? ¡Mejor para él, tendría algo con qué engañar a su siempre codicioso estómago!

Búsheben Majer estaba tranquilo, porque había llegado precedido de una gran fama. Pero como suele suceder con los que llegan a Tsúremberg, la fama había tomado otro camino, se había perdido en la ruta, quizás estaba en Lomirkvechn esperado a un Búsheben que jamás llegaría allí, o simplemente, cansada de tener que sostener a semejante personaje, había conseguido trabajo como fama de otro, por ejemplo del contador de chistes Plútzim Ajarkaj, hombre que recorría todos los *shtetls* buscando uno en el que no conocieran ya todo su archirremanido repertorio, y así poder actuar.

Esa noche el Tsúkerke Café estaba lleno, como todas

las noches, pero esta vez era distinto, como todas las noches. Los hombres colmaban las mesas, y también Rojl Feler, acompañada por su marido Moritz y por su hermana Rifke Feler, tomaba su té de papas.

Reb Reubén Tsurelsky estaba ubicado cerca del lugar del escenario, no porque tuviera algún privilegio en su condición de "ex rico del pueblo", sino porque había llegado temprano, ya que quería estar cerca del actor para poder interrumpirlo mejor, demostrando su respeto por las artes en general y la oratoria en particular (convengamos que es difícil interrumpir un cuadro o una escultura, y está muy mal visto cortar un concierto).

Cuando Vísele Tsúkerke consideró que sus parroquianos ya habían hablado bastante entre ellos, pidió silencio. Obviamente su cálculo era erróneo, ya que la concurrencia no le hizo el menor caso y siguió hablando.

—¿Vos sabés qué es esto, "Edipo"?
—Me dijeron que es la historia de un muchacho que se fue de su *shtetl* para no pelearse con el padre...
—A mi me dijeron que es una tragedia...
—Entonces, seguro que se fue para escaparse de un *pogrom*.
—No, es una tragedia griega... en las tragedias griegas no hay *pogroms*.
—¿Qué clase de tragedia es esa si no hay un *pogrom*?
—Griega.
—¿*Nu*? ¿Qué hay en esa tragedia, una hija que se quiere casar por propia voluntad? ¿Un padre que no tiene dote? ¿Varias solteras? En todo caso podrá ser un *tsure*... pero ¡¡una tragedia sin *pogrom*?!
—En las tragedias judías hay *pogroms*, en las griegas hay muchos dioses.
—¿Muchos dioses?
—Sí. ¡Los griegos tienen muchos dioses!
—¿Son el pueblo elegido por muchos dioses? ¡*Mame maine*, nosotros apenas si podemos sobrevivir a ser el pueblo elegido de un Dios, y ellos tienen muchos! ¡No

quiero ni pensar lo que les debe pasar cuando un Dios les dice que hagan una cosa, y otro que hagan otra!

—¿Sabés lo que les pasa en esos casos? ¡Una tragedia!, ¡eso es lo que les pasa!

—Rójele, ¿vos estás segura de que está bien venir acá?

—Moritz... es una manifestación de cultura, ¿por qué no voy a venir?

—Pero Rójele... no se trata de eso, sino que los cafés no son buenos lugares para las mujeres, dan mala imagen.

—¡Eso es porque los que deciden qué cosas dan buena imagen y qué no, son los hombres! Si un café no es un lugar para una mujer, entonces, ¡que hagan el espectáculo en la cocina de una casa! ¿Ese lugar sí da "buena imagen" a las mujeres?

—Ay, Rójele, vos sabés que yo te quiero, que te elegí como mi mujer...

—¿*Nu*? ¿Acaso yo no te elegí a vos como mi marido?

—Sí, Rójele, y los dos hicimos algo que hasta ahora en el *shtetl* no había hecho nadie, y estoy muy contento de haberlo hecho; pero ¿hace falta hacer "siempre" cosas diferentes a las que hacen los demás?

—¿Diferentes? ¿Qué hacemos nosotros de diferente? ¡Todos los hombres están acá, y nosotros también, es exactamente lo mismo!

—Queridos parroquianos... buenas nocheees... es un honor para mí presentarles hoy a Búsheben Majer, un gran actor precedido por su fama internacional, que triunfó en tantos lugares que ya ni él mismo se acuerda dónde, y ha llegado aquí, a nuestra Tsúremberg, para deleitarnos con una conferencia maravillosa... ¡nos va a contar la historia de Edipo!

Búsheben Majer entró, saludó, y comenzó su relato:

—Hace muchos siglos existía en Grecia un pequeño reino llamado Tebas. Allí gobernaba un rey, Layo, que tenía una mujer llamada Yocasta.

–Ves, Moritz... ya no somos las únicas mujeres, ¡en la obra también hay! –comentó por lo bajo Rojl Feler.

–Layo y Yocasta –siguió Búsheben– no podían tener hijos.

–¿Eran un rey y una reina y no podían tener un hijo? ¿Qué clase de reyes son esos? ¡Si hasta el más pobre de los pobres puede tenerlos, aunque después no tenga más que media papa para darles de cena! –protestó Simjastoire Nusslgrois.

–Shhh... eran griegos, allá son distintos –comentó Shloime Vantz.

–Pues si me van a decir que los reyes no podían tener hijos y que los pobres tenían riquezas y comida, yo quisiera ser griego –dijo Simjastoire.

–Escuchemos, escuchemos.

–Luego de varios intentos, decidieron ir a consultar al...

–¡Rabino! –dijo Shloime Vantz.

–No, al oráculo de Delfos.

–¿Y por qué fueron a consultar al oráculo? ¿Acaso el rabino estaba ocupado? ¡Nuestro *rebe* seguro que los hubiera atendido!

–Pero ellos son griegos –le dijo Reubén Tsurelsky.

–¿*Nu*? ¿No tienen rabinos ahí? ¿Necesitan que les mandemos uno? ¡Nosotros tenemos dos! –Fue Simjastoire.

–Layo fue a consultar al oráculo –Levantó la voz Búsheben.

–¿Layo? ¿Y Yocasta por qué no fue? –preguntó Rojl Feler.

–Pero Rójele –le susurró Moritz– ella era mujer... los caminos griegos no eran muy hospitalarios para una mujer, además ella era reina.

–¡Bah, lo mismo de siempre, ni en las tragedias se respeta a las mujeres!

–¡Layo fue a Delfos y el oráculo le dijo que era mejor que no tuviera descendencia, porque si tenía un hijo varón, lo mataría a él y se casaría con su mujer Yocasta!

–¡Pero qué barbaridad! ¿Cómo puede un oráculo ser tan ignorante? ¿Cómo se le ocurre que un hijo va a casarse con su propia madre? ¡Por más griegos que sean, eso es rarísimo! ¡Y además, matar al padre! ¿No leyó los Diez Mandamientos, el oráculo ese, "Honrarás a tu padre y a tu madre"? —Este fue Reb Simjastoire.

—En Grecia no tenían los Diez Mandamientos, eso fue algo que Dios nos dio a los judíos a través de Moisés —intentó explicarle Búsheben para seguir con su relato, pero fue en vano.

—¿Y qué?, ¿a los demás pueblos Dios les dejaba hacer lo que quisieran? ¿O después si Dios se enojaba podían decir: "Nosotros no sabíamos que estaba prohibido, nadie nos dio los Diez Mandamientos como a los judíos"? ¿Los cosacos hacen *pogroms* porque desconocen el "No matarás"? ¡No me lo creo!

—Bueno, les sigo relatando. Layo vuelve a su hogar, pero no le dice nada a la mujer.

—¡Y también! ¿Cómo le va a decir semejante barbaridad? Uno no puede llegar a su casa y decirle a su mujer: "¡Sarita, dice el oráculo que no tengamos hijos porque me van a matar a mí y se van a acostar con vos!". Cualquier mujer te diría: "¿Qué te pasó, Shloime? ¿Le pusieron *bronfn* al té de papas? ¿Te hicieron un *pogrom* en la cabeza? ¿Te agarraron Reb Jaim y Reb Meir al mismo tiempo y te hablaron, uno por cada oreja? ¿Quién es ese oráculo? ¡No conozco a nadie que se llame así!". Y si uno le dice a Sarita que ese oráculo es un griego que adivina el futuro, lo más probable es que esa noche ella lo deje sin papas para cenar y le pida ayuda al *rebe* para ese marido que se volvió *mishíguene*. —Este fue Reubén Tsurelsky.

—Gente, se trata de una tragedia, de algo que fue escrito hace miles de años y es un gran éxito en todos lados... no es una historia de Tsúremberg, es de Tebas.

—Bueno, siga contando, ya que es taaaan importante...

—Yocasta quería tener un bebé...

—¡Se ve que era reina! ¡No tenía ningún problema en traer al mundo otra boca para alimentar!

—Yocasta quería tener un bebé, y una noche, hermosa, seduce a Layo, y queda finalmente embarazada, sin saber que con esto está desatando una tragedia.

—¿Por eso una tragedia? ¿Por qué?, ¿no estaban casados? —preguntó Reb Jolodetz Saltzn.

—Sí, estaban casados.

—Entonces podrá ser un *tsure*, pero tanto como una tragedia, no es.

—Bueno, un *tsure*. Cuando Layo se entera de que va a

Gotzidanquen fish

(Pescado a la "gracias a Dios")

Por doña Gezunte Jolile

Por la mañana se le comunica a toda la familia que esa noche habrá pescado, "si Dios quiere". Se le pide a cada uno que haga su parte, o sea que "recen para que Dios quiera", lo que le da al plato un sabor muy especial. Por la tarde, se prepara una guarnición de papas, un poco de cebolla, y se le pide prestado al vecino un poco de aceite. El vecino va a preguntar para qué el aceite, y uno debe decir que es para acompañar El pescado, lo que hará que en poco tiempo todo el pueblo se entere de que esa noche en casa habrá pescado, cosa que también hace "al gustito final".

Seguramente el vecino no va a tener aceite, pero eso no importa, porque el condimento ya está hecho.

Se coloca la guarnición en una fuente y se espera que Dios provea el pescado. Cuando esto ocurre, se cocina todo a fuego mediano, y se sirve entre alabanzas. A la mañana siguiente, si el vecino pregunta cómo estuvo, se dice "los he comido mejores".

Pero si no, se comunica a todos que "Dios ha dispuesto que comamos un pescado tan fresco, pero tan fresco, que todavía no ha sido pescado", por lo que habrá que esperar hasta otro día. Se comen las papas y la cebolla y se le agradece a Dios por haber hecho su voluntad.

A la mañana siguiente, cuando el vecino pregunte qué tal estuvo el pescado, se comenta que estuvo muy bien, y luego, para adentro, se murmura "y sigue estando muy bien, muy sanito".

ser padre, le cuenta a su mujer lo que le había dicho el oráculo, y ella le cree.

—¡Cualquier buena mujer judía mandaría a su marido a que se le pase la borrachera! ¡Pero ella no! Ella no, ella le cree, y ¡acepta que hay que matar al chico ni bien nazca para evitar que luego él mate a Layo y se acueste con ella! ¿Qué clase de *idishemame* era?

—Bueno, pero ella era griega, era un personaje...

—¿*Nu?* ¿Y no puede ser una buena *idishemame* por eso? ¡Estos personajes griegos eran una manga de *tsedreits*! ¡Estaban todos locos! ¡¿Cómo van a matar a un chico, a un recién nacido, porque un oráculo les dice cualquier cosa que andá a saber de dónde la sacó...?! Ni siquiera era un rabino... es más, ningún rabino diría algo semejante, ¡"No matarás"!, ¿ese Mandamiento tampoco lo tenían? Una cosa es que a un chico, a la semana, le hagan un *bris*, le corten un *shtikele del potz*, el prepucio, como naturalmente corresponde, y otra muy distinta es que lo maten. ¡¿De qué servía una religión con tantos dioses, si podían hacer que matasen a un chico recién nacido?!

—¡Esta era una tragedia!

—¡Por supuesto! ¡Que maten a un chico ES una tragedia! Bueno, ¿cómo sigue la barbaridad esta?

—Cuando el chico nace, Yocasta se lo da a Layo para que lo mate, y él no se atreve a hacerlo personalmente.

—Ah... es como cuando Dios le pidió a Abraham que sacrificase a su hijo Isaac, y después le dijo que no, y al final le hicieron el *bris*... ¿Acá también fue así?

—¡No, eran griegos, no hacían el *bris*!, ¡y además era una tragedia! ¡¿Qué tragedia sería si al final lo único que pasó fue que a un chico le hacen el *bris*?! ¿Dónde estaría la *hybris*, la desmesura, la anagnórisis?

—¿*Vus*? ¿Qué cosa?

—El dolorosísimo reconocimiento final.

—Bueno, el *bris*... duele...

—Layo enlaza los pies del chico con un gancho, y se lo da a un sirviente para que lo mate. El sirviente no se atreve a hacerlo, llega al límite del reino, y lo deja allí, solito...

—¡Y el chico cae a un río donde lo encuentra la hija del Faraón!, ¿no?

—¡No, no, acá no hay faraones! Era Grecia, Tebas, y el que lo encuentra es otro sirviente, pero del reino de al lado, Corinto, y le llama la atención porque el chico tenía los pies hinchados por el gancho, y por eso lo llama Edipo, o sea ¡¡"pies hinchados"!!

—Gueshvólene Físelej, así se hubiera llamado el chico si en vez de en Corinto, lo encontraban en Tsúremberg.

—¿Qué?

—Pies hinchados... Gueshvólene Físelej.

—Bueno —siguió contando Búsheben—, el bebé fue llamado Edipo, y fue adoptado por los reyes de Corinto, que no tenían hijos. Así creció el muchacho, fuerte, robusto, y con los pies hinchados. Y sin saber quiénes eran sus verdaderos padres. Hasta que un día, siendo adolescente, alguien le dice que él no es realmente quien cree ser y Edipo se enoja mucho.

—Bueno, no sé por qué. A nadie lo ven como cree ser. Uno cree ser sabio, y los demás lo ven como tonto, uno cree ser lindo, y lo ven como feo, uno cree ser rico, y todos le piden dinero, con lo que sale a relucir la pobreza. Como dice Reb Piterkíjel: "No importa cómo uno cree ser, lo que importa es cómo Dios cree que uno es" —dijo Reb Fárfale Tzimes.

—¡Pero los griegos tenían muchos dioses! ¡Capaz que uno te ve rico, y el otro te ve pobre! —Este fue Shloime Vantz.

—¿*Nu*? ¡Ese es un problema de ellos! ¡Nosotros tenemos un solo Dios, y bastante pobres nos ve!

—¡Sigo contando! Edipo va a consultar al oráculo...

—¿Otra vez? ¿No hizo bastante lío el oráculo ya?

—Dije que Edipo lo va a consultar, porque eso es lo que hizo... y el oráculo le dice que él va a matar a su padre y acostarse con su madre.

—*Fehhh*.... estos oráculos se ve que no tienen otra cosa que hacer... miren si no le podía haber dicho algo más lindo... que va a comer *varéniques*, no sé.

—¡¡Pero qué clase de tragedia sería esta?! Bueno, les digo que Edipo decidió no volver a Corinto, porque él creía que allí estaban sus padres, y entonces va un poco por acá, un poco por allá. En una de esas caminatas se cruza con un carruaje que no lo quiere dejar pasar, Edipo pelea contra los del carruaje, y los mata a todos menos a un sirviente. Uno de los muertos es, sin que él lo sepa, su padre, el Rey Layo.

—¡*Oy vey*! ¿Cómo un hijo puede hacerle una cosa así a su padre?

—Pero es que él no sabia que era su padre, ¡nunca lo veía!

—¡Justamente!, ¡tantos años sin ver a su padre!, ¡lo mató de un disgusto!

—Edipo siguió su camino, y mucho tiempo después llegó a Tebas. Pero en las puertas de la ciudad había una esfinge, un monstruo con cara de mujer, alas y cuerpo de león, que se comía a todos los que querían entrar a la ciudad.

—¡Ojalá tuviéramos una esfinge así en Tsúremberg, se terminarían los *pogroms*, se comería a todos los cosacos! —Este fue Simjastoire Nusslgrois.

—Sí, pero también a los *cuenteniks*, a los actores...

—¡*Fehhh*! ¿Quién los necesita? —Nuevamente Sinjastoire.

—¡El Tsúkerke Café! —le contestó Vísele—. ¡Y déjenlo seguir con la conferencia!

—¡Él que siga con la conferencia, nosotros seguimos con el debate! —replicó Reb Reubén Tsurelsky.

Búsheben Majer suspiró largamente, y siguió:

—Edipo decidió enfrentar a la Esfinge, que les hacía una pregunta a todos los viajeros, antes de comerlos.

—¿Qué les preguntaba, qué gusto tenían? —Se rió Shloime Vantz.

—Hasta ahora ninguno había podido contestar bien, pero si alguno lo lograba, ella desaparecería. Edipo se plantó frente a la Esfinge y ella le preguntó: "¿Cuál es el animal que a la mañana anda en cuatro patas, a la tarde en dos, y a la noche en tres?".

—¡El elefante! —gritó Reb Shloime Vantz.

—¿Un elefante en tres patas, dónde lo viste?

—¡Tampoco vi ninguno en cuatro patas, y eso no quiere decir que no existan! Bueno, está bien, si no era el elefante, entonces... ¡el mono!

—Los monos tienen solo dos patas.

—Entonces es muy fácil: ¡primero el elefante, cuatro patas; después el mono, dos patas; y a la noche, el elefante le pone una pata encima al mono, y queda en tres!

—Edipo —prosiguió Búsheben, suspirando más alto— dijo: "El hombre: primero gatea, luego camina, y finalmente se apoya en un bastón".

—¡Jah!, ¡qué bruto! —dijo Reb Simjastoire—. ¡El hombre no es un animal! La Esfinge se lo comió con papas, ¿no?

—No —contestó Búsheben—. Edipo tenía razón, la respuesta era correcta, la Esfinge se arrojó por un barranco, Edipo entró triunfante en Tebas, y le dieron el premio que habían prometido para el que venciera a la Esfinge... ¡casarse con la Reina!

—¡Pero si ella era la mamá!

—Sí, pero él no lo sabía, y ella tampoco lo sabía.

—¿Ven? ¡Otra vez, eso pasa por no verse en tanto tiempo!

—Edipo creía que sus padres eran los reyes de Corinto, y Yocasta, que su hijo había muerto de bebé. Así que se casaron, y tuvieron cuatro hijos, y reinaron sobre la ciudad.

—¡¿Cuatro nietos?!

—¡¿Cuatro hermanos?!

—¡Y seguro que el oráculo bailó en el casamiento! ¡Todo por culpa de él!

—Bueno, así pasaron varios años, hasta que empezó una epidemia de peste en Tebas.... los habitantes se morían como moscas, y le pidieron ayuda a Edipo, a quien no se le ocurrió mejor cosa que...

—¡Consultar al oráculo! —dijeron todos a coro.

—¡Y seguro que el oráculo nos echó la culpa a los judíos! —dijo Reb Simjastoire—, siempre que hay alguna peste, nos culpan a nosotros.

217

—No, esta vez no fue así, el oráculo le echó la culpa al asesino de Layo. Dijo que la epidemia terminaría cuando lo atrapasen y castigasen.

—Y seguro que le echaron la culpa de la muerte de Layo a los judíos.

—No, ¡estos eran griegos, no romanos!

—Edipo se propuso encontrar al asesino de Layo, no sabía qué cerca que lo tenía. Entonces consultó a Tiresias, que era ciego y vidente a la vez.

—¡Eso está mal...! ¡A los ciegos se les dice "no videntes"!

—Pero Tiresias era vidente, porque Zeus lo había hecho así.

—Aj... ese es el problema cuando uno tiene muchos dioses, cada uno los hace como quiere...

—El tema es que Tiresias le dijo a Edipo que el asesino era él mismo, Edipo.

—¡Qué estúpido! ¡Es como si el Zar le preguntara a un judío quién es el culpable de un delito, y el judío le respondiera "usted mismo, el Zar". ¡No importa que el judío tenga toda la razón del mundo!, ¡eso no se le dice a un rey! ¡Seguro que Edipo se puso muy furioso!

—Así es —admitió Búsheben, suspirando más aún—, pero entonces llegó un sirviente de Corinto anunciando que el Rey había muerto.

—¿*Nu*? ¡Si hace años que Layo había muerto!

—¡Pero este era Polibo, el rey de Corinto! Así que Edipo era el nuevo rey.

—Mirá este Edipo, al final iba a ser rey de dos lugares, ¡tanta mala suerte que tuvo de chico! ¡Seguro que ahora iba a poder comer todas las papas que quisiera!

—Edipo se puso triste, pero a la vez, aliviado: si Polibo era su padre y había muerto en su ausencia, entonces él no era el asesino de su padre. Peeero...

—¿Peero...?

—Pero entonces el sirviente le dijo que él era el hijo de Polibo... ¡pero adoptivo! Y además le contó cómo lo habían encontrado en el bosque. Y justo estaba allí el sirviente de Tebas que lo había dejado abandonado. Y así supieron la verdad. Yocasta salió corriendo, y Edipo tras ella. Ella se suicidó, y él se arrancó los ojos.

—¿Ven? —dijo Rojl Feler—. ¡Él se sacó los ojos, pobre, pero a ella le fue peor, se mató! ¿Por qué siempre nos va peor a las mujeres? ¿Por qué pasó eso?

—¡Eso les pasó por no contratar un buen *shadjn!* —dijo Reb Jolodetz Saltzn—. ¡Un casamentero hubiera averiguado datos de la familia antes de permitir semejante boda!

—¡Eso no tiene nada que ver! —casi gritó Rojl Feler—. ¡El problema es que a las mujeres siempre las dejan de lado...! ¡La culpa fue de Layo por no decirle a Yocasta la verdad antes de que quedara embarazada! ¡Y además, si hubieran tenido una nena, en lugar de un varón, jamás hubiera pasado nada de esto! ¿O conocen muchas mujeres que se hayan casado con sus mamás?

—¡Pero Rojl... es una tragedia! —le dijo su marido por lo bajo.

—Y bueno, el autor podría haberles hecho tener una nena... pero no... ¡Seguro que era un varón también, el autor... A ver, ¿por qué no eligieron alguna tragedia griega que haya sido escrita por una mujer? ¿No les parece adecuada para el "Cultúrishe Ciclo"?

—¡Eso no tiene nada que ver! —gritó Reb Simjastoire Nusslgrois—. ¡La culpa la tienen los griegos, que por cualquier cosa que les pasa van a consultar al oráculo, que les dice cualquier cosa, porque está lleno de dioses, y entonces uno le dice una cosa, el otro otra, y el oráculo no sabe qué hacer... ¡Tendrían que haber consultado a nuestro Reb Jaim Piterkíjel, que les hubiera dicho que si Dios quería que tuvieran hijos, iban a tener un hijo, y si no, no! ¡Y si tenían un hijo, a hacerle el *bris*, nada de matarlo!

—¡O a Reb Meir Tsuzamen, que les hubiera dicho que en vez de preocuparse tanto por su propio hijo que todavía no nació, se preocuparan un poco más por los hijos de los demás, que ya habían nacido y eran pobres!

—¿Y vos cómo sabés que eran pobres?

—¿*Nu*? ¿Qué iban a ser, ricos? ¿Dónde viste una tragedia llena de ricos? ¡Las tragedias son cosas que les pasan a los pobres!

—Si me permiten decir algo... —intentó hablar Búsheben Majer.

—¿Acaso no dijo usted lo suficiente? ¿Acaso no lo dejamos hablar tranquilo? Bueno, ¡ahora estamos en el "debate posterior"!, ¿no es así? —Este fue Reb Reubén Tsurelsky, que todavía no terminaba de digerir eso de "no poder interrumpir"—. ¡Así que ahora hablamos todos!

—A mí me gustaría retomar el tema del oráculo —comentó Reb Abramitsik Úguerke—, es obvio que una pareja con problemas de descendencia debería consultar a un científico, y no a un adivino.

—¿A un científico? ¿Y qué le va a enseñar un científico, cómo se hace para tener un bebé? —preguntó a los gritos Reb Reubén Tsurelsky y todos estallaron en carcajadas. Ni Búsheben Majer pudo evitarlo.

Finalmente los tsúrelej se quedaron si saber cómo terminaba la tragedia Edipo de Tebas, pero sí sabemos como terminó Edipo en Tsúremberg, las risas se escuchaban hasta Lomirkvechn.

Capítulo 15

La Primera Guerra Mundial

Entre 1914 y 1918, Tsúremberg sufrió lo que en el mundo fue conocido como "Primera Guerra Mundial", y en el *shtetl*, como "otra vez *pogrom*, pero esta vez es mundial". Alemania y Rusia eran enemigas, y Tsúremberg tenía la mala suerte de estar justo en el medio, por lo que era invadida por una y otra sucesivamente, y a veces, simultáneamente. Por tratarse de potencias enemigas, no se ponían de acuerdo para, al menos, no invadir el mismo sitio al mismo tiempo.

Los alemanes de la Primera Guerra no eran nazis, por lo cual, aunque arrasaban con todo lo que podían como corresponde a una potencia invasora, lo hacían al menos con cierta caballerosidad, sin sentirse superiores a los demás. Cabe preguntarse por qué después de semejante derrota como la que tuvieron en esta guerra, y la miseria que sufrieron en la década del 20 y la crisis del 30, los alemanes llegaron a sentirse "raza superior". Dicen que los malos momentos templan y hacen crecer a las personas, pero nadie imaginó nunca que fuera tanto, y tan mal.

Quizás los alemanes creían erróneamente que los judíos habían sido sus vencedores, y que esto los hacía "inferiores". Porque cuando un pueblo quiere creer algo, no hay lógica que lo desmienta, aunque el menor atisbo de raciocinio llevaría a pensar que el pueblo que triunfa es el que suele sentirse superior al otro, al menos en ese momento y lugar.

Si los judíos habían sido invadidos tantas veces, y por tantos pueblos, nunca se había dado tanta celeridad y simultaneidad como en la Primera Guerra: alemanes y rusos iban y venían, sin olvidarnos de los cosacos, que habiendo sido invadidos, prometían vengarse... de los judíos, no porque estos fueran culpables, sino porque los tenían más cerca y eran más débiles, y la cercanía y la debilidad son dos condiciones que hacen de cualquier pueblo vecino un enemigo ideal a la hora de tratar de establecer un mito nacional.

Además se enteraron de la masacre que en 1915 perpetraron los turcos contra los armenios: mataron a un millón y medio en un solo día, y sin estar en guerra contra ellos. Y los armenios ni siquiera eran "el pueblo elegido", ¿qué podían esperar los judíos? El mundo se había vuelto un sitio peligroso, y lo peor era que no había otro.

Tsúremberg había participado en varios hechos de la historia mundial, mayormente en calidad de víctima. Se dice que incluso en la prehistoria existió allí el "Homo Tsurens" (pitecantropus problemáticus), y que fue perseguido por el "Pogromo de Neanderthal", pero nada de esto se sabe fehacientemente.

La guerra fue en Tsúremberg un fenómeno local, cotidiano. El miedo y la duda eran "quién nos invadirá hoy", porque tampoco era cuestión de pedirle a Dios que los protegiera de los rusos si los enemigos de turno eran los prusianos. Por las dudas, muchos judíos pedían ser protegidos de "todos por igual", y otros, como decía Reb Jaim Piterkíjel, rezaban igual que siempre, sabiendo que Dios haría Su voluntad, y no la del que le rezara. Y además, si Dios era omnisciente, tendría mucho más claro de quién iba a tener que defender a los judíos ese día, que ellos mismos.

Cuando los alemanes llegaron a Tsúremberg, los judíos se encontraron con invasores que hablaban en una especie de idish, pero sin humor. Esto era entendible. Los alemanes venían de una historia de triunfos, de imperio, de káiseres, de dominar a otros e imponerles sus normas, y no de una historia de persecuciones, miseria, no ser aceptados ni aquí ni allá, no tener país propio. Entonces los alemanes podían sobrevivir sin sentido del humor; los judíos, no. Porque, más allá de Darwin, es cierto y comprobable que los seres vivos suelen desarrollar las herramientas que les son vitales.

¿Cómo entender que con una diferencia de 600 años, les destruyeran dos veces su Gran Templo de Jerusalén y los condenaran al exilio exactamente el mismo día, el 9 del mes Av? ¿Cómo entender que durante más de 1.800 años se los persiguiera por un crimen que no habían cometido? ¿Cómo entender que los judíos fueran expulsados de los sitios en los que querían quedarse y obligados a permanecer en aquellos de los que querían irse? Con humor, evidentemente, era la única manera.

En ocasiones hay gente que festeja el inicio de una guerra. Se imagina victoriosa, triunfante, colmada de gloria, coronada su testa por la corona de laurel del triunfo, templada su alma por el fuego, crecida al ritmo de la batalla. Y marcha jubilosa al combate, cantando. Esto jamás ocurrió así en Tsúremberg. Sea por la sabiduría que dan los años, o por algún otro motivo, los tsúrelej tenían muy en claro que toda guerra es una derrota de por sí. Que aun entre los triunfadores va a haber padres llorando por sus hijos, hijos llorando por sus padres, hombres y mujeres llorando por sus seres y sus cosas queridas, sus casas, su templo, su pasado y su futuro. Y, por qué no decirlo, por su propia niñez, su ingenuidad, perdidas para siempre. Porque ese es el verdadero resultado de la guerra: la derrota total de la niñez, ese espacio en el que el mundo es un lugar más seguro, donde habrá un papá, una mamá o alguien que nos cuide y entonces nada malo podrá pasarnos.

Los tsúrelej y la guerra

Hasta la Primera Guerra, Austria-Hungría era un gran imperio y Viena, desde la derrota de Napoleón, cien años atrás, la ciudad que marcaba el pulso de la política y la cultura de Europa, o sea la del mundo. Pero ahora existía un conflicto entre el Emperador y el Zar de Rusia. Incluso en Tsúremberg las opiniones estaban divididas: había quienes aceptaban la guerra siempre y cuando el Emperador y el Zar se limitasen a pelearse entre ellos y dejaran en paz al resto del mundo, su lema era: "Allá ellos, acá nosotros". Otros, como Reb Meir Tsuzamen, creían que eso era imposible, que solo unos ignorantes o alienados podían pensar que los poderosos se declararían la guerra para matarse entre ellos, si tenían la opción de conseguir pobres que se matasen en su lugar. "Las guerras son así: si ganamos, ganan ellos, si perdemos, perdemos nosotros", era su lema.

El *Dokter* Víntziquer Psíquembaum tenía su propia postura: "La guerra no es buena para los psicoanalistas; los pacientes suelen interrumpir sus tratamientos para irse a combatir, y rara vez vuelven; esto se debe en algunos casos a que no sobreviven a la batalla, en otros a que reciben alguna herida en la neurosis o en el narcisismo, y en otros a que el mundo externo está realmente tan loco, que prefieren dejar su inconsciente así como está, que de alguna manera se las arreglaron para llegar hasta aquí". Pero además, sostenía, suelen llegar al consultorio soldados de diverso uniforme, no con la finalidad de resolver sus conflictos, sino de crearle conflictos a él, recriminándolo por no estar combatiendo, o por su condición de extranjero. Es sabido, comentaba el *dokter*, que en una guerra toda nacionalidad es buena, menos la de "extranjero", que suele ser confundida con la de "enemigo".

Reb Jaim Piterkíjel era, como siempre, categórico:

—A veces los hombres marchan a la guerra invocando a Dios, diciendo que Dios está de su parte, que los ayudará a vencer a su enemigo, que los protegerá, que no permitirá que les pase nada malo, ¿quiénes son ellos, ínfimos detalles de la Creación, para determinar qué es lo que Él va a dejar o no que ocurra? ¿Saben ellos, en su pequeñez, lo que Él quiere en su grandeza? ¡Sí, lo saben, pero en su necedad, no hacen caso a lo único que realmente conocen de la voluntad de Dios: los Diez Mandamientos! Allí dice claramente: "No nombrarás a Dios en vano; No matarás; No codiciarás", pero ellos matan, codician y nombran a Dios en vano, en cada guerra. ¡Lo nombran en vano todo el tiempo, le atribuyen a Él un deseo que es de ellos, el de ser protegidos, cuidados, sentir que nada malo les va a pasar! ¡Y les pasa, porque matan, o mueren, y las dos cosas son malas! ¿Qué clase de Dios se imaginan? ¿Uno que puede tolerar y proteger la guerra? ¡Dios los hizo a su imagen y semejanza, pero no les dio el poder de hacer a Dios a su imagen y semejanza!

El *Dokter* Abramitsik Úguerke decía:

—Si tomamos en cuenta las ideas de Darwin, la guerra es en realidad una especie de rebelión de los menos aptos, que no pueden sobrevivir de otra manera que no sea matando a sus semejantes.

El *Dokter* Efrom Píchifke, sostenía su vez:

—Si tomamos en cuenta las ideas del Dr. Úguerke, nos vamos a volver locos, porque no tienen sentido alguno.

Y el *Dokter* Úguerke respondía:

—Sin embargo, Píchifke demuestra la validez de mis posturas, ya que sólo puede criticar las ideas que expongo yo, por ser tan poco apto que carece de cualquier idea de su propia creación.

Para los padres de las solteras del *shtetl*, la guerra era toda una revalidación de títulos y "honores", ya que había muchos menos candidatos para sus hijas, al punto tal que el *shadjn* llegó a pensar seriamente en adelantarse varias décadas a su tiempo y organizar bodas entre mujeres.

Los "Nisholdatn"

Éinikl Pachintujes y Gueishpatzirn Schapotznishchuk eran dos jóvenes amigos que se dedicaban a huir de *shtetl* en *shtetl*, para evitar ser alistados en el Ejército. Así pasaron por Shlejtelokshn, Blintzemberg, Einecurvealeingueblibn, Shlafnboijershtot, y Tsúremberg, obviamente aunque no necesariamente en ese orden, ni tampoco en uno determinado por la geografía, ni por estrategia alguna, sino que a medida que iban perdiéndose por el camino, iban a parar a un *shtetl* o a otro, o al mismo otra vez. Tampoco les importaba demasiado dónde estaban, lo que sí era fundamental era "dónde no estaban": en el Ejército.

—Nosotros no servimos para que nos maten —explicaban a quienes quisieran oírlos.

—Bueno, podría ser que ustedes los matasen a ellos.

—¿Nosotros, matarlos? ¿Por qué, qué nos hicieron? Además, es muy probable que algún soldado alemán, o austríaco, o turco, ni bien nos viera nos identificase como enemigos y nos matase ahí nomás, mientras que nosotros primero trataríamos de hablar con ellos y de darnos cuenta si realmente son enemigos o solo están actuando como tales, y recién en ese caso pediríamos armas para poder matarlos

Se los veía como jóvenes desertores, pero en realidad no lo eran, porque no habían llegado a ser soldados, condición indispensable para poder desertar. Se los conocía como los "*Nisholdatn*" (los no-soldados).

Ni bien llegaron a Tsúremberg, Floime Beheime Tzimes de Guéltindrerd, se les acercó y les preguntó:

—¿Ustedes no lo vieron a mi Motl...? anda por algún lado con una valija llena de ilusiones.

—Uh, señora, de esa gente los caminos están llenos.

—Pero él les pide plata a todos.

—De esa gente los caminos están más llenos todavía.

—Pero él no la pide como limosna, sino como "inversión".

—¡¿Ah, Motl?!! No, no lo vimos, pero es famoso en toda Europa, así que debe estar... en Sudamérica.

Desde que Motl y la valija "se fueron de repente",

Floime Beheime les preguntaba a todos por su prófugo marido. Temía que el "pobre" hubiera terminado en la Guerra. Todos los demás la tranquilizaban: "¿Guerra? ¿Qué va a hacer Motl en la Guerra? ¿Cuándo viste a un 'empresario', como él, arriesgandose?".

La guerra y los tsúrelej

Los tsúrelej estaban lejos y cerca a la vez de la guerra. Ellos no estaban en guerra contra nadie, pero por la ubicación del *shtetl*, recibían palos de todos. Estaban, diríamos, en "Tsuropa Central". Y los cosacos tampoco estaban en guerra, pero esto también era preocupante, porque capaz que "con tal de no quedarse afuera", se las agarraban con ellos. Bah, como si no fuera lo mismo que hacían siempre.

Comercialmente la situación era difícil, porque cada nuevo invasor imponía su propia moneda y no aceptaba la del enemigo recientemente desplazado.

Cuando los alemanes se establecieron en Tsúremberg buscaron abastecerse de alguna manera. Y la única manera era el Shmaterai de los Ganev, almacén de ramos generales, si se lo quiere ver con ojos generosos, ¿para qué quería artesanías de papa y vestidos baratos el Ejército del Káiser Wilhelm? ¡Porque eso era lo único que conseguirían allí! ¿Qué sentido tiene ser un ejército victorioso si no hay nada que saquear para festejar la susodicha victoria? Los tsúrelej no eran muy buenos vencidos, no le ofrecían nada a sus vencedores, quizás porque en realidad ellos no habían peleado, y cualquiera de los bandos que ganase, daba lo mismo.

—Yo no entiendo por qué los pueblos se pelean en esta guerra. ¿Tantas ganas tienen de morirse? ¿No saben que hay que esperar que Dios lo lleve a uno, y no irse por su cuenta? ¿Por qué tanto apuro en mandar a otros al Paraíso antes de tiempo? ¿Y si después cuando llegamos ya está todo ocupado? —se preguntó Reb Shloime Vantz.

—Bueno, si pasa eso, no sería muy distinto de lo que nos pasa en la Tierra, ¿no? —comentó Reb Reubén Tsurelsky.

—Es distinto, porque en la Tierra ya estamos acostumbrados... y además, en la Tierra uno hace lo que puede, pero ¿ni en el Paraíso vamos a tener un buen lugar para vivir? ¡No entiendo nada!

—¿*Nu*? ¿Qué querés entender, la guerra? ¡Yo lo que no puedo entender es cómo hacen los pueblos para estar en paz! ¡Eso es lo difícil! ¡Matarse es fácil, dos grupos se enfrentan, cada uno agarra sus armas, tiran, y en cinco minutos se mataron todos, o casi todos! En cambio, ¡ya los quiero ver a esos mismos grupos si tienen que estar dos horas en el *shil* escuchando a Reb Jaim hablar de Dios, o a Reb Meir hablar del proletariado, sin matar a nadie ni matarse a sí mismos...!

—¿Ustedes saben por qué se produce la guerra? —Este fue Fárfale Tzimes—. ¡Un pueblo se queda sin alimentos, o sin lugar, y pelea con el otro para sacárselo!

—¡No es cierto! —respondió Reb Shloime Vantz—. ¡Si fuera así, las que pelearían serían las mujeres! ¿Dónde viste a dos hombres pelearse por una papa? ¿Te imaginás al Zar, al Káiser, a Napoleón tratando de sacarse un *latque* de la boca el uno al otro?

Sea cual fuere el resultado de la guerra, nada cambiaría para los tsúrelej, pero sí podía ser que las cosas empeorasen y eso sería un cambio en cualquier otro lado pero no en Tsúremberg, donde que las cosas empeoraran era una rutina, y lo novedoso era que mejorasen, o quedasen igual.

—Mirá si ganan los ingleses, vamos a tener que usar *shmékn*.

—¿*Shmekn*?

—*Shmekn... shmoking*, un traje negro con una camisa blanca y una flor en el ojal.

—¡Están locos!

Pollo en lo de Rothschild

Por Floime Beheime Tzimes

Mi marido, Motl Gueltindrerd, tiene un gusto muy especial. Le gusta la comida muy elaborada, y gratuita. Suele quejarse de que en casa la comida no es como en la casa de los Rothschild. Él jamás estuvo invitado a comer en la casa de los Rothschild, pero de todas maneras es obvio que tiene razón, ya que dudo que la familia Rothschild necesite inversores que le den dinero para comprarse comida todos los días.

Bueno, tendrá sus gustos raros, pero es mi marido, por lo que trato de complacerlo, o al menos de que él crea que lo complazco. Por eso, a veces cenamos "Pollo en lo de Rothschild". Es muy simple: se ponen unas papas y unas cebollas en una fuente, para acompañar el plato principal. Se las cocina, y cuando están a punto se las come. Mientras tanto, se comenta: "En lo de Rothschild deben estar comiendo pollo. Hummm, qué rico que debe ser el pollo que están comiendo... Ah, qué no daría yo por una porción de ese pollo", y otras expresiones de ese tipo, hasta que todos estén llenos y cambien de tema. Para que el banquete sea completo, puede haber "Chocolate en lo de Rothschild" de postre.

—No sé, yo por las dudas estoy aprendiendo inglés, escuchá: "*Peisaj, Roshashone*".

—¡Eso es idish!

—No, lo que pasa es que hay palabras que se dicen igual. Me está enseñando doña Gezunte Jolile.

—¡No sabía que ella hablaba inglés!

—Ella no, pero tiene una prima en Nuyor, que le manda cartas, y así va aprendiendo y me va enseñando.

—¿Y si llegaran a ganar los alemanes? —preguntó From Lejer.

—Bueno, seguro que les pondrían límites a los cosacos. Habría *pogroms*, como ahora, pero estarían programados, y, ¡que no se les ocurra atacarnos a una hora si dijeron que venían en otra!

—Entonces, podríamos protegernos, si sabemos a qué hora vienen.

—¡No! ¿Vos te creés que los alemanes nos avisarían a nosotros? ¡Son ordenados, no generosos! Además, tendríamos que hablar en idish, pero con el ceño fruncido.

—¿Y si ganan los franceses?

—¡Ulalá, sexo todo el día!

—Entonces no van a ganar los franceses. ¿Dónde se vio una guerra que nos favorezca?

—¿Te parece que nos favorece? ¿Vos la viste a mi mujer? Además, lo que es lindo cuando uno tiene ganas, es feo cuando es obligatorio.

—¡Para mí que ganan los turcos!

—¡Ooooooooooooy! ¡Con lo que les hicieron a los armenios, que ni siquiera son el pueblo elegido, no lo quiero ni pensar...!

—Bueno, ¿qué nos queda entonces, que gane el Zar?

—¿Es posible que entre tantas opciones tengamos que elegir esta? ¿Y por qué no podemos ganar nosotros, los judíos, se puede saber?

—Primero, porque no peleamos... pelear peleamos, pero no en un ejército "nuestro", sino en los de varios países. Segundo, porque si tuviéramos un ejército, no tendríamos el armamento ni el entrenamiento necesario, y nos derrotarían. Tercero, porque si de todas maneras llegáramos a ganar la guerra, se nos pondría el resto del mundo en contra, ¿dónde se ha visto que los judíos ganen la guerra? ¡No es lo que marca la tradición! Además, los países europeos pueden pelearse entre sí porque no tienen otra cosa que hacer, pero a la hora de enfrentarse a los judíos, son todos amigos.

—¿Y si así y todo les ganáramos a todos juntos?

—En ese caso... pues... ¡anularían la guerra!

Mientras Tsúremberg estuvo ocupada por las tropas alemanas, el capitán Ichnich Von Rauchenverboten, jefe a cargo, decidió racionar los alimentos a tres papas por habitante por día, lo que llevó a que se le acercase una delegación de tsúrelej desesperada a decirle que eso era una locura, que de dónde iban a sacar tantas papas, y que por qué decía "reducir" si pensaba "aumentar" la ración. El capitán los miró con extraña expresión. Y los tsúrelej se quedaron con la idea de que los alemanes parecían muy racionales pero en el fondo, estaban locos.

Finalmente los alemanes se retiraron y entonces los tsúrelej temieron la vuelta de los rusos, pero como esto no ocurría, el temor se disipó, para dar lugar a otro: las tropas polacas.

Así se vivió, con miedo, pero no sin temor. Con pobreza, pero no sin escasez. Y en medio de todo eso, los tsúrelej podían no tener ni media papa, pero una sonrisa, o dos palabras con las que confortar a quien fuera, nunca faltaron.

Capítulo 16

Historia de un ladrón

Para Nico

Hershl Cloranfenikolsky no había nacido en Tsúremberg. Ni había nacido ladrón. Simplemente, había nacido. Nishtaféiguele, su padre, también era ladrón, desde hacía muchos años. Y contaba entre sus "clientes" a los más afamados ciudadanos de Kiev, Varsovia, Lemberg, Vilna. Él, contaba. No todos le creían. Pero su fama traspasaba las fronteras, lo que era razonable considerando que él mismo podía cambiar de país sin moverse de su cama, al igual que los demás. Dicen que su tatarabuelo fue "el ladrón del Zar", pero esa sí que es una leyenda poco creíble, que el Zar tuviera "oficialmente" un ladrón que robara para él, y que aceptase para ese cargo a un judío. Pero si pensamos que Piotr Parátropin Cloranfenikolsky era "el ladrón del Zar", pero no porque robó para el Zar, sino porque "una vez le robó al Zar" o a "alguien que él creyó que era el Zar", la historia se vuelve más verosímil.

Hershl aprendió desde muy pequeño el arte de arrebatar; a la salida del *jeider*, todos los días lo esperaba su padre para enseñarle. Nishtaféiguele abrazaba a su pequeño y le preguntaba: "¿Cómo te fue hoy?". Y el niño respondía: "Mal, no hay aquí nada que le pueda quitar a nadie, son tan pobres como nosotros". A lo que el padre respondía: "La pobreza es como la libertad, hijo, son condiciones transitorias, se pueden perder; eso sí, procura perder la pobreza antes que la libertad". El pequeño Hershl miraba a su padre con los ojos muy abiertos, porque si los llegaba a entrecerrar, el hombre le quitaba el cuaderno, para darle una lección.

A Nishtaféiguele no le molestaba que a su hijo "le fuera mal" en el *jeider*, porque sabía que lo máximo que podía encontrar allí era un trozo de pan, y que su hijo jamás le iba a robar comida a un pobre, que al fin y al cabo, él y su hijo provenían de un linaje de ladrones dignísimos.

Lo cierto es que a los Cloranfenikolsky les costaba mucho progresar socialmente en los pequeños poblados. No eran lugares para un ladrón. La gente los saludaba, sí, los respetaba como a cualquiera. Quizás los miraba con cierto recelo, sobre todo cuando reconocía algún objeto que anteriormente fuera de su propiedad, pero nunca con desprecio. Tenían su lugar en el templo como los demás, aunque a la hora de los Diez Mandamientos, cuando el *rebe* estaba por decir " No robarás" o "No codiciarás" se tapaban los oídos, para no quedar ante Dios ni ante el pueblo ni ante sí mismos, como deshonrando los Diez Mandamientos.

Todos sabían que los Cloranfenikolsky jamás les quitarían el pan, ni la salud, o la dote de una novia. A lo sumo se harían presentes en el casamiento, con un regalo, que elegirían con sumo cuidado y se lo llevarían a sabiendas de que los novios no lo echarían de menos.

Al lado de los *pogroms*, los Cloranfenikolsky eran una visita más.

La familia solía mudarse, corrida por la pobreza, ajena. Cuando se establecían en un *shtetl*, Nishtaféiguele se iba durante la semana a trabajar a la ciudad. Se presentaba como "revendedor de objetos varios de procedencia inverificable". Nadie sabía demasiado bien qué quería decir eso, por supuesto que, menos que nadie, el propio Nishtaféiguele, que una vez escuchó que habían detenido a un colega y lo habían acusado de "posesión ilícita de objetos varios de procedencia inverificable"; a Nishtaféiguele le pareció que con ese "título" podría darse "*ijes*" (alcurnia), y lo adoptó. La madre de Hershl era doña Shlejtesoine Esizfarbrentdicholent. Su padre, Reb Nishtanárbeter Esizfarbrentdicholent había sido *shnorer* y venía de una familia de varias generaciones de *shnorer*s, por lo que no le pareció adecuado que su hija se casase con un hombre de ascendencia *ganev* (ladrón). Pero tuvo que reconocer, que, por un lado, ambas familias basaban sus fortunas, o sus miserias, en apoderarse de objetos ajenos, y que, como andaban los tiempos era mucho más factible hacerlo contra la voluntad del despojado que con su propia complicidad.

Hershl tenía entonces gloriosísimos antepasados, si de vivir de los demás se trata. Había una especie de "mandato familiar". Él no debería ser menos que sus mayores, y de ser posible, debía "hacer más".

Tenía un hermano menor, Shloimordje, que rompiendo con el legado de sus ancestros se había dedicado al comercio, aunque dicen las malas lenguas que no había roto demasiado con dicho legado, y que los objetos con los que comerciaba eran "de procedencia inverificable" y de calidad más inverificable todavía.

Cuando terminó su formación primaria, vale decir que se graduó en el *jeider*, y su padre consideró que ya sabía suficientes trucos, Hershl, que en ese momento vivía con su familia en Oremfortz, decidió "recorrer mundo" para continuar, diría su padre, con su "educación". Lo que muchos años más tarde se llamaría "maestría".

A diferencia de Motl el emprende(u)dor, Hershl no necesitaba pedirle nada a nadie, ni dejar a ninguna novia llorando por su dote perdida. Él iba de pueblo en pueblo, y la noche anterior a cada "mudanza" recorría casa por casa, a manera de despedida, y en todas quedaban llorando, por algún objeto perdido, del que se despedían. Hershl podía haber dicho que era una manera de "llevarse un recuerdo" de cada familia, pero ¿quién se lo hubiera creído?

Hershl recorrió pequeños y grandes poblados; muchas veces solo, algunas veces acompañado, y otras, perseguido. Solía presentarse como un hombre de negocios, pero alguna vez dijo ser un estudioso, un científico, un joven rico en busca de novia, un perseguido político, lo que conviniera a sus intereses: ganarse la confianza de la gente, que su presencia fuera algo tan natural, en principio para ser reconocido, y luego, para no serlo, pasar absolutamente desapercibido, y así poder obtener, digamos "sus recursos".

Cuando empezó su carrera no era sino un joven que apenas había superado el *Bar Mitzvá*, pero diez años después era un experimentado conquistador de corazones femeninos y bolsillos de todo sexo.

No era nada feo y seducía a las muchachas con palabras... robadas: les recitaba poemas, cuentos, anécdotas de otros, pequeños relatos amorosos, todos "de su autoría". Un hombre que no temía la ira de Dios, ni la de sus iguales, al apoderarse de un candelabro, una moneda o un anillo, ¿iba a amedrentarse frente a unas palabras por bellas que fueran?

Sofía Shikertojter, Rifke Epesvelijtroifn, Guekukte

Shoin, Eítzele Fetermuter, Mírele Vosostumirguetón, son algunas de las que cayeron bajo los encantos de Hershl.

Y fue más o menos para cuando tenía 25 años, que Hershl fue a dar con su historia a Tsúremberg. Como suele pasarles a los hombres verdaderos, sólo al verlo entrar, los tsúrelej reconocieron en él al distinguido ladrón que era, un auténtico *ganev*, un hombre capaz de sacar lo mejor de cada uno. Lo recibieron con el corazón abierto. Al fin y al cabo era un hombre, soltero, y que si no cumplía con uno de los Mandamientos, nueve sobre diez no era un mal promedio.

La primera que se le acercó fue Floime Beheime, para preguntarle si no había visto a su esposo Motl, y su valija. Sin dudar un minuto, Hershl le dijo que no, ya que si él los hubiera visto, recordaría al hombre y tendría en su poder la valija.

El segundo fue Kolnidre Medarfloifn, quien quería obtener algunos datos sobre Hershl antes que los demás, para poder, justamente, trasmitirlos a los demás. Hershl le contó que venía "de acá y de allá", que vivía "donde podía" que trabajaba "un poco de esto, un poco de aquello", que su plato preferido era "comida" y que había llegado a Tsúremberg para... lo que fuera. Con todos esos datos Kolnidre se sintió satisfecho, y pensó que Hershl era uno más. O uno menos.

> **TENGO EL VESTIDO QUE USTED NECESITA PERO TAMBIÉN LE PUEDO VENDER OTRO MÁS BARATO**
>
> Méndl Parnúsemboim
> Cuéntenik

El tercero que se le acercó fue el *Dokter* Víntziquer Psíquembaum. Temía que se tratase de un colega, ya que si en Tsúremberg no había lugar para un psicoanalista, ¡imagínense para dos! Pero Hershl lo tranquilizó al contarle que no le interesaban en lo más mínimo los sueños, chistes ni lapsus, sino cosas más concretas. Se preguntó qué haría el *Dokter*, cómo se las arreglaría para vivir, a quién le podría revender esos sueños, lapsus o chistes, quién le pagaría una moneda por ellos. Pero, si se las arreglaba, él, Hershl Cloranfenicolsky, no era quién para inmiscuirse en los negocios de los demás, salvo que estos estuvieran llenos de objetos robables, y no era el caso.

El cuarto fue el *shadjn*, Reb Jolodetz Saltzn, interesado en saber si este joven recién llegado tenía novia, esposa o similar. Hershl le dijo que no, lo que iluminó el rostro del *shadjn*. Pero en cuanto le explicó su profesión, Reb Jolodetz entendió que sería difícil convencer a un padre de que casara a su hija con un *ganev*. Aunque tenía una ventaja: Hershl no le pediría dote, la tomaría de donde estuviera, y ya está.

La quinta persona fue Shloime Gueshijte Tsuzamen, quien lo invitó a adherir a la causa del proletariado. Pero, nada más distante que la ideología igualitaria y Hershl: ¡a él le parecía muy bien que todos pudieran tener objetos, pero para quitárselos! Y tenía muy claro que lo que les quitaba a otros, ¡era para él! Y si bien estaba dispuesto a confiscarles su riqueza a los ricos, prefería que no fuera a todos juntos, sino a uno por uno.

Se acercaron otros vecinos para constatar que Hershl no fuera un agente del Zar, un cobrador de impuestos, un policía, ¡Dios no lo quiera!, ni un *pogrom* unipersonal. Cuando vieron que era simplemente un ladrón especializado, conquistador de mujeres y amigo de lo ajeno, lo aceptaron sin más. Tsúremberg necesitaba algunos mitos, aunque más no fuera para figurar en los mapas, o en los cuentos. Había *shtetls*, como Volkovisk, que podían exhibir con orgullo su "mito de origen": "Hace muchos años, siglos, tal vez milenios, dos ladrones, Volako y Visek, fueron detenidos aquí". Alguien podría preguntarse por qué el nombre del pueblo homenajea a los ladrones, y no, por ejemplo, a quien los había detenido. Pero esa pregunta no tiene respuesta.

Al fin y al cabo, en cuántos países, en cuántas ciudades, calles, barrios, y hasta capitales de provincia o de Estado hacen que se recuerde a asesinos, saqueadores, gente que se la pasó arrasando territorios, aunque no los mismos en los que fueron honrados, eso es cierto. Tal vez las autoridades, al elegir el nombre de algún sitio público, más que al homenaje apelan a la memoria: "Nombrémoslo como tal criminal, para que nadie lo olvide". Pero es solo una tesis.

Hershl se estableció en Tsúremberg y nadie sabe demasiado bien por qué. Tampoco está muy claro dónde vivía. Mejor dicho: estaba claro, vivía en Tsúremberg, pero no está claro en qué casa. Probablemente viviera un poco en la casa de cada uno, sin que sus ocupantes lo supieran.

La vida de Hershl se desarrollaba entonces sin mayores contratiempos. De día leía la Torá como el resto de los hombres (salvo, ya se sabe, la parte de "No robarás") y de noche recorría las casas buscando objetos de valor, y alguna que otra papa conseguía. De hecho, no necesitaba robarlas.

Una noche pasó por la casa de los Feler, y buscando algo que meterse en el bolsillo, encontró a... Rifke. La joven "escritora" intentaba en vano iniciar un párrafo. Así como su hermana Rojl había roto una tradición milenaria, y se había casado con un hombre por propia decisión, ella también rompería una, la de ser escritora... sin saber leer. Si su hermana había podido, ¿por qué no ella? El problema era que esta cuestión no se podía arreglar convenciendo a sus padres. Evidentemente Rifke se había puesto una valla más alta que su hermana mayor. Pero "si ella quería, allí estaba el milagro", como le habían dicho que había dicho Herzl.

De alguna extraña manera Hershl se enterneció por la joven que, ventana adentro, intentaba escribir. No dudó en acercarse, y desde la oscuridad de la noche, la interrumpió.

—Deberías aprender a leer primero, ¿no? —le susurró.

—No… eh… ¿quién es?... ah, Hershl, me asusté, pensé que podía ser un ladrón —dijo Rifke.

—Yo soy un ladrón.

—No, vos sos "nuestro" ladrón, no "un" ladrón.

Algo se conmovió en el corazón de Hershl. Era la primera vez que la palabra "ladrón" pasaba a segundo plano en su historia. Pero como suele pasarles a los profesionales exitosos, "lo intelectual" volvió a ganar sobre lo afectivo. Hershl pensó que si esta chica podía tener ese grado de lucidez, seguramente sería una buena escritora.

—Buenas noches —dijo. Y se fue.

Volvió. La noche siguiente. Y esta vez se atrevió a más. Pasó su mano a través de la ventana, pero, por vez primera, no para llevarse algo, sino, por el contrario, para dejar un libro, uno que había arrebatado de algún sitio, alguna vez.

La noche subsiguiente apenas si se asomó. Pero le alcanzó para vislumbrar lo que pasaba. Vio a Rifke intentando reconocer las letras. Ella sí quería aprender a leer, aunque nunca lo confesaría. Entonces, ¿la ternura, el amor escondido?, él se acercó al límite de la ventana, y desde afuera, leyó para ella, descifrándole las letras, palabra por palabra. Y la noche que siguió. Y la otra. Y la otra. Y la siguiente no, por ser inicio de *Shabat*, pero la subsiguiente, sí.

Ella, joven inteligente, cada vez necesitaba menos de su ayuda, pero cada vez disfrutaba más de su voz y su presencia. Lo esperaba. Hasta se atrevió a postergar su orgullo femenino, simulando necesitar que él le siguiera leyendo. Él se dio cuenta. Era un ladrón, un verdadero psicólogo sin título a la hora de percibir conductas humanas. Pero no podía dejar de volver cada noche. Esperaba ser esperado. Se sentía atrapado por primera vez en su vida. Pero, buen ladrón, supo reconocer que había perdido. De nada valía escapar. Estaba, sí, enamorado.

¿Por qué un conquistador, un hombre ante el que sucumbían las hermosas, estaba subyugado por la joven Rifke? ¿Habría sido su empecinamiento, ese "querer ser escritora sin saber leer", lo que lo conmovió? ¿Quién puede saberlo, quién puede ser lógico, cuando de amor se trata?

Lo cierto es que Hershl no la "robó" como a tantas otras. A las dos semanas, entró en la casa de los Feler. Pidió hablar con Reb Purim, el padre, y con mucho respeto, le comentó que quería casarse con su hija Rifke, y solicitaba su permiso.

–¿Mi permiso? ¿Qué clase de ladrón sos? –Sonrió Reb Purim–. Y además, ¿a quién le importa lo que opine yo, en estos tiempos? ¡Preguntale a ella!

Rifke se sorprendió de escuchar la voz de Hershl proveniente de otro lugar, de adentro. Y, buena escritora sin textos propios, supo en cambio buscar en su interior la palabra adecuada: "sí". Reconozcamos que no era muy difícil.

Purim Feler y Sra.
Nishtaféiguele Cloranfenikolsky (prófugo) y Sra.

Invitan al casamiento de sus respectivos hijos

Rifke y Hershl

(No enviar regalo. El novio se encargará de pasar
por su casa cuando usted no esté, y llevarse algo)

Hershl pensó que la de ladrón no era una buena profesión para un hombre casado.

–¿Pero qué voy a ser yo, si sólo soy un ladrón?

–Ya te lo dije, Hershl, vos no sos "un" ladrón, sos "nuestro", y así como me enseñaste a leer a mí, podrías hacerlo con otras personas.

Hershl sonrió. No era tan simple. Él no se iba a enamorar de todos los analfabetos del pueblo. Pero si su padre pudo ser "revendedor de objetos varios de procedencia inverificable", él bien podría ser "explicador de letras unidas sin sentido aparente". Fue, entonces, un nuevo maestro, que les enseñaba a los chicos sus primeras letras, y, alguna vez, no vamos a decir lo contrario, algún truquito para apoderarse de una papa perdida.

Años después, Rifke le preguntó si de verdad se había quedado en Tsúremberg porque tenía algún plan para apoderarse de algo muy valioso.

Hershl la miró con picardía y le dijo:

—Sí, y mi plan tuvo éxito. Me apoderé de lo más valioso que tienen ustedes. De sus tradiciones. Ahora, también son mías.

Hershl Cloranfenikolsky no había nacido en Tsúremberg. Ni había nacido ladrón. Simplemente, había nacido. Ahora estaba en Tsúremberg. Y no era más ladrón. Simplemente, era.

Glosario, shmosario

Acá explicamos los términos que figuran en idish, según se lo habla en Tsúremberg:

Balebuste: "Patrona". Se usa igual que en la Argentina, uno dice a veces "la patrona" por "mi esposa", o también para designar a una mujer "muy patrona". En Tsúremberg, la *balebuste* siempre tiene la última palabra: papa.

Blintzes. En cualquier casa judía (y no judía) los *blintzes* son unos panqueques de queso blanco; en cualquier casa de Tsúremberg, son un milagro.

Bobe. En sus dos variantes, materna y paterna, *bobe* es lo que comúnmente se conoce como "abuela". O como "*idishemame* de cabecera". En muchas familias la *bobe* es la depositaria de las tradiciones, del conocimiento culinario, y también, del médico.

Bris. Es la circuncisión. La persona que lo realiza generalmente es un *mohel* (en idish *moil*), y es uno de los cargos en los que, más que en ningún otro, está prohibido beber antes de trabajar.

Cachivachnik. Vendedor ambulante, que va de pueblo en pueblo con sus mercancías, ofreciendo "lo que en Varsovia, París o Londres pagarían a precio de oro" por un precio sensiblemente más económico. Aunque para los tsúrelej, las papas valen mucho más que el oro. O, ¿quién tiene ganas de cenar "*varéniques* de oro" esta noche?

Dokter. Es fácil entender que *dokter* es la traducción de "doctor". Mucho más difícil, en cambio, es entender qué es lo que dice el *dokter*, y cómo nos va a curar.

Goim. Literalmente quiere decir "pueblos", y es el plural de *goi* o *goy* que quiere decir "pueblo". Los judíos suelen usar este término para designar a los no judíos. Algunos lo usan en forma despectiva, pero no nos vamos a hacer cargo de esto, porque cualquier palabra puede ser usada en forma despectiva.

Guefilte fish. Puede traducirse como "pescado (*fish*) relleno (*guefilte*)". Fácil de decir, no tanto de hacer. Muchos "*guefilte fish*" de Tsúremberg no tienen relleno y otros no tienen pescado. En esos casos se podría hablar de "Guefilte papa", aunque la papa cumple el doble papel de "pescado" y de "relleno".

Gueshijte. Significa "historia", y tal como en castellano, se aplica tanto a la "Historia" de un país, como a las "pequeñas historias" cotidianas; aunque en Tsúremberg la segunda acepción es casi monopólica, ya que lo cotidiano es estable, mientras que el "país de pertenencia" cambia a cada rato y no es cuestión de pertenecer hoy a la historia de Rusia, mañana a la de Polonia, pasado a la de Lituania, y así.

Gurnisht de pescado. *Gurnisht* quiere decir "nada" en idish, y pescado quiere decir *fish*, en castellano. O sea, se trata de hacer un buen plato de pescado, pero sin pescado, porque ese día no hay.

Iajnes. ¿Cómo definir a las *iajnes* sin que ellas mismas se entrometan y nos cuenten otra definición que les acaba de transmitir una vecina con la expresa promesa de no decírsela a nadie? ¡Imposible!

Jeider. Es la escuela elemental, donde los chicos aprenden las primeras letras, y las primeras polémicas. A decir verdad, los chicos tsurelianos son muy inteligentes, y aunque generalmente llegan al *jeider* sin saber leer, a discutir ya aprendieron en sus propias casas.

Jélemer. Habitante de Jélem (pueblo que de verdad existió en Polonia); según la leyenda, los *jélemers* tenían fama de ser sabios, pero de una sabiduría particular, siempre "sabían" como resolver las cuestiones de la manera más tonta posible.

Jipe. En hebreo *Jupá*, es la ceremonia religiosa del casamiento judío, y también alude al "ámbito en el que se realiza esa ceremonia" que puede ser un templo, o no. Si bien en idish se dice *jipe*, el "jipismo" de los años 60 no tuvo nada que ver con esto.

Kasher. Es el conjunto de normas dietarias judías. Las comidas *kasher* son las que el rabino declaró aptas. Por ejemplo: está prohibido mezclar carne con lácteos. En Tsúremberg las reglas se cumplen a rajatabla, ¡nadie se atrevería a mezclar "carne de papa" con "leche de papa"!

Képele. "Cabecita". Habitualmente se usa con un sentido muy cariñoso (acompañado de una caricia). En Tsúremberg suele ser un nombre infantil, o un apodo, en este último caso jamás se utiliza porque el apodado tenga la cabeza grande, sino porque no la usa lo suficiente, o porque la usa con fines inadecuados (para golpear una puerta, para meterse donde no lo llaman, para hacerse demasiados problemas, etcétera).

Kipá. Es un término hebreo, también conocido como *Yámulke*, *Yármulke*, o, en castellano, "solideo". Es el sombrero con el que los varones judíos se cubren la cabeza por respeto a Dios. Es de uso obligatorio en los templos, y suele venir de un solo tamaño: no hay *small*, *medium*, *large* y *extra large*, aunque debería haber.

Kishkes. Literalmente son las tripas, y tal como en castellano, se usan tanto para definir una comida (chinchulín, tripa gorda), o "algo profundo": "Esto te lo digo desde las tripas". Pero hasta ahora no escuché que nadie diga "enkishkado" por "entripado".

Kneidalaj. Son unas bolitas de *matzemail* (harina de pan ázimo) que se suelen servir dentro de un caldo (generalmente de pollo). Hay quien los come en *Peisaj*, y quien los come en cualquier momento del año, y quienes, como en Tsúremberg, transmiten la receta de generación en generación, con la esperanza de que, algún día, se comerán los *kneidalaj* "de verdad" y no los de papa.

Knishes. Los *knishes*, son unos bollos horneados de hojaldre, rellenos de puré de papa y cebolla frita (el más tradicional), o a veces, de arroz dulce, o "de lo que haya", según la típica receta tsureliana, ya que en el pueblo suele haber papa siempre, salvo cuando la receta original realmente lleva papas. Tiene un singular, *knish*, o *knishe*, pero nadie lo usa, ya que son tan ricos que es imposible comerse uno solo.

Kopec. Es una moneda rusa, de valor mínimo, salvo cuando se lo necesita y no se lo tiene.

Koved. Es una palabra hebrea que significa "respeto", homenaje. En Tsúremberg hay mucho *koved*; se respeta la Torá, a los rabinos, a los hombres en general, y por supuesto, a las fiestas. Y a las papas, se las come, pero con el mayor de los respetos.

Latques. Buñuelos. En la tradición judía, son generalmente de papas (típica comida de la fiesta de *Jánuca*). En Tsúremberg también son de papa, aunque no por tradición, sino porque, ¿de que iban a ser?, ¿de caviar?

Leikaj de miel. El *leikaj*, o *lekaj*, es una torta, generalmentre de miel (*leikaj* negro) aunque también existe el de harina y huevo (*leikaj* blanco), el de *matzemeil*, (o sea harina de pan ázimo) para *Peisaj*, y el de papas, que se come en Tsúremberg y en otros *shtetls*, cuando hay papas (a veces) y no hay miel, harina, huevos o *matzemeil* (siempre).

Majténim (o majestúnim). Son los consuegros; buenas personas, hasta que de pronto su hijo se casa con nuestra hija (o su hija con nuestro hijo). En Tsúremberg los *majténim* suelen reunirse en el templo, en las casas, en la calle, o en cualquier sitio en el que se pueda discutir a viva voz.

Mandlen. Son las almendras, compañeras inseparables de los *róyinkes* (pasas de uva) en una entrañable canción de cuna judía. Los chicos de Tsúremberg conocen perfectamente bien a los *róyinkes* y las *mandlen*, pero solo gracias a la canción.

Matze. Es el pan ázimo sin levadura, que se come especialmente en *Peisaj*, cuando no se puede comer pan común. Durante el resto del año, en Tsúremberg se puede comer *matze* si no hay pan común; pan si no hay *matze*; papas, si no hay ni pan ni *matze*; y si no hay ni pan, ni *matze*, ni papas, y uno está en el desierto, capaz que le cae un poco de maná.

Melamed. Es el maestro del *jeider*, el que les enseña a los chicos. Suele tener alumnos de distintas edades en la misma aula, cada chico con sus inquietudes, cada chico con sus dificultades, cada chico con sus preguntas, cada chico con sus preguntas, cada chico con sus preguntas...

Minyan (o minian). Conjunto de diez varones judíos, indispensable para que se pueda comenzar una ceremonia religiosa. Si esa ceremonia va a ser un *bris*, además de los diez ya mencionados, se necesita un recién nacido, ya que en caso de no haber ninguno disponible, difícilmente uno de los hombres del *minian* se preste a volver a protagonizar dicho ritual.

Mishíguene. Es un sinónimo de *tsedreit*, o sea, loco. Pero además, hay quien dice *meshigue*, *mashugue* y *meshugue*. Con tantas maneras de decirlo, es como para volverse *tsedreit*.

Mitzvá (en idish mitzve). Quiere decir "precepto". En la Torá existen unos 613, que deben ser cumplidos por los judíos. Además de los Diez Mandamientos. Y de llamar a la mamá a ver cómo está. Y de ser médico.

Najes. Es lo contrario de "*tsures*", *najes* son alegrías, buenas noticias, felicidades. Pero no conocemos ningún *shtetl* que se llamase "Najesberg".

Nu. Es la palabra que más acepciones tiene en idish. Desde "¿y?", hasta "¿cuándo me vas a devolver la papa que te presté hace dos semanas?", pasando en el medio por "¿tu hija ya está en edad de casarse, no?" o "¿qué querés por este precio, oro?". De todos esos sentidos, elegimos el que creemos que mejor refleja el término. Es el siguiente: *¿nu?*

¡Oy vey! ¡¡Cómo definir, en unas pocas palabras, una expresión que fue empollada por cuarenta siglos de sufrimiento judío?! *Oy vey* es un lamento, una opinión política, o un grito de guerra, es una madre que sufre porque su hijo no la llama, y es ese hijo

escuchando a su madre lamentarse. Es la falta de papas, o que lo único que hay es papas. Todo eso, y mucho más, y mucho menos.

Oyoyoy. El *oyoyoy* es un *oy vey* que ha perdido el *vey*, y, para compensar, ha multiplicado los *oy*, que es la parte más quejosa de la expresión. El *oy* puede entonces multiplicarse por tres *oyoyoy* o bien por cinco *oyoyoyoyoy*, en cuyo caso la expresión se hace más sufriente aún, pero quizás algo menos creíble.

Peies. *Peies* son los aladares; y aladares son los *peies*; más claro, imposible. De acuerdo a las normas religiosas, los hombres no deben cortarse el cabello, entonces, se les forman los *peies*. En Tsúremberg, el *rebe* Piterkíjel acepta dos tipos de peinado masculino: los *peies* o la calvicie.

Pogroms. Violentas acciones de saqueo contra pueblos y/o comunidades judías, promovidas por bandas (a veces de cosacos), que violaban, robaban y mataban sin piedad (en general estos actos se realizan "sin piedad"). Las autoridades rusas y/o polacas solían tomar medidas al respecto, generalmente, en contra de los judíos.

Prípechok. Es la chimenea, pero es una chimenea en idish, por eso, se "oye" el fueguito, haciendo *prípechok*.

Rebe. Rabino; cada pueblo tenía su rabino que además del servicio religioso, aconsejaba y guiaba a la comunidad y ejercía funciones judiciales (mediador, por ejemplo). En Tsúremberg, hay dos, que guían al pueblo en direcciones diferentes, y siempre hay que mediar entre ellos.

Róyinkes. Son las nunca bien ponderadas pasas de uva. En Tsúremberg son muy valoradas, pero, más que eso, extrañadas.

Shadjn. El *shadjn* es el casamentero, el que "arregla las bodas" con los padres de los novios. Si en lugar de

hombre es una mujer, se la llama *shádjnte*. Si es un niño... ¡momento, los niños no arreglan casamientos!

Shil: El *shil* es el templo, la sinagoga. Pero en Tsúremberg, como en tantos otros *shtetlej,* más que hablar del *shil,* uno hablaría de "los"*shil*. O sea, se necesitan por lo menos dos: uno para ir habitualmente, y otro para ir cuando uno se pelea con la gente que va al primero. También sería mejor que hubiera un tercero al que uno no iría bajo ningún concepto, un cuarto "al que no va nadie", etcétera. No confundir con *shtil* que quiere decir ¡silencio!, que es lo que se debería hacer en el *shil* cuando el *rebe* habla, lo que sería un verdadero milagro.

Shmates. Los *shmates* son los trapos, la ropa de mala calidad, los repasadores, o el mejor vestido, usado por alguien a quien "una" odia. En Tsúremberg nadie usa *shmates*, ya que hasta el más barato de los trapos puede ser un vestido de fiesta, cuando hay voluntad, y escasez.

Shnorer. Es un personaje infaltable de todo *shtetl*, ciudad, barrio, familia. Es un hombre que vive de la buena voluntad de los demás. Un "acreedor profesional". Siempre se presenta a la hora de comer, jamás a la de cocinar, mucho menos a la de pagar.

Shtetl, (plural en idish shtetlej) shtetls. Son los pequeños pueblos de Europa centro-oriental, como Tsúremberg, Shlejtelokshn, Vuguéistemberg, Einecurbealeingueblibn, y otros de nombre más fácil de pronunciar, como Belz, Kishinev, Volkovisk, etcétera.

¡Shtil! Literalmente: ¡silencio! Pero si un *rebe* pide a su congregación que permanezca en silencio, sólo conseguirá más charla. En cambio, si grita "¡*Shtil!*" sólo quedará un tenue, pero constante, murmullo.

¡Tfu, tfu, tfu! Es una expresión que no se dice, sino que se escupe, tres veces, luego de decir "*kinainore*". Sirve para espantar el mal de ojo, y escupir a todos los que estén cerca.

Torá. Es la palabra hebrea (en idish *Toire*, o *Teire*) para designar al Pentateuco, los cinco primeros libros de la Biblia. A veces se usa por extensión para toda la Biblia. En Tsúremberg los hombres leen la Torá todo el día, y la transgreden casi todas las noches.

Treif. Lo que no es *kasher*, lo que está prohibido, lo que no se debe comer, ni tocar. En Tsúremberg más de uno cree que el dinero es *treif*.

Tsedreit. Se usa como "loco", aunque literalmente quiere decir "dado vuelta, girado". En Tsúremberg, es aceptable que digan que uno está "*a vísele* (un poco) *tsedreit*". Pero si los vecinos lo ven "*tsedreit fun kop*" (loco de la cabeza) es para preocuparse.

Tzadik. Hombre de un elevado nivel espiritual. En Tsúremberg, cualquiera que no se queje de la pobreza, las persecuciones y/o de su propia mujer, es considerado un *tzadik*, o bien, un mudo.

Varéniques. Es una pasta hervida (parecida a los *agnolotti*) rellena de puré de papas y cebolla frita. En Tsúremberg no es un plato muy común, ya que la gente suele usar las papas para hacer "pollo de papa", "pescado de papa" e incluso "té de papas" y entonces difícilmente le queden papas como para hacer *varéniques*.

Ve iz mir. Otra típica expresión de queja. Obviamente los judíos tenían mucho de qué quejarse, y si les llegaba a faltar algún motivo, pues simplemente buscaban en su historia y lo encontraban enseguida. Por eso es muy bueno tener muchas expresiones de queja, ya que hay muchas ocasiones para usarlas. Hasta podríamos decir que hay expresiones "de entrecasa", y otras "de salir" para ser usadas en ocasiones especiales.

Vus. Quiere decir "¿qué?". Y si pensamos que los judíos solemos contestar una pregunta con otra, entenderemos entonces que el *vus* es uno de los términos más gastados de la lengua idish. Muchos nenes de Tsúremberg la dicen antes de "papá", "mamá" o "papa".

Zeide. El abuelo, trasmisor de conocimientos, tradiciones y quejas. Muchos judíos le daban alcurnia a sus sufrimientos, diciendo que "en los tiempos de mi *zeide*, fuimos perseguidos...".

Zolzáin. "Que sea"... Pero es inútil decir "*zolzáin*" sin acompañarlo con un movimiento de palma hacia abajo. Es un verdadero "signo de resignación".

Guía de personajes, lugares e instituciones de Tsúremberg, sus alrededores y su "por ahí"

Los personajes de Tsúremberg reciben preguntas, retos, felicitaciones y todo tipo de comentarios en rudy@tsuremberg.com.ar o en www.tsuremberg.com.ar. Prometen contestar.

Abraham Reitefíselaj Guéltindrerd. A este pobre hombre le tocó la dura tarea de ser el padre de Motl el emprende(u)dor. Otros señalan con orgullo a sus descendientes y dicen "este es mi hijo, el médico, o, el abogado". Reb Abraham no tiene esa suerte, pero tampoco tiene que señalar a su hijo con el dedo, ya que mayormente está prófugo.

Abramele Kópel Penitentziarí. Buen candidato, lástima que ya esté casado. Varias mujeres estaban dispuestas a casarse con él, pero son muchas más las que no. Así son las cosas, no se puede satisfacer a todas.

Abramitsik Úguerke: Científico nacido en 1866 en Tsúremberg. Por sus descubrimientos se lo compara con grandes científicos de la época: mientras que el profesor Úguerke conoció a fondo tanto a Freud como a Einstein, ellos ni oyeron hablar de él. Úguerke no descubrió ni el psicoanálisis ni la relatividad, aunque tal vez haya sido él quien dijo "el psicoanálisis es relativo" en una noche de *bronfn* o de vodka.

Alter Aftzelujes, Prezunter Petzl. Vecinos de Tsúremberg. Testigos de la historia, aunque en cualquier momento podrían ser protagonistas, muy a su pesar.

Azoi y Míljique Guéltindrerd. Hijos de Motl el emprende(u)dor y de Floime Beheime Tzimes. Con semejantes padres, no se entiende cómo no se volvieron locos. Quizás, porque no hay lugar para tantos desequilibrios en una sola familia.

Ben Iud, Kijl Motl, Saltz Schopantzik, Hacn, Prostn, Orem Itzik (los 3 Morguenstern) y Dortn Iankl. Héroes de leyenda, de dudoso origen tsureliano. Sin embargo, su sed de justicia, libertad e igualdad social nos hacen sospechar que podrían haber nacido en el *shtetl*. No tanto por la justicia, libertad e igualdad, sino por la sed.

Blintzemberg, Vusbrejste, Trénengut, Einecurvealeingueblibn, Shmecovia, Kleinershtok, Oremfortz. Pueblos que, si se los viera con los términos que se usan ahora, formarían parte del "Gran Tsúremberg", pero a nadie se le hubiera ocurrido semejante denominación.

Blitzpocht "Oyoyoy" Cohen. Muy perceptivo a la hora de detectar problemas, no así a la hora de buscar soluciones; y para peor, la mayoría de sus vecinos de Lomirkvenchn no necesitan que otro les busque problemas, bastantes complicaciones tienen ya para que venga este hombre a ofrecerles más.

Bojl, Kartofl y Tzebrojl Feler. Hermanas de Rojl y Rifke, testigos mudos pero no silenciosos de los dramas románticos que se desarrollan en esa casa. En otras casas, las mujeres hacen la comida; en esta, los problemas. Es que son "progres".

Brívele Mitnajes. Hija del millonario Mitnajes y esposa del magnate Mainguelt, nunca le faltó un billete falso para vivir. Se comenta que ella misma llegó a fabricar algunos, pero los hizo de papa, y eran bastante sabrosos.

Búsheben Majer. Actor. Su fama lo precedía en algunos sitios, en otros llegaba tarde, y a otros no llegó nunca. Llegó a representar grandes papeles, y pequeños papelones.

Calman Farbrent. Sionista, veía en Israel al futuro de los judíos. Eso sí, lo veía de lejos, que es como se ve desde Tsúremberg cualquier otro sitio. En realidad, él veía, con suerte, Lomirkvechn, pero con un poco de imaginación.

Caquerúlquele Ekmek. Vecino de Lomirkvechn, no protagonizó ninguna de las historias, pero siempre estuvo ahí. ¿Ahí dónde? ¿Dónde iba a ser?, ¡en Lomirkvechn!

Chuprinemaine. Ciudad fundada por un mito; como tantos otros sitios, este tampoco existió jamás, pero de todas maneras se lo recuerda, porque para eso están los mitos, para ser recordados y servir de ejemplo de lo que nunca fueron.

Copel Shlaifnboij. Marido de Ella. Dicen que detrás de todo gran hombre hay una gran mujer. Copel nunca fue un "graaan hombre", pero tampoco necesita serlo. ¿Para qué sirve ser un gran hombre en Tsúremberg, para que los cosacos te vean primero en los *pogroms*?

Doña Beheime, doña Grobechainik, doña Híntele, doña Tsufrídene, doña Cherepaje, doña Fréguele, doña Rajmone Guezunterheit, doña Tzureiajne. Vecinas de ellas mismas, y de otras vecinas. Su protagonismo es crucial en todas las historias, ya que si bien ellas en la mayoría de los casos no estaban allí, sí estuvieron a la hora de contarles lo sucedido a otras que tampoco estaban allí pero tenían menos imaginación.

Efrom Píchifke: Cotizado científico de Tsúremberg,

aunque lamentablemente la cotización no es todo lo elevada que él quisiera. Eterno rival del doctor Abramitsik Úguerke, con quien jamás se puso de acuerdo en nada, ni siquiera en no ponerse de acuerdo en nada.

Farabúndele Óremfortz. Supuesto *shnorer*. Algunos dicen que en realidad es un millonario, pero lo tiene tan escondido que ni él mismo lo sabe.

Fárfale Kratznpupik. Uno de los vecinos más renombrados del pueblo; también, uno de los menos renombrados; en realidad, el renombre es muy relativo, en Tsúremberg.

Fárfale Tzimes. Vecino de Guéltindrerd, padre de Floime Beheime, no podemos decir que a este hombre no le faltaba nada, pero sí podemos decir, después de que su hija se casó con Motl, que le falta todo, o al menos todo lo que Motl pudo quitarle.

Farfoiltene, Iajnetsure, Gotzidanquen, Nishtagoie, Iajne Obergute. Varias mujeres de Tsúremberg. Con eso tienen bastante título "mobiliario". ¿O alguien cree que con todo lo que tienen que hacer en sus casas alguna mujer de Tsúremberg tiene tiempo para ser marquesa, además?

Floime Beheime Tzimes. Mujer de Motl el emprende(u)dor. Si este es su principal rasgo de identidad, convengamos en que no se trata de una persona muy agraciada por la vida; pero ella hace lo que puede, o lo que Motl no puede.

Francisco Dorremifasol. Antepasado. Algunos dicen que fue un pionero. Otros que no. Uno de los dos grupos debe tener razón. Seguramente.

From Lejer. Vecino. Siempre presente en las discusiones, o sea siempre. Tampoco hubiera faltado a ningún banquete, si hubiera habido.

Frume Geháctene Tzimes. Madre de Floime Beheime, esposa de Fárfale Tzimes, y por si esto fuera poco, suegra de Motl el emprende(u)dor. Digamos que, si su hija no le dio demasiadas satisfacciones en la vida, su yerno, en cambio, no escatimó esfuerzos en traerle *tsures*.

Gantze, Shverele, Nárishe Shloime Meidale, y Donárshtike Glomp (las solteras que se casaron). Son las hermanas Glomp, que lograron casarse a pesar de sus novios. Son el testimonio viviente de que cuando todo parece perdido, aún puede aparecer un milagro, o un casamentero.

Gehacte Chainik. Importante vecina; al menos, tan importante como las demás vecinas.

Gezunte Parnose "la doctóretzn". Mujer del *Dokter* Shimen Groisnboij. Ser la esposa de un científico no es fácil, sobre todo si el hombre tiene la sagrada misión de atender a sus pacientes todo el día, y más aún, si no tiene ni la menor idea de cómo se hace.

Grepche Guezúntzolzain de Piterkíjel. Esposa de Jaim Abrúmelson. Ser la mujer de un rabino tradicional es tarea fácil, o difícil, según se vea. Es fácil si escucha atentamente todo lo que le ordena su marido, y luego... no lo hace.

Gribeñe. Mujer de Ponim Mitvoj. Era complicado ser mujer en esos tiempos. Más aún, en un *shtetl*. Estar casada, más. Y ser la mujer de un hombre que seguía a un *rebe* progresista, más todavía. Pero no todos tienen la suerte de ser una vaca, o un jarrón, que casi no tienen problemas en su vida.

Gueburstog Mequenbrejn. Habitante de Tsúremberg que está siempre presente en todos los acontecimientos, sean culturales, religiosos o mixtos (mixto es entre cultural y religioso, no entre distintas religiones, ¡Dios lo libre!).

Guerratevetkétzale. La antigua capital del reino que según se cuenta fue fundada por un grupo de chicos que huyeron de su pueblo para salvar a un gatito que había sido condenado a muerte por comerse todo el pescado destinado a la celebración de Pascua. Obviamente se trata de un mito, de ficción, como casi todo lo que pasa en la vida.

Gueshtorbeneshpilke. Pueblo vecino a Tsúremberg. Importantísima referencia geopolítica, ya que cuando la gente pregunta "dónde queda Tsúremberg", se puede responder: "Queda cerca de Gueshtorbeneshpilke". Y si pregunta: "Bueno, pero entonces, ¿dónde queda Gueshtorbeneshpilke?", la respuesta es: "Obvio, queda cerca de Tsúremberg".

Gute Shtinquen. Traducción casi literal al idish de "Buenos Aires", capital de la República Argentina. Esto que para muchos lectores es una obviedad, para los tsúrelej era todo un misterio: ¿una ciudad en la que no había *pogroms*?

Hershl Cloranfenikolsky. Ladrón profesional, que no nació en Tsúremberg, pero se estableció en Tsúremberg, vaya uno a saber por qué, ya que un ladrón, en cualquier casa del pueblo, se encontraría más con carencias que con cualquier otra cosa. ¿Y qué sentido tiene robar carencias ajenas? ¿Acaso no alcanza con las propias?

Honorable Kapolic Czwczczczwcztskn. Juez de un tribunal presumiblemente varsoviano al que acude Reb Meir Tsuzamen para obtener la libertad de su hijo Shloime Gueshijte, preso por difundir ideas, que para peor, eran de izquierda.

Iajne Tsurelsky. Es la esposa de Reb Reubén, quien fuera el rico del pueblo en aquellos buenos viejos tiempos en los que se podía ser el rico del pueblo sin tener un peso. Extraña aquellos tiempos en los que podía darse todos los gustos, o, aunque fuera algunos de los disgustos.

Iósele Batzolnisht "specialista". Arreglador de papas. Tarea fundamental en Tsúremberg, ya que cuando una papa funciona mal, toda una familia puede estar en peligro. No olvidemos que en algunos casos, una papa podía ser "mascota familiar" o bien hacer las veces de *matze*, en *Peisaj*, de postre, de premio, etc.

Itkefrukte Mequenbrejn. Esposa de Gueburstog. En algunos libros figura como "Rifke". En otros, ni figura. Es posible que se llamara Rifke Itkefrukte, o Itkefrukte Rifke. Más que un nombre es un trabalenguas.

Ítzele Samovar Bolinsky. El *cuentérnik*. Hombre capaz de vender cualquier cosa a quien no tenga con qué pagarle. También puede vender sus historias, sus leyendas y sus favores. Jamás dejó embarazada a ninguna mujer a quien solo le vendiera historias o leyendas.

Jaim Abrúmelson Piterkíjel. Uno de los principales referentes del pueblo, proveniente de una familia de rabinos de varias generaciones, tan es así que cuando una Piterkíjel queda embarazada, todos se preguntan, ¿será nena o será rabino?

Jatzotzera Zaimirmoijl y Dinstik Tumiratoive. Editores de *Naie Linkeraje*, periódico de izquierda clandestino, de Lomirkvechn, aunque también tiene éxito de ventas entre los militantes de izquierda de Tsúremberg, o sea Reb Meir Tsuzamen y parte de su familia.

Jolodetz Saltzn. Casamentero, *shadjn*, promotor de una de las principales industrias del pueblo: la de las bodas. El hombre es capaz de arrancarle un "sí, acepto" a cualquiera, que después vendrá a preguntarle qué fue lo que aceptó.

Kolnidre Medarfloifn. *Shnorer* en un *shtetl* donde lo único que se puede conseguir gratis, es un rumor. Pero Kolnidre tiene de todo: hambre, frío, sueño, y consejos. Y además, el pueblo se encarga de que jamás le falten problemas, así se puede sentir un tsúrele más, a pesar de su pobreza, y de la de los demás.

Latque Gutekartofel. Rabino de Lomirkvechn. Al ser el único *rebe* del *shtetl*, tiene la doble misión de ser ortodoxo, conservador, liberal y de izquierda al mismo tiempo. Dura tarea para un solo hombre. Pero como el mismo Reb Latque suele decir: "Con la ayuda de Dios, hasta lo imposible es posible; sin la ayuda de Dios, hasta lo posible es imposible". Los lomirkvéchalaj no entienden el significado de semejante afirmación, y entonces Reb Latque les dice: "Váyanse a descansar". "¿Es esto lo que nos quiso decir, *Rebe*?". "No, es esto lo que ustedes pueden entender".

Lomirkvechn. Pueblo muy vecino a Tsúremberg. Sus habitantes suelen estar muy pendientes de lo que pase en Tsúremberg, ya que lo mismo suele pasar en Lomirkvechn un poco después, o un poco antes, o nunca.

Mainguelt Ostuguefunen. Es "más rico que Rothschild juntos". Magnate. Hombre que tiene muchísimo dinero, todo el que quiera, porque si quiere más, simplemente lo fabrica. El hecho de que sea falso no lo detiene. Y la Policía, tampoco lo detiene.

Mainzunderdokter Mitnajes. Suegro de Mainguelt, millonario estafador. Nadie sabe si primero fue estafador y después millonario, o al revés, pero tampoco es un dato importante. La Policía no lo persigue, porque es un hombre rico y puede comprar un caballo rápido y escaparse. ¿Qué sentido tiene para la Policía perseguir a alguien a quien es muy difícil alcanzar? En cambio a los pobres, que solamente disponen de sus pies, se los puede perseguir, aunque no sean sospechosos.

Majasheife Gueblibn. Una *iajne* de más 35 años de quejas. Verdadera institución del lamento. Dicen que vienen judías y judíos de toda Europa a buscar motivos de queja, y ella no le falla a nadie, ya que incluso si les falla, no les falla: ellos pueden quejarse de eso.

Meir Culpovich. Vecino de Lomirkvechn, hombre preocupado por el futuro de su *shtetl*, ya que el pasado no se puede modificar, y el presente, ¡*fehhh*, mejor no hablemos del presente!

Meir Tsuzamen. Otro de los referentes del pueblo: rabino, comunista, o socialista, o "bundista", es un hombre de izquierda que no por ello deja de creer en Dios, en todo caso se pregunta si Dios tendrá conciencia de clase.

Méndl Parnúsemboim. *Cuéntenik*, o sea, hombre que vende en cuotas lo que no puede vender al contado, o bien, vende al contado lo que no puede vender en cuotas. Era capaz de ofrecerle jamón a un rabino ortodoxo, y lograr vendérselo diciendo que Dios no lo deja comer jamón, pero no le prohíbe comprarlo.

Mérishke Vantz. Una de las más importantes vecinas de Tsúremberg, conoce al pueblo como si hubiera nacido allí, a pesar de que efectivamente nació allí. A diferencia de otros, que, aunque también nacieron allí, conocen el pueblo como si hubieran nacido en otro lado.

Mister Jaim y Moishe Itke Freudenlerner. Legendarios personajes de uno de los mitos tsurelianos, sobre los que Freud, Betelheim y Levi Strauss jamás escribieron una sola palabra. Se decía que él la raptó, pero también que ella huyó con él, y también que jamás pasó nada de eso.

Moishe Próletar, Mordje Alebrider, Sara Plusvalía, Judith Nishtraije. Hijos de Reb Meir Tsuzamen, y también de Tzebrójene Mishpoje. Algunos son militantes como el padre: otros, hogareños como la madre, y otros, hogareños como el pare y militantes como la madre.

Moishe Treifer, el "falso rico del pueblo". Habitante de Lomirkvechn, a quien los tsúrelej confunden con el rico del pueblo, a pesar de que es tan pobre como ellos mismos, o más aún. Algunos dicen que se trató de una ilusión óptica, otros, que fue una ilusión, nomás.

Mordejaim Roshtapuaj Shuartzefínguerlaj. Vecino un tanto ingenuo de Tsúremberg. En realidad Mordejaim no es más ingenuo que el resto, pero a veces "hace de ingenuo". Rol muy necesario en el *shtetl*, ya que para que un rumor pueda ser exitoso en su calidad de tal, alguien tiene que darse por sorprendido.

Moritz Shoin Nishtó. Hombre de ideas modernas, progresistas y solidarias, se casó con la mujer que él quiso como esposa, o al menos, con la que lo quiso como esposo. Después dio un paso atrás, al negarse a circuncidar a su futuro hijo, en caso de que fuera mujer.

Motl Guéltindrerd, el emprende(u)dor. Joven *entrepreneur*, poseedor de una gran autoestima, lástima que eso es lo único que posee, y que los demás no tengan una gran estima hacia él, sobre todo si le confiaron algún valor.

Naie Linkeraje. Periódico de la izquierda. Para muchos es "una herramienta necesaria para la liberación", pero otros no pueden verlo como una herramienta, ya que no sirve ni como hoz ni como martillo. Y están los que no entienden de qué tienen que liberarse.

Najes Shoin Nishtó. Padre de Moritz. Najes es un hombre tradicionalista como todos, por lo cual, la noticia de que su hijo Moritz quería casarse con la mujer que él eligiera, y no que "él" eligiera, y mucho menos con la que "Él" eligiera, le cayó como un balde, no digamos de agua fría, que era la única que había en la zona, sino de nieve caliente.

Nishtaféiguele Cloranfenikolsky. Ladrón, desde hace muchos años. Se dice que cuenta entre sus "clientes" a los más afamados ciudadanos de Kiev, Varsovia, Lemberg, y Vilna. Le encanta presentarse como "portador de objetos de procedencia no verificable".

Nishtanárbeter Esizfarbrentdicholent. Padre de Shlejtesoine, y por lo tanto, *zeide* del ladrón Hershl Cloranfenikolsky. No es un hombre excesivamente trabajador, pero tampoco es demasiado honesto.

Nishtmainzún Geblibn. Supuesto ladrón, en los tiempos en los que los ladrones no eran vistos, por los padres, como buenos candidatos para sus hijas casaderas. Luego las cosas cambiaron.

Nuyor. Denominación tsureliana de New York, la gran ciudad de los Estados Unidos a la que iban a parar muchos judíos provenientes de Europa centro-oriental. Pero no me animo a decir que Nuyor fuera realmente New York. Porque la ciudad que se imaginaban los tsúrelej, seguramente era otra muy distinta a la real. Los tsúrelej imaginaban "oro en las calles", y mejor que eso: "pan y *guefilte fish* en las calles" que uno podía tomar. Creían que allí estaba lleno de ricos a los que uno podía pedirles plata, y que ellos te la prestaban (lo que en la lógica tsúrele era mucho mejor que ser rico uno mismo). Visto desde el *shtetl*, el capitalismo era más bien el papitalismo, o sea, la acumulación de papas.

`Pílquele, Kíjele, Beigale, Tzibele, Kíguele, Cúquele.` Niños y niñas, que van por el mundo preguntando sin recibir respuestas adecuadas, como les suele pasar a todos los chicos del mundo. Pero a estos, como son pobres, a veces les toca recibir respuestas que ya fueron usadas por otros niños mayores, y ahora les quedan chicas.

`Piotr Parátropin Cloranfenikolsky.` Mítico antepasado de Hershl, Piotr era "el ladrón del Zar", aunque no faltará quien diga que el Zar no necesitaba que nadie robase para él, que se las arreglaba muy bien con sus propios recursos para dejar a todos sin nada. Pero en honor al buen nombre y a la dignidad de Piotr, diremos que puede haber sido ladrón, y a mucha honra, pero que jamás robó para otros.

`Pípike Farbrent.` La mujer de Calman, un ardiente sionista. Lamentablemente para Pípike, Calman es más sionista que ardiente, y en Tsúremberg hace bastante frío, por lo que a ella le hubiera venido mejor un "ardiente" que un sionista.

`Ploike Míljique Dainemishpoje.` Joven mujer que vivió en Tsúremberg en los inicios del siglo XIX. Se comenta que cuando Napoleón se estableció en Tsúremberg en su campaña contra Rusia, Ploike fue su amante: no se casó con ella porque el rabino lo obligaba a convertirse al judaísmo, lo que no es muy conveniente si uno quiere ser Emperador de Francia. Y en realidad tampoco hubiera sido conveniente para los judíos, ya que después nos hubieran echado la culpa de todos los males que le adjudicaron a Napoleón. Porque, se sabe, así es la cosa con los judíos: si alguno hace algo bueno, fue él, pero si alguno hace algo malo, somos todos.

Politzitrotzka Penitentziarka. "Hotel" de Varsovia donde hospedan contra su voluntad a cierta gente y la retienen allí por cierto tiempo, no voluntario, o mejor dicho sí, pero no es la voluntad de los huéspedes, sino de algún juez.

Ponim Funanasher. Fue el chofer del pueblo sin saber manejar. Así es este hombre: sabe hacer muchísimas cosas que no sabe cómo hacerlas.

Ponim Mitvoj, Azoi Krantzinpupik, Emes Mequenbrejn. Feligreses del templo de Reb Meir Tsuzamen. Hombres de ideas progresistas, aunque no está tan claro qué es el progresismo en Tsúremberg, y, mucho menos, si ellos entienden el concepto. Pero, de todas maneras, si el *rebe* dice que hay que ser progresista, hay que serlo, por tradición.

Promischik Papírelej. Joven que se casó con varias mujeres, sin divorciarse de ninguna, ni enviudar, ni nada. Algunos dicen que era muy enamoradizo, pero que cada amor le duraba poco. Otros sostienen que lo que le duraba poco era el dinero de las dotes de sus esposas. En realidad, no se contraponen: él se enamoraba del dinero, que le duraba poco.

Purim Feler. Padre de Rojl, Rifke, y de todas, o muchas, de las Feler que viven en el *shtetl*. Purim es un hombre tranquilo por convicción, o porque no le queda otro remedio que serlo, pero en cualquier caso, sabe afrontar los sinsabores de la vida "que una hija quiera elegir a su marido, que otra quiera ser escritora, etcétera", como un hombre los enfrenta, o sea, pidiéndole apoyo a su *rebe*, a su mujer, al *shadjn*, a un *shnorer*, o a quien sea.

Rajmiel Tunquen. Conocido como el "Doctor Banques", uno de los médicos que se encargan de que Dios se encargue de mantener sanos a los tsúrelej. Allí no existe la medicina prepaga, ni la preventiva; salvo que consideremos a los "rezos" como la forma de pagar previamente, o de prevenir enfermedades.

Reubén Soier. Vecino de Lomirkvechn. No es de los más famosos, tampoco de los menos conocidos. De hecho, ¿quién puede ser famoso en un *shtetl* donde todos se conocen por igual?

Reubén Tsurelsky. Alguna vez fue rico, pero no supo aprovechar la situación para hacer un poco de dinero, al menos. Y sigue tan pobre como antes.

Rifke Feler. Hermana de Rojl y tan feminista o más que su hermana. Su máxima ambición es ser escritora; hasta aprendería a leer y escribir, si fuera necesario, para serlo.

Rojl Feler. Es la primera mujer en la historia de Tsúremberg que elige al hombre con el que se casa... ella misma. Feminista, progresista, es una mujer que rompe las tradiciones, como marca la tradición.

Shimen Groisnboij. Médico oficial por decreto de Dios, lo cual era medio complicado a la hora de tener que exhibir el diploma habilitante, pero siempre puede apelar a la fe de sus pacientes y decir "si no me cree, vaya lo de otro *dokter* que se recibió en la facultad y sabe más que Dios acerca de cómo curar".

Shlejtesoine Esizfarbrentdicholent. Madre de Hershl Cloranfenikolsky, que con total orgullo sale a la calle y dice: "Mi hijo, el *ganev*". Hay que tener en claro que en esos tiempos y en esos lugares a los judíos les resultaba casi imposible llegar a médicos.

Shloime Gueshijte Tsuzamen. Hijo de Reb Meir, sigue los pasos de su padre, pero con zapatos más chicos. Se está preparando para su "Marx Mitzvá".

Shloime Vantz. Uno de los parroquianos que nunca faltan a la hora de charlar, de comer, de tomar té, de discutir o de quejarse.

Shloimordje Cloranfenikolsky. Hermano menor de Hershl, decidió dedicarse al comercio, lo que no fue muy bien visto por su familia, ya que si bien todos eran ladrones, tenían sus límites y había cosas que no estaban dispuestos a hacer.

Shmóquele y Tsúrele Ostuguefunen. Hijos de Mainguelt, nacieron en la opulencia. No les falta ninguna cosa que un billete falso pueda pagar.

Shmulik Groistsures. Editor en jefe, cadete y principal redactor del *Tsúreldique Tzaitung*, que es el segundo medio de comunicación más rápido del pueblo; el primero, como todos saben, es el rumor.

Shpeter Cohen. Hermano de Blitzpocht. Es conocido por escuchar los constantes gemidos de su hermano y tratar de darles algún tipo de sentido, a lo que su hermano responde "*oyoyoyoy*".

Shver Piterkíjel; Fáncojot Piterkíjel, el más severo; Teigartz Piterkíjel, el extre-

madamente severo; Jacob Abraham José Asher Moshé, a quien llamaban "Jajam", por sus iniciales, y el latquenasher por su afición a los buñuelos de papa; Cholent Piterkíjel; Jobamatune Piterkíjel; Iomkiper Piterkíjel; Rojlbruder Piterkíjel; Shlofter Abraham Piterkíjel; Reb Shver Piterkíjel; Reb Katzunféiguele Piterkíjel, el "norepito"; Reb Erkratzij Piterkíjel, el "comídemás". Antecesores de Jaim Abrúmelson.

Simjastoire Nusslgrois. Patriarca, hombre entrado en años y salido en décadas, opina que todo tiempo pasado fue mejor, aunque no mucho mejor, tampoco.

Sofía Shikertojter, Rifke Epesvelijtroifn, Eítzele Fetermuter, Guekukte Shoin, Mírele Vosostumirguetón. Son solo algunas de las muchachas que según la leyenda cayeron bajo los encantos de Hershl, que parece que también era ladrón de corazones.

Sore Blintzes. Vecina de Lomirkvechn, que suele alquilar una cama a los visitantes, con ella adentro. Tuvo la mala suerte de conocer un día a Motl el emprende(u)dor, que ni siquiera le pagó.

Tsúkerke Café. Importantísima institución de Tsúremberg creada por su dueño, Vísele Tsúkerke, es el único café del mundo en el que solo se sirve té. Uno puede elegir lo que quiere tomar, pero no lo que realmente va a consumir. En sus mesas se discute, aunque es mejor hacerlo en sus sillas. En una de sus habitaciones se instaló el célebre *Dokter* Víntziquer Psíquembaum.

Tsúreldique Tzaitung. El diario de Tsúremberg, el de mayor y a la vez menor circulación. En realidad el contenido de sus páginas circula mucho más que el diario en sí, y a veces, antes.

Tzebrójene Mishpoje. Esposa de Reb Meir Tsuzamen, y si con eso no alcanzase, madre de todos sus hijos. Y la verdad, aunque nunca le falta de qué quejarse, ella se mantiene en respetuoso silencio. O al menos, como es silencio, creemos que es respetuoso.

Víntziquer Psíquembaum. Psicoanalista. Nadie sabe más que él acerca de Freud, en Tsúremberg porque ellos desean por tradición, como sus padres y abuelos. Muchos tsúrelej, gracias al *Dokter*, se curaron de una neurosis que ni sabían que tenían. O que realmente no tenían.

Vísele Tsúkerke. Verdadero visionario, se dio cuenta de que en la vieja casa de sus padres podría convertirse en un café al estilo vienés, donde la gente discutiera acaloradamente, tomara café y gastara su dinero. En el Tsúkerke no hay café de verdad, ni dinero que se pueda gastar, pero en cambio las discusiones pueden llegar a tal nivel que hacen hervir el té de papas sin necesidad de samovar.

Vuguéistemberg: Uno de los pueblos vecinos a Tsúremberg. Alguna vez fue abandonado por sus habitantes, y alguna otra vez, fue fundado. Hay quienes aseguran que la fundación fue antes que el abandono, pero no todos están de acuerdo, ya que si los judíos escribimos de derecha a izquierda, podemos abandonar un pueblo antes de fundarlo.

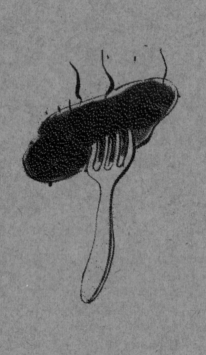

Personajes históricos

Albert Einstein. Si Freud es el padre del psicoanálisis, Herzl el del sionismo, y Lüger el abuelo del nazismo, Einstein es, sin duda, el padre de la Teoría de la Relatividad, aunque en esta misma expresión nos estamos complicando, al decir que era "sin duda" el padre de una teoría que pone todo en duda. Pero en realidad, también el psicoanálisis participa de la duda, y de alguna manera el sionismo, mientras que el nazismo es pura certeza. Einstein revolucionó la Física en el mundo en general, aun que en Tsúremberg, muchas de sus propuestas fueron descubiertas por los *Dokters* Abramitsik Úguerke y Efrom Píchifke. El hecho de que ellos descubrieran lo mismo que Einstein, pero después, no les quita mérito, ya que, si todo es relativo, el tiempo también. Einstein decía "nada se pierde, todo se transforma"; en Tsúremberg dirían "nada se pierde, todo se come".

Alcalde Lüger. Fue el alcalde de Viena desde 1897 hasta 1910. Verdadero visionario, fue nazi antes de que el nazismo existiera. Durante su gestión, Viena era el lugar ideal para cualquiera que quisiera perfeccionarse en artes, ciencias o antisemitismo. El mismísimo Hitler, varias veces rechazado por la Academia artística vienesa, no bajó los brazos (en realidad sí, pero solo el izquierdo) y logró llegar, de ser un mediocre artista, a ser un refinado genocida.

Bogdan Jmelnitsky. Líder de los cosacos que se levantó contra los judíos, contra la Iglesia y contra los ricos en el siglo XVII. Contra la Iglesia y contra los ricos, porque los consideraba opresores. Contra los judíos, porque venía en el "combo", o por simple tradición, no se sabe. A muchos judíos les hizo perder la fe, que era lo único que les quedaba, pero luego de ese ataque, muchos se refugiaron en la fe, porque, ya lo dije, era lo único que tenían.

Moishe Rabeinu. Es el nombre que se le da en idish a Moisés, aquel que libera a los judíos de la esclavitud en Egipto, y los lleva, a través del desierto, hasta Canaán, la Tierra Prometida, mucho antes de que otros pueblos reclamaran para sí las mismas tierras, haciendo que el mundo se pregunte por qué Dios, en Su omnisciencia, iba a prometerles la misma tierra, por otro lado pobre y sin petróleo, a dos pueblos distintos, habiendo en el mundo tantos lugares que al parecer no se los prometió a nadie.

Moisés es quien les transmitió a los judíos "Los Diez Mandamientos", entre los cuales se encuentran algunos fundamentales y fundacionales como "No robarás", "No idolatrarás", "No asesinarás", y otros, como "No cometerás adulterio", de dudoso cumplimiento.

Moisés abrió las aguas del mar Rojo, se enfrentó al Faraón, liberó a su pueblo y les entregó un conjunto de leyes, y por si esto fuera poco, parece que no le iba nada mal con las mujeres: un héroe.

Mujer de Lot, la. Nadie se acuerda de su verdadero nombre, lo que nos hace pensar que ya en aquellos tiempos bíblicos había machismo, y las mujeres no usaban su apellido de soltera. Cuando abandonan Sodoma y Gomorra para evitar ser destruidos por Dios, ella, contradiciendo una orden divina expresa, se da vuelta para mirar, curiosa (mujer al fin, dirían los machistas de esos tiempos) y queda convertida en una estatua de sal, lo que no le hizo muy bien para la presión, pero eso no tiene mayor importancia.

Shabetai Zeví. Judío nacido en Turquía en el siglo XVII; estaba convencido de ser el Mesías. Que él lograría liderar a su pueblo, o que al menos, su madre lo miraría pasar, y con total orgullo lo señalaría mientras diría: "Mi hijo, el Mesías". Algunos dicen que fracasó en su misión de convencer al sultán de Constantinopla de que él era el Mesías, quizás porque el Sultán, que no era judío, no creía en el Mesías, o simplemente no le importaba. Otros señalan que se equivocó de profesión y fracasó en el intento de enorgullecer a su madre, quien prefería a su otro hijo, el médico.

Sigmund Freud. Creador del psicoanálisis. Médico judío nacido en Moravia en 1856, fallecido en Londres en 1939, estudió en Francia con Charcot, y trabajó en Viena durante muchos años, hasta que el nazismo lo expulsó. O sea que Freud recorrió muchos países, pero trasladándose de verdad, no como los tsúrelej que se acostaban en un país y se despertaban en otro sin moverse de su casa. Si decimos que Freud fue el padre del psicoanálisis, una histérica debe de haber sido la madre, y la concepción, no digamos que fue "inmaculada" –que no lo fue–, pero sí que fue verbal (bueno qué quieren, ya dijimos que la madre era muy histérica). Entre otros conceptos, Freud descubre "lo inconsciente", "el narcisismo", "la sexualidad infantil", "el principio del placer", "el aparato psíquico" y "la asociación libre", muy útiles a la hora de curarse de la neurosis, pero no tanto a la hora de sentarse a la mesa, nos diría un tsúrele. Aunque se equivocaría, ya que Freud gracias a esos conceptos, sí conseguía otros, más concretos, llámense papas, carnes, frutas.

Theodor Herzl. Theodor Herzl (1860 1904) es el padre del sionismo moderno. A fines del siglo XIX soñó, (sin que ese sueño le fuera interpretado por Freud, quizás porque este aún no los interpretaba) con un Estado para los judíos; probablemente influido por esa tendencia de las naciones europeas de expulsar a los judíos cuando se quieren quedar y luego enojarse porque se quieren ir.

Sobre el autor

Rudy nació en Buenos Aires en 1956, y vive allí desde entonces. Es casado y tiene un hijo. Se recibió de médico en la UBA en 1979, a partir de lo cual se dedicó al psicoanálisis, a partir de lo cual se dedicó al humor. Hay quien emigra de ciudad o de país, Rudy lo hizo de profesión. Pero continúa ejerciendo la medicina y el psicoanálisis, aunque solamente como paciente.

Ya instalado en el humor, comenzó a publicar en la revista *Hum*® en 1982. Desde 1987 es el coautor (junto a Daniel Paz) del chiste de tapa del diario *Página/12*, y del de la última página de la revista *Noticias* (desde 1989).

Coordina, desde 1987, el suplemento de humor *Sátira/12*. Publica columnas humorísticas en el periódico *Acción*, la revista *El Monitor*, y en la revista-libro *Mal estar*, en forma habitual, y en otros medios, eventualmente.

Desde 2002 forma parte del equipo del programa radial *La alternativa* (conducido por José Eduardo Abadi), y junto a él y a Titi Isoardi, del elenco de las conferencias *Tragedias abadianas* desde 2003.

Escribió para los programas de televisión de Tato Bores (1990-92), *Kanal K* (1991-92) y *Peor es nada* (1993).

Es coautor del espectáculo unipersonal *Humor con Acher*.

Rudy publicó más de treinta libros de humor, entre los que se destacan las recopilaciones de humor gráfico (con Daniel Paz), de humor popular, de humor judío (con Eliahu Toker), libros de humor sobre la historia argentina, sobre psicoanálisis, etcétera. En 1994 publicó *La circuncisión de Berta* (Astralib) primer libro de crónicas de Tsúremberg. Y coordina, junto a Marcelo Benveniste, la pagina www.tsuremberg.com.ar

Índice

Colección Náufragos